Y Deugain Mlynedd Hyn

Diwinydda yng Nghymru, 1972-2015

D Densil Morgan

CYHOEDDIADAU'R
GAIR

Y Deugain Mlynedd Hyn © 2015 Cyhoeddiadau'r Gair

Awdur: D Densil Morgan

Golygydd Cyffredinol: Aled Davies

Dylunio a Chysodi: Rhys Llwyd

Llun y clawr: Dylan Jones

ISBN 9781859948095

Cyhoeddwyd gan:
Cyhoeddiadau'r Gair
Ael y Bryn, Chwilog,
Pwllheli, Gwynedd
LL53 6SH.

www.ysgolsul.com

Cynnwys

Cyflwynedig i

Desmond ac Eirianwen

RHAGYMADRODD

Fy mwriad gwreiddiol oedd cyhoeddi amrywiaeth o'm hysgrifau hanesyddol a diwinyddol a welodd olau dydd mewn gwahanol gylchgronau er wythdegau'r ganrif o'r blaen, ynghyd ag un ysgrif newydd o natur hunangofiannol a fyddai'n eu cyd-destunoli. Awydd y cyhoeddwr, fodd bynnag, oedd i mi roi blaenoriaeth i'r ysgrif hunangofiannol, ac, o bosibl, ychwanegi ati, am yr oedd, yn ei dyb ef, yn taflu goleuni gwerthfawr ar hanes crefydd a chrefydda yng Nghymru yn ystod y deugain mlynedd diwethaf hyn. Gan werthfawrogi ei ddiddordeb yn y brosiect, nid oeddwn yn awyddus ychwaith i hepgor y bwriad gwreiddiol; daethom, felly, i gyfaddawd. Mae cynllun y gyfrol yn aros fel yr oedd, ond mae'i theitl a deunydd y clawr yn adlewyrchu'r newidiadau syfrdanol sydd wedi digwydd yng nghrefydd Cymru rhwng 1972 a'r presennol. Echel y gyfrol, mewn gwirionedd, yw'r bennod olaf, 'Deugain Mlynedd o Ddiwinydda'. Os bydd darllenwyr yn prynu'r gyfrol am y bennod olaf, gobeithio yr ânt ati i ddarllen y penodau eraill yn ogystal.

Hoffwn ddiolch i Aled Davies a Chyhoeddiadau'r Gair am y diddordeb sydd wedi'i ddangos yn y fenter, ac am y parodrwydd i gyhoeddi'r gyfrol, ac i Rhys Llwyd am ddylunio a chysodi'r gyfrol. Darllenwyd y deunydd i gyd gan y Parchg Ddr Desmond Davies, Caerfyrddin, a gwerthfawrogaf ei sylwadau ar y penodau yn eu ffurf amrwd. Rwyf wedi ceisio cynnwys pob awgrym o'i eiddo yn y fersiwn terfynol. Mae Desmond yn cynrychioli delfryd 'y weinidogaeth addysgedig' a fu'n gymaint glod i Anghydffurfiaeth Cymru yn y gorffennol, ond sydd, ysywaeth, yn llai amlwg nag a fu. Iddo ef, ac Eirianwen, ei wraig, y cyflwynir y gwaith.

D. Densil Morgan, Llanbedr Pont Steffan

Athrawiaeth Hanes Joshua Thomas

(1986)

Prin bod rhaid atgoffa neb o'r gymdeithas hon¹ ynglŷn â phwy oedd Joshua Thomas. Ond er mwyn gloywi ychydig ar y cof, dyma grynodeb o'i yrfa. Fe'i ganed yn y Tŷ Hen, plwyf Caeo, ar 22 Chwefror 1719, yn fab i Thomas Morgan Thomas, aelod gyda'r Presbyteriaid. Ychydig a wyddys am ei fywyd bore tan 1738 pan fudodd i Henffordd i ddysgu crefft dilledydd o dan gyfarwyddyd ei ewythr, Simon Thomas, awdur y cyfrolau tra Chalfinaidd *Hanes y Byd a'i Amserau* a *Histori yr Heretic Pelagius*. Cyfunai Simon ei grefft fel sidanydd a'i ddiddordeb fel llenor gyda'i swyddogaeth fel henuriad a phregethwr ymhlith Presbyteriaid y dref. Pa ddylanwad bynnag arall y cafodd yr ewythr ar y llanc, ni lwyddodd i wneud Presbyteriad ohono. Yn hytrach daeth i gysylltiad â gwraig o'r dref a oedd yn aelod gyda Bedyddwyr Llanllieni, tua thair milltir ar ddeg i'r gogledd o Henffordd, ac i'r fan honno yr aeth Joshua am ei gymdeithas grefyddol. Yno, ym mis Mai 1740, yn 21 oed, y'i bedyddiwyd a'i dderbyn i aelodaeth eglwysig.

Ymhen y flwyddyn cymhellwyd ef, gan ei gyd-aelodau, i ymarfer ei ddoniau fel pregethwr yn eu plith, a chyda pheth profiad cyhoeddus dychwelodd, yn 1743, i Gymru. Dyna'r cyfnod pan briododd â merch o Lanbedr, sir Aberteifi, perthynas a'r ysgolfeistr Ariaidd, Dafydd Dafis Castell Hywel. Ar ôl priodi ymsefydlodd yn Y Gelli Gandryll, sir Frycheiniog. Roedd ei aelodaeth erbyn hynny yn eglwys Maes-y-berllan, ac yn y fan honno fe'i hordeiniwyd i gyflawn waith y weinidogaeth. Maes ei lafur rhwng 1746 a 1754 oedd Y Gelli, Capel-y-ffin ac Olchon, sef y cydiad tir rhwng siroedd Brycheiniog, Maesyfed a Henffordd, ac mae'n ddiddorol sylwi mai ardal Gymraeg ei hiaith ydoedd yn ystod y cyfnod hwn.[2] Wyth mlynedd oedd hyd ei breswyliad yno. Ar ôl adnewyddu ei berthynas ag eglwys Llanllieni ym mis Medi 1753, fe'i gwahoddwyd i ymgymryd â'i bugeiliaeth, ac ym mis Tachwedd y flwyddyn ganlynol croesodd eto Glawdd Offa ar gyfer ei waith newydd. Parhaodd y gwaith yno am 43 blynedd, yn yr un eglwys. Bu farw, yn 76 oed, ar 25 Awst 1797.[3]

Er mai yn Lloegr y bwriodd Joshua Thomas y rhan helaethaf o'i oes o gryn dipyn, a chyfrannu at fywyd yr eglwysi Seisnig, eto fel llenor, diwinydd a hanesydd Cymreig a Chymraeg y'i cofir. Mae iddo ei le yn hanes llenyddiaeth Gymraeg. 'Y mae mwynder a hynawsedd Joshua Thomas fel pe'n llunio'r arddull esmwyth sydd yn ei waith', meddai Thomas Parry amdano, 'ac y mae ei frawddegau eglur di-gwmpas yn cynnwys aml briod-ddull hen a da'.[4] Rhydd Gwili le teilwng iddo ymhlith diwinyddion y ddeunawfed ganrif,[5] a dengys ei weithiau megis *Tystiolaeth y Credadyn am ei Hawl i'r Nefoedd* (1757), *Nodiadau ar Bregeth Mr Abel Francis* (1775) a'i gyfieithiad o draethawd Robert Hall, *Athrawiaeth y Drindod* (1794) natur ei ddiddordeb diwinyddol cyson trwy gydol ei oes. Ond ni waeth beth am y meysydd uchod, fel hanesydd y gwnaeth ei waith arhosol. Ei *magnum opus* yn bendifaddau oedd *Hanes y Bedyddwyr Ymhlith y Cymry* a gyhoeddwyd yng Nghaerfyrddin yn 1778: 'Mae'n agos 30 o flynyddau er pan soniwyd wrthyf am ysgrifennu hanes y Bedyddwyr yng Nghymru. Nid hir y bum wed'yn cyn dechrau ymholi, casglu, ac ysgrifennu ychydig. Bu y gorchwyl yn fy ngolwg, fwy neu lai, o hynny hyd yma'.[6] Nid dyma'i unig gyfraniad naill ai at hanesyddiaeth Fedyddiedig neu at hanesyddiaeth eglwysig Gymreig a Phrotestannaidd yn gyffredinol,[7] ond gan mai yn y gyfrol hon y ceir ei athrawiaeth hanes yn ei chyflawnder, gyda hi yr arhoswn yn yr astudiaeth hon.

Rhychwantai bywyd Joshua Thomas ddau gyfnod yn hanes

Bedyddwyr Cymru, cyfnod yr Hen Ymneilltuaeth a chyfnod y Diwygiad Efengylaidd. Nodweddwyd Bedyddwyr yr Hen Ymneilltuaeth yn gyntaf gan eu Calfiniaeth ddiledryw ac yn ail, ac yn fwyaf arbennig, gan eu syniad uchel am le'r eglwys ym mwriad ac arfaeth Duw. 'Uchel eglwyswyr' oedd Bedyddwyr Cymru a'u cymrodyr ymneilltuol, yr Annibynwyr a'r hen Bresbyteriaid, rhwng 1689 a, dyweder, 1770. Pan ddechreuodd y Diwygiad Efengylaidd danio gwerin Cymru ar ôl 1735, blwyddyn tröedigaeth Howell Harris o Drefeca a Daniel Rowland o Langeitho, nid Calfiniaeth y Bedyddwyr ond eu hathrawiaeth uchel am yr eglwys a fu'n bennaf gyfrifol am atal y tân rhag lledu trwy eu cynulleidfaoedd. Ar wahân i beth gydweithio digon anesmwyth tua 1736 hyd 1740 rhwng y diwygiwr o Drefeca ac unigolion o Fedyddwyr megis Miles Harri o Ben-y-garn, William Herbert o Drosgoed a John Powell, sir Benfro, bu rhaid aros tan 1775 cyn i fflam y Diwygiad danio'r enwad. Pa resymau eraill bynnag y gellir eu cynnig am yr oedi hirfaith hwn,[8] un rheswm hollbwysig oedd y gwahaniaeth dirfawr yn eglwysyddiaeth y ddau fudiad. Roedd Methodistiaeth yn fudiad Anglicanaidd. Roedd Anglicaniaeth, yn ôl y dybiaeth gyffredin, am y pegwn ag Ymneilltuaeth. Gelyniaeth oedd prif nodwedd y naill gymuned tuag at y llall. Felly pan ddechreuodd y Diwygiad wreichioni trwy'r llannau, ac offeiriaid megis Daniel Rowland, Williams Pantycelyn, Peter Williams a Howell Davies yn megino'r fflam, drwgdybiaeth oedd ymateb cyntaf a greddfol y Bedyddwyr. Parhaodd y ddrwgdybiaeth hon am ddeugain mlynedd. Yn y cyfamser cynyddu yn ddirfawr a wnaeth y Methodistiaid tra mai aros yn ei unfan oedd hanes y mudiad Bedyddiedig Cymreig.

Erbyn 1775 daeth tro ar fyd. Os 56 oedd cyfartaledd yr aelodau a fedyddiwyd o'r newydd yn eglwysi'r Gymanfa Gymreig yn 1772, yn 1774 saethodd y graff i fyny i 268,[9] a dyna fyddai'r duedd o hynny ymlaen. Roedd y rhod yn troi. Wedi hynny cynyddu ac nid aros yn eu hunfan neu leihau fyddai hanes yr eglwysi. 'Er nad ydyw fy amrywiol amgylchiadau yn caniattáu i mi ymweled ond yn anfynych iawn â neb o'm cyfeillion crefyddol yng Nghymru', meddai Benjamin Francis o Horsley, sir Gaerloyw, yn Hydref 1773, eto 'hyfryd gennyf glywed fod yr efengyl mor llwyddiannus, a chrefydd mor flodeuog, mewn amryw rannau o'r wlad'.[10] Os pesimistiaeth a digalondid oedd prif nodwedd y dystiolaeth Fedyddiedig ar hyd yr 1760au, hyder a llawenydd oedd piau hi bellach. Llwyddodd yr efengylu, cydiodd y cenhadu, daeth arddeliad ar genadwri'r pregethwyr, tyrrodd y lluoedd i wrando'r Gair, roedd sêl yn lledu a chafwyd eneiniad anghyffredin ar weithgarwch yr eglwysi. Hyd yma ffenomen Anglicanaidd oedd y Diwygiad Efengylaidd. Bellach roedd ei egnïon yn cael eu profi ymhlith yr Ymneilltuwyr, yr Annibynwyr yn ogystal â'r Bedyddwyr. Ac o'r diwedd llaciwyd llinynnau'r hen eglwysyddiaeth gan yr awydd i brofi o fendithion yr adnewyddiad:

> Achos sydd genym ni i ddweud bod y gaiaf gwedi myned heibio, a'r gwlaw gwedi paso a myned ymaith, a'r blodau i'w gweled ar ein daear, a'r amser wedi dyfod i'r adar ganu, a bod hyfryd lais y dyrtyr i glywed trwy ein holl derfynau.[11]

Dyna oedd tystiolaeth mudiad y Bedyddwyr erbyn diwedd y degawd. Ac yn erbyn y cefndir hwn mae'n rhaid deall *Hanes* Joshua Thomas.[12]

'Mae'r gyfrol yn dystiolaeth sicr i ysbryd eireniadd Joshua Thomas', meddai T. M. Bassett, 'ac yn brawf hefyd o'r ireidd-dra a'r hyder newydd a feddiannai'r enwad'.[13] Mewn gwirionedd mae'n llawer mwy na hynny. Mae hi'n cofnodi, ac yn helpu ail-greu, y newid mewn hunaniaeth a oedd yn digwydd ymhlith Bedyddwyr Cymru fel canlyniad i'r Diwygiad Efengylaidd. Gynt roedd Calfiniaeth yr enwad, ac yn fwyaf arbennig ei syniad neilltuedig am yr eglwys, yn gymorth iddo ymgodymu â'i fychander. Os lleiafrif oedd yr etholedigion yn y byd, a'r eglwys yn braidd bychan ac yn ardd gaeedig neu'n ffynnon gloëdig, roedd modd dod i dermau ag aflwyddiant cymharol y dystiolaeth. Ond bellach roedd y sefyllfa yn newid i gwrdd â'r byd newydd. Nid yn unig roedd llyfr Joshua yn rhoi cyfle i Fedyddwyr Cymru adnabod eu gorffennol, ond rhoddodd y cyfle iddynt hefyd ddeall y newidiadau mawr a oedd ar droed yng nghyddestun y symudiad hwn. Er iddo lynu, i raddau, at hen syniad y Bedyddwyr amdanynt eu hunain – yr hunaniaeth 'uchel' eglwysig, neilltuedig, leiafrifol – fe groesawodd hefyd y Diwygiad Efengylaidd, diwygiad a fu gynt yn hynod amheus yng ngolwg llawer o'r Hen Ymneilltuwyr. Ac yn hytrach na thra dyrchafu'r elfennau Bedyddiedig yn yr hanes, rhoes le teilwng yn ei athrawiaeth i gyfraniad eang Protestaniaeth efengylaidd o bob plaid a sect.

Y Diwygiad Efengylaidd, felly, i ddechrau. Dyma a ysgrifennodd am Howell Harris: 'Taranu yn ofnadwy yr oedd yn erbyn tyngwyr, rhegwyr, meddwon, ymladdwyr, torwyr y Sabboth, a gwrychioni tân uffern, mewn ystryrieth, yn eu plith' (t.53). Yn hytrach na bychanu ei gyfraniad, mae Joshua yn ei gydnabod fel offeryn Duw i ddeffroi'r genedl oll: 'Yr oedd llawer iawn o ieuenctyd Cymru, ac eraill, yn gwbl ddigrefydd, yn arfer cyfarfod i ddawnsio, meddwi a difyrru eu hunain, a'u gilydd, â rhyw ddrygioni' (ibid.). Ond gwaith Harris, a Daniel Rowland, Williams Pantycelyn a Howell Davies, y Methodistiaid, oedd y cyfnewidiad a ddaeth dros foesau'r wlad. Ni wadodd y newid na bychanu ei arwyddocâd: 'Felly bu diwygiad mawr yn y wlad', meddai. 'O hynny hyd yn hyn, mae gwybodaeth o Dduw yn ymdaenu yn rhyfedd drwy Gymru' (ibid.). Er nad oedd yn ddall i wendidau'r Methodistiaid: 'Hyn a fu yn un gwendid yn eu plith o'u dechreu yn agos, sef barnu yn galed iawn ar bawb ond eu hunain' (t.54), eto bu'n ymarhous iawn i'w cablu am hyn. 'Y mae yn eu plith lawer o ddynion duwiol ac addfwyn', meddai, 'canys ni fynnwn roi drygair i neb ag sydd am ganlyn Crist yn ffyddlon' (ibid.).

Yn ogystal â dangos y fath haelioni, roedd mewn cydymdeimlad â'r athrawiaeth Fethodistiaeth am hanes. Yn ôl yr athrawiaeth hon roedd cyflwr Cymru cyn 1735 yn dywyll odiaeth: 'Yr wyf yn barnu mai hyn yw'r gwir, mewn byr eiriau, o ran crefydd trwy Gymru a Lloegr cyn cyfodi'r Methodists' (t. iv.). Ymateb hael ryfeddol oedd hyn a chofio adwaith Ymneilltuwyr digon selog a chenhadol megis Edmund Jones, Pont-y-pŵl, yn erbyn yr un athrawiaeth:

> Mr Wm. Wms the Methodist Clergyman in his Elegy for Mr Howel Harris plainly saith & plainly sings yt neither priest nor Presbyter were awake when Mr Howel Harris came out to exort. This is a shameless untruth printed ...[14]

Roedd haelioni Joshua yn bur arwyddocaol. Golygai fod un o blith yr Hen Ymneilltuwyr yn cyfaddef, i raddau, feirniadaeth y Diwygwyr Efengylaidd arnynt. Dyna wanhau canolfur y gwahaniaeth rhwng y naill fudiad a'r llall, y mudiad Bedyddiedig a'r mudiad Diwygiadol. Roedd y ffordd yn cael ei phalmantu ar gyfer derbyn yr egnïon newydd i mewn i ganol yr enwad. Joshua Thomas oedd y cyntaf i fynegi'r farn hon ar goedd.

Roedd Thomas yr un mor swil i orbwysleisio gwahaniaethau enwadol. O ran ei argyhoeddiad personol roedd yn Fedyddiwr digymrodedd. Ymwrthododd yn gydwybodol â theori ac arfer y babanfedyddwyr. Eto, gorfoleddodd yn yr unoliaeth newydd a oedd yn datblygu ymhlith Ymneilltuwyr efengylaidd o bob plaid: 'Yr wyf fi yn tybied fod llai o ragfarn rhwng gwahanol bobl nag a fu er ys cannoedd o flynyddau' (t.61), meddai. Roedd ystyr hyn, waeth beth am ei ormodiaith, yn blaen: 'Er nad ydym oll yn gallu hollol gytuno ym mhob peth mewn crefydd, eto dymunwn i ni allu ymddwyn tuag at ein gilydd fel brodyr yn IESU GRIST. Nid yw amherchu ein gilydd yn un rhan o grefydd efengylaidd' (t. v.). Yr agwedd fawrfrydig, agored hon tuag at waith Duw oddi mewn i gymunedau eraill a nodweddodd y cyfnewid mewn hunaniaeth a ddaeth trwy'r eglwysi erbyn diwedd y 1770au. Roedd amgylchiadau'r enwad yn aeddfed am y newid. Ymatebodd yr eglwysi gyda diolchgarwch. Meddai Edmund Jones: 'They thanked Josh[ua] Thomas in their annual assembly in Denbighshire for his history of the Baptists'.[15]

Yn ogystal, felly, ag annog yr eglwysi i ystwytho peth ar eu hen agwedd wrth-Ddiwygiadol a chaeth-Fedyddiedig, cynigiodd yr *Hanes* hunaniaeth newydd ar gyfer yr aelodau. Nid lleiafrif dirmygedig oeddent bellach ond pobl a chanddynt dras anrhydeddus. Datblygodd ei athrawiaeth hanes i bwysleisio'r gwirionedd hwn. Athrawiaeth driphlyg ydoedd, yn Fedyddiedig, yn Gymreig ac yn Brotestannaidd. Roedd iddi hi elfen Ddiwteronomaidd hefyd er mwyn clymu'r gainc driphlyg hon yn dynn. Ei arweinydd mewn pethau Bedyddiedig gan fwyaf oedd Thomas Crosby, hanesydd Bedyddwyr Lloegr; dilynodd Theophilus Evans yn bennaf mewn pethau Cymreig; a'i brif ysbrydoliaeth, ar wahân i glasur Foxe, yr *Acts and Monuments*, oedd 'Damcaniaeth Eglwysig Brotestannaidd' y Diwygwyr Protestannaidd Cymreig, damcaniaeth a boblogeiddiwyd gan yr esgob Richard Davies yn ei ragymadrodd i Destament Newydd 1567.

Yr enw Bedyddiedig sy'n cael ei ddyfynnu'n barhaus yw Thomas Crosby, hanesydd cyntaf yr enwad yn Lloegr.[16] Pan anghytunai Crosby â'r Anglican Elisabethaidd John Foxe, arfer Joshua oedd dilyn Crosby. Yn debyg i'r Bedyddiwr o Sais, credai Joshua fod y Cristionogion cynharaf ym Mhrydain – y Cristionogion Cymreig hynny a fu'n ffyddlon i'r efengyl cyn dyfod Awstin i Gaer-gaint – yn arddel bedydd trochiad i gredinwyr. Yn wahanol i Crosby, daliai mai dylanwad alaethus a gafodd apostol y Saeson ar y dystiolaeth Gristionogol:

Pan y daeth Awstyn Fynach i droi y Saeson o fod yn baganiaid i fod yn Bapistiaid, mynnai ef i'r Cymry droi yn Bapistiaid hefyd. Ond hen Gristnogion deallus dewrion oeddent hwy, ac nid paganiaid anwybodus (t.7).

Ceir bod Crosby yn tra dyrchafu cyfraniad y Waldensiaid a'r Lolardiaid i hanes, neu gyn-hanes, Bedyddwyr yr ynysoedd hyn.[17] Rhydd Joshua ryw linell neu ddwy swta i sôn am Wycliffe, ond gan mai Sais oedd hwnnw ni fynnai ei orglodfori wrth olrhain rhawd y Bedyddwyr Cymraeg: 'Er ei fod ef o ddefnydd mawr ymhlith y Saeson a thu hwnt i'r môr, eto nid wyf fi yn deall i'w athrawiaeth gael dim effaith ar y Cymry' (tt.9-10). Pa bryd bynnag y ceid gwrthdrawiad rhwng buddiannau'r enwad a buddiannau'r genedl, achos y genedl a fyddai'n ennill. Ond gwir ddymuniad Joshua oedd asio'r ddau bwyslais ynghyd. Cafodd gyfle i wneud hyn wrth sôn am John Penry. Roedd Anthony Wood, yn gwbl anghywir, wedi mynnu mai Bedyddiwr oedd Penry.[18] Roedd yr awgrym hwn wrth fodd Joshua: 'Tebygol mai trwy'r gŵr hwn y daeth y Cymry i ddeall gyntaf am fedydd y crediniol, wedi'r diwygiad o Babyddiaeth' (t. xxxv). Ni fu erioed unrhyw sail i'r dybiaeth hon wrth gwrs, ar wahân i glepian maleisus Wood yn yr *Athenae Oxoniensis*. Ond trwy hawlio Penry yn Fedyddiwr, dyna Joshua yn pontio, i'w fodlonrwydd ei hun, yr agendor rhwng cenedlgarwch a theyrngarwch enwadol.

Mae haneswyr Bedyddiedig Cymreig wedi eu cyfareddu erioed gan stori Olchon.[19] Yn y fan yma, meddai Joshua, y sefydlwyd yr eglwys gyntaf o gredinwyr Bedyddiedig a hynny yn 1633, un mlynedd ar bymtheg o flaen Ilston John Myles. 'Hyd y gellais gasglu, ar fanol chwilio, y [gynulleidfa] gyntaf oedd yn, neu gerllaw Olchon, ar gyrrau sir Henffordd, sir Fonwy, a sir Frycheiniog' (t.23). Er mai tenau odiaeth oedd y dystiolaeth am ei bodolaeth, glynodd Joshua wrth y traddodiad hwn fel gele. Roedd ei bwysigrwydd seicolegol i'r mudiad Cymreig yn anhraethadwy. Golygai, os gwir oedd yr hanes, fod eglwys Fedyddiedig yn bod ymhlith Cymry'r gororau yn ystod union flwyddyn sefydlu'r eglwys drwyadl Fedyddiedig gyntaf yn Lloegr. Oblegid dyna'r flwyddyn y cefnodd pobl John Spilsbury ar gynulleidfa gymysg Henry Jessey i greu eglwys a gynhwysai gredinwyr

Bedyddiedig yn unig.[20] Roedd y traddodiad Bedyddiedig yng Nghymru, yn ôl y cyfrif hwn, o leiaf mor hen ac anrhydeddus â hwnnw yn Lloegr. Dyna Joshua unwaith eto, i'w fodlonrwydd ei hunan, yn asio ynghyd yr elfennau gwladgarol ac enwadol.

Er gwaethaf yr ystumio diniwed hwn, yr hyn a nodweddodd waith Joshua Thomas, ac a'i gwahanodd oddi wrth y rhelyw o haneswyr y cyfnod, oedd ei ofal gyda'i ffynonellau a'i ymgais i fod yn deg ac yn wrthrychol. 'Ar ymddangosiad y gyfrol', meddai Thomas Richards, 'gwelwyd ar unwaith fod hanesydd o nodwedd newydd wedi codi – cwrtais, bonheddig, pendant iawn gyda sylfeini cred, ond araf a phetrus gyda manylion'.[21] (*His standards were eminently judicial and scientific*). Enghraifft o hyn oedd ei amharodrwydd i arddel y syniad o 'olyniaeth' Fedyddiedig. Tarddodd Bedyddwyr Prydain yn uniongyrchol oddi wrth Ymwahanwyr Oes Elisabeth. Ni fu unrhyw fath o fudiad tanddaearol o Fedyddwyr yn Lloegr a Chymru yn yr Oesoedd Canol, yn cysylltu'r Eglwys Geltaidd hyd at ei ddyddiau ei hun. Roedd y dystiolaeth Fedyddiedig wedi diflannu ar ôl dyfodiad Awstin Fynach i Gaer-gaint ac nid ailymddangosodd tan ddiwedd yr oes Duduraidd (tt.21-2).[22] Ond eto, roedd rhaid i'r gwrthrychedd hwn ildio o flaen ei awydd i blannu hadau'r mudiad Cymreig nid yn Ilston ym 1649 ond yn Olchon ym 1633.

Mae'r ffaith fod Joshua yn ymfalchïo yn eithriadol yn ei genedl eisoes wedi dod yn amlwg. Roedd gwladgarwch, neu genedlaetholdeb diwylliannol, wedi bod yn tyfu yng Nghymru ers canrif neu fwy. Byddai'n esgor maes o law ar y 'chwyldro' diwylliannol, 'sef ailenedigaeth yr iaith a'r llenyddiaeth a'r traddodiad Cymraeg'.[23] Hwn oedd 'dadeni'r ddeunawfed ganrif'.[24] Yn ogystal â chael ei ddylanwadu gan y symudiad hwn, roedd cyfrol Joshua yn rhan ohono. Yn sail i'r theori hon, a oedd a'i gwreiddiau yn *Historia Regium Britanniae* Sieffre o Fynwy o'r Oesoedd

Canol a *Britannia* William Camden yn 1586, ceid y dybiaeth mai disgynyddion oedd y Cymry yn rhannol oddi wrth Brutus o Gaerdroea ac yn rhannol oddi wrth Gomer, mab Jaffeth ac ŵyr Noa. Cymhathwyd y ddau draddodiad hwn, y naill yn glasurol a'r llall yn feiblaidd, gan y clerigwr a'r hanesydd hynod boblogaidd hwnnw, Theophilus Evans, yn ei *Ddrych y Prif Oeseoedd* ym 1740.[25] O'r *Drych* y daethant i mewn i'r *Hanes*. Canlyniad hyn oedd cynnig rhyw bwrpas hanesyddol i dwf a datblygiad yr enwad a dysgu Bedyddwyr, yn ogystal, i barchu a mawrygi eu gorffennol fel Cymry. Roedd hyn yn help i wreiddio'r mudiad Seisnig ei darddiad ym mhridd a daear a hanes y bobl Gymreig.

Ond yn bwysicach i Joshua na'r ddamcaniaeth ynglŷn â dechreuadau'r genedl oedd ei ddamcaniaeth ynglŷn â chychwyniadau'r eglwys Gristionogol ymhlith ei bobl. Er iddo beidio â'i gorbwysleisio, fe dderbyniodd y theori (a oedd dan gabl hyd yn oed y pryd hynny) mai Joseff o Arimathea a ddaeth a'r ffydd i Ynys Prydain. Cadarnhawyd y dystiolaeth ymhen canrif gyda thröedigaeth Lles ap Coel neu Lucius, brenin y Britaniaid. Anfonodd ef ddwy gennad i Rufain, sef Elwy a Mowddwy (neu Elvanus a Medwinus), i erchi nawdd gan y pab. Yn gyfnewid anfonodd esgob Rhufain y ddau genhadwr Dyfan a Ffagan (neu Damanius a Faganus) i barhau'r efengyleiddio ymhlith y Cymry. Dygodd y genhadaeth ffrwyth ar ei chanfed. Sefydlwyd yng Nghymru, neu Ynys Prydain, eglwys ysbrydol a ffyniannus, yn feiblaidd, yn efengylaidd ac yn Brotestannaidd ei naws, ac yn rhydd oddi wrth lygredd ac ofergoeliaeth: 'Wrth hyn yr ymddengys i'r hen Gymry ddal yr efengyl dros saith can mlynedd, heb gael eu llwyr orchfygu gan goel grefydd Rhufain' (t.8).

Doedd dim byd newydd yn yr haeriad hwn, wrth gwrs. Roedd y peth wedi bod yn rhan o'r ymwybyddiaeth lenyddol Gymreig oddi ar 1567 o leiaf pan boblogeiddiwyd y theori gan Richard Davies, esgob Dewi, yn ei ragymadrodd i argraffiad y flwyddyn honno o'r Testament Newydd Cymraeg.[26] Yr hyn a wnaeth Joshua oedd estyn y theori i gynnwys nid Protestaniaeth yn unig ond Piwritaniaeth, ac yn dilyn o hynny Ymneilltuaeth hefyd. Nid newyddbeth oedd Ymneilltuaeth, meddai, rhywbeth Seisnig, estronol, dieithr, ond yn hytrach yn adlewyrchiad cywir o burdeb y gorffennol cyn-Babyddol. Mudiad Cymreig ydoedd, yn efengylaidd ac yn feiblaidd ac yn bur, ac roedd ei achau yn gwbl anrhydeddus. Roedd beirniaid yr Ymneilltuwyr ymhlith yr Anglicaniaid yn dangos mawr anwybodaeth trwy gyhuddo Ymneilltuaeth o fod yn sgismatig newydd: 'Nid yw'r cyfryw ddim yn ystyried mor ieuanc yw Eglwys Loegr' (t.11). Ymhell o fod yn estronol, felly, roedd Ymneilltuaeth Fedyddiedig yn bur ac yn feiblaidd ac yn Gymreig. Roedd rhesymu fel hyn yn help garw i gryfhau seicoleg Bedyddwyr Cymru yn y ddeunawfed ganrif a'u clymu'n dynnach wrth eu pobl.

Roedd yr elfen Ddiwteronomaidd yn athrawiaeth hanes Joshua (sef y syniad o wobr a chosb trwy ffyddlondeb neu anffyddlondeb i Dduw) yn amlycach yn ei ddealltwriaeth o'r genedl nac o'r enwad. Beirniadodd y Saeson yn ddiarbed. Unig awydd y Saeson erioed, meddai, oedd gormesu'r Cymry: 'O bob cenedl dan haul, mae'n debyg mai'r Saeson a wnaethant y bradwriaeth a'r galanastra mwyaf â'r Cymry' (t. xvi). Eto, fe dymherodd ei feirniadaeth trwy ymgydnabod ag athrawiaeth rhagluniaeth Duw, ac â'r cyfiawnder dwyfol. Roedd Duw wedi defnyddio'r Saeson i gosbi'r Cymry am eu hanffyddlondeb i'r efengyl:

> Yr oedd ein hynafiaid wedi camddefnyddio breintiau mawrion, megis yr ydym ninnau yn yr oes hon. Gan hynny wedi hir a mynych ymdrech hyd at waed, rhoddes rhagluniaeth y fuddugoliaeth i'r estroniaid (tt. ix-x).

Ond yn ei lid roedd Duw, yn ôl Joshua, wedi cofio'i drugaredd. Er gwaethaf y goresgyniad politicaidd, roedd rhyddid ysbrydol, yn arbennig yn ystod y Diwygiad Efengylaidd, wedi'i sicrhau. 'Yr wyf yn hollol gredu na bu cyflwr y Cymry erioed debyg cystal ac y mae wedi bod er 1700' (t. xiii). Ac os gellid sicrhau parhad yr iechyd ysbrydol hwn, fe fyddai bywyd ac iaith ac arferion y Cymry yn cael eu cadw hefyd. 'Ond er hyn oll, trwy ryfedd ragluniaeth y Duw doeth, y mae'r bobl a'u hiaith mor debyg i barhau ag y buant ys mil o flynyddoedd' (t. xix). Unig amod parhad fyddai eu ffyddlondeb i'w Harglwydd ac i ddeddfau eu Duw: 'Hyderus wyf na ddifethir na'r genedl na'r iaith, oddieithr iddynt hwy ymwrthod â gwir grefydd' (*ibid.*). Ac ystyr gwir grefydd i Joshua oedd Protestaniaeth efengylaidd debyg i honno a oedd yn cynyddu mor gyflym ymhlith y Cymry erbyn 1778. Nid yn unig yr arddelodd y ffydd honno ei hun, ond roedd ef wrth ei fodd wrth sylwi ar y cannoedd a'r miloedd o blith ei gydwladwyr a oedd yn cael eu hennill iddi hi yn ystod y degawdau hyn.

Yr hyn y ceisiwyd ei wneud yn y bennod hon yw olrhain lle *Hanes* Joshua Thomas yn nhwf a datblygiad y mudiad Bedyddiedig Cymreig, a dadlau bod iddo le pwysig wrth newid hunaniaeth yr enwad yn y cyfnod cyffrous hwnnw rhwng yr Hen Ymneilltuwyr a'r Diwygiad Efengylaidd. Trwy lacio llinynnau'r hen eglwysyddiaeth gaeth a dangos gwerthfawrogiad o waith yr Ysbryd ymhlith y Methodistiaid, paratoes ei gyd-Fedyddwyr ar gyfer y newid seicolegol mawr a oedd eisoes ar droed. Datblygodd athrawiaeth gyfoethog i egluro gorffennol ei bobl fel Bedyddwyr, Protestaniaid a Chymry. Ac yn sail i'r cwbl oedd ei argyhoeddiad ynglŷn â sofraniaeth Duw yn ei ras a'i ddigofaint.

Bu'r Bedyddwyr Cymreig yn ffodus yn eu haneswyr erioed. Ond prin y bu neb yn anwylach na'r Cymro gwlatgar, mwyn, o Lanllieni.

Cefndir, Cymreigiad a Chynnwys Cyffes Ffydd 1689

(1990)

Ei chefndir

Mae cyn-hanes y gyffes ffydd Fedyddiedig a gyhoeddwyd yn Llundain dri chan mlynedd yn ôl i eleni[1] yn ymestyn yn ôl i saithdegau'r unfed ganrif ar bymtheg ac ymhellach hyd yn oed na hynny. Gydag awydd y brenin Siarl II i sicrhau undod oddi mewn i'w deyrnas, yn ogystal â'i gydymdeimlad personol â chrefydd Gatholig Rhufain, crëwyd yn yr 1670au awyrgylch lle gallai'r Anghydffurfwyr, yn Brotestaniaid ac yn Gatholigion, anadlu rhywfaint yn fwy rhydd. Daliodd rhai o weinidogion Bedyddiedig Llundain ar y cyfle i alw ynghyd gymanfa gyffredinol i gyfarfod yn y brifddinas ym mis Mai 1676 er mwyn dyfeisio, ymhlith pethau eraill, 'an orderly standing ministry in the church who might give themselves to reading and study'.[2] Degawd helbulus oedd yr 1670au ac er gwaethaf lled-oddefgarwch y brenin a gwahoddiad uniongyrchol Daniel Dyke, William Collins, Nehemiah Coxe, Henry Forty, William Kiffin a'r lleill i gynrychiolwyr yr eglwysi Bedyddiedig i ddod ynghyd, oherwydd pwysau gwrth-Anghydffurfiol cynyddol, ni fu'n bosibl yn y diwedd i wireddu'r bwriad a chynnal y gymanfa arfaethedig.

Fodd bynnag, erbyn 1677 ymddangosodd o'r wasg gyfrol yn dwyn y teitl *A Confession of Faith Put forth by the Elders and Brethren of many Congregations of Christians (baptized upon Profession of their Faith) in London and the Country*. Ni cheir enw wrth y gwaith hwn – ai oherwydd erledigaeth mewn cyfnod lle roedd y cof am gydymdeimlad y Bedyddwyr yn ystod y Gwrthryfel Mawr o hyd yn finiog fyw? – na dyddiad ei gyfansoddi. Mae Joseph Ivimey yng nghyfrol gyntaf ei *History of the English Baptists* (1811) yn cofnodi cymanfa llai cynrychioliadol a mwy cêl na'r un a fwriadwyd yn wreiddiol, ond a gynhaliwyd rywbryd yn 1677,[3] er nad erys yr un cofnod arall amdani. Awgrym Ivimey yw mai Nehemiah Coxe (bu f. 1679), un o ddau henuriad yr eglwys yn Petty France, Westminster, a luniodd neu a olygodd y gyffes,[4] peth a wnaed ar sail cyffes gynharach Westminster (1648) a Datganiad Savoy (1658), tra bo W. J. McGlothlin yn *Baptist Confessions of Faith* (1908) yn haeru mai cyd-henuriad Coxe, sef William Collins (bu f. 1702), oedd yr awdur.[5] Bid a fo am union luniwr y gyffes, mai hi'n arwyddocaol fod y ddwy dybiaeth yn gytûn wrth dadogi'r gwaith ar swyddogion yr eglwys yn Petty France.

Fe gynnwys y rhagair bedwar rheswm am y cyhoeddi.

Yn gyntaf, fel tystiolaeth gyhoeddus i'r hyn a gredwyd yn ddiamau ymhlith yr eglwysi, 'our firm adhering to those wholesome Principles, by the publication of this which is now in your hand'. Gan fod copïau o Gyffes Ffydd Llundain 1644 bellach yn brin,[6] tybiwyd y byddai cyffes newydd, yn adlewyrchu cred y Bedyddwyr Neilltuol wedi'r Adferiad, yn fuddiol er mwyn cynnal y dystiolaeth ac amlygu argyhoeddiadau'r mudiad.

Yn ail, fel moddion meithrin ac addysgu aelodau newydd yn yr eglwysi, '[those] others [who] have since embraced the same truth which is owned therein'.

Yn drydydd, er budd cyd-Anghydffurfwyr Protestannaidd y deyrnas, sef y Presbyteriaid uniongred a'r Annibynwyr. Mae ail baragraff y rhagair yn cydnabod dyled yr awduron i gyffes Bresbyteraidd Westminster 1648 a Datganiad Annibynwyr Savoy 1658. Roedd Datganiad Savoy yntau yn bennaf seiliedig ar Gyffes Westminster, mam yr holl gyffesion

Anghydffurfiol modern, ac mae'r Bedyddwyr yma yn awyddus i bwysleisio'u hunoliaeth ddofn a phendant â'r cyrff Anghydffurfiol eraill. Nid dogfen sectyddol mo'r gyffes hon eithr cyfraniad at y cytgord Anghydffurfiol a fodolai yn Lloegr ac yng Nghymru yn ail hanner yr ail ganrif ar bymtheg.

Ac yn bedwerydd, yn wyneb pryderon ynghylch dadfeiliad crefydd ysbrydol yn yr eglwysi, yn enwedig yr addoli teuluaidd, y gobaith oedd y gellid defnyddio'r gyffes fel moddion defosiwn ar yr aelwydydd. Siarsiwyd y darllenwyr i beidio â llacio yn y gwaith o feithrin duwioldeb yn bersonol, yn deuluaidd ac yn eglwysig.[7]

Ar wahân i'r erthyglau ynghylch trefn eglwysig ac athrawiaeth bedydd, ni cheir nemor ddim newidiaeth yn sylwedd diwinyddol y cyffesion uchod, ond mae hi'n bwysig sylwi ar rai gwahaniaethau rhwng y gyffes Fedyddiedig a'r lleill. Tra bo Westminster a Savoy yn arddel athrawiaeth y rhagarfaeth ddwbl, fod rhai dynion ac angylion wedi eu rhagordeinio i farwolaeth dragwyddol tra bo eraill wedi'u hethol i fywyd tragwyddol, mae Cyffes Llundain yn dweud hyn (o'i dyfynnu yn y cyfieithiad diweddarach Cymraeg):

> Trwy arfaeth Duw, er amlygu ei ogoniant, rhagluniwyd neu rhagordeiniwyd rhai dynion ac angylion i fywyd tragwyddol, trwy Iesu Grist, er mawl i'w ogoneddus ras ef; gan adael eraill i weithredu yn eu pechod, i'w cyfiawn gondemniad, er mawl i'w ogoneddus gyfiawnder ef. (Pen. III/3)

Ystyr hyn yw mai unigolion eu hunain sy'n gyfrifol am unrhyw wrthodedigaeth dragwyddol a ddaw i'w rhan yn sgil eu hanghrediniaeth; nid Duw fydd wedi eu hethol i ddamnedigaeth. Mae'n rhaid cadw hyn mewn cof wrth ystyried natur lled gymedrol Calfiniaeth Fedyddiedig y cyfnod, yn enwedig yng Nghymru.[8]

Mwy arwyddocaol yw'r gwahaniaeth nesaf, sef yr un a geir ym mhennod VII, 'Am *Gyfammod* Duw.' Mae Datganiad Savoy a Chyffes Westminster fel ei gilydd yn cyfochri'n bendant gyfamod gweithredoedd a chyfamod gras. Amlygwyd perthynas Duw â dynolryw, meddid, yn nhermau cyfamod. I Adda, cyn y cwymp, cyfamod gweithredoedd ydoedd, sef addewid y byddai Duw yn gwobrwyo Adda â bywyd tragwyddol yn gyfnewid am fywyd o berffaith ufudd-dod i'w orchmynion. Ond yn sgil y cwymp, a bod Adda wedi fforffedu pob gobaith am gael ennill ei ffordd i wynfyd trwy ei ymdrechion ei hunan, adferodd Duw ei gyfamod ond y tro hwn yn nhermau gras. Ar sail ffydd yng Nghrist, yr ail Adda, yr hwn a gadwodd holl orchmynion y Tad ac a fodlonodd ei gyfiawnder trwy aberthu ei hun ar Galfaria, roedd modd i bechaduriaid bellach gael eu cymodi â Duw a phrofi drachefn o ffrwythau'r cyfamod.[9]

Pa beth bynnag am ddefnydd diwinyddion Bedyddiedig diweddarach o ddarlun y ddau gyfamod,[10] roedd llunwyr Cyffes Llundain yn fwy cynnil o lawer yn eu cymeradwyaeth ohono. Ni cheir sôn ganddynt am y cyfamod gweithredoedd o gwbl:

> Mae'r pellter rhwng Duw a'r creadur mor fawr, fel, er fod ufudd-dod yn ddyledus ar greaduriaid rhesymol iddo ef fel eu Creawdwr; etto na allant hwy byth gyrhaeddyd y wobr o fywyd, oddieithr trwy ryw ddarostyngiad gwirfoddol ar ran Duw, yr hwn a welodd ef yn dda ei amlygu mewn ffordd o gyfammod.

> Ymhellach, gan i ddyn ddwyn ei hun dan felldith y ddeddf trwy ei gwymp, rhyngodd bodd i'r Arglwydd wneuthur cyfammod o ras, ymha un y mae yn cynnig yn rhad i bechaduriaid fywyd a iechydwriaeth trwy Iesu Grist, gan ofyn ganddynt hwy ffydd ynddo ef, fel y byddont gadwedig. (Pen. VII/1,2)

Mae'r pwyslais yma nid ar allu Adda i ennill ei iachawdwriaeth trwy berffaith ufudd-dod, ond ar fawr raslonrwydd Duw tuag at ei bobl yn

Iesu Grist. Ni cheir sôn am Adda ond yn nhermau'r efengyl a'r cyfamod gras.

> Datguddir y cyfammod hwn yn yr efengyl; yn gyntaf oll i Adda, yn yr addewid o iechydwriaeth trwy had y wraig; ac wedi hynny, trwy raddau pellach, hyd oni pherffaith gyflawnwyd yr amlygiad ohono yn y Testament Newydd. (Pen. VII/3)

Ni wyddys pam yn union y dewisodd yr awduron beidio â phwysleisio'r ddeuoliaeth gyfamodol yn y fan hyn ond gellid tybio iddynt synhwyro'r anawsterau dybryd o synio am y berthynas rhwng Duw a'r ddynolryw ond yn nhermau gras. Yn hyn o beth mae Cyffes Llundain yn llai theoretig ac felly yn iachach na'r cyffesion Presbyteraidd ac Annibynnol.

Mae hi'n werth nodi hefyd fod gwahaniaeth tebyg rhwng dealltwriaeth Westminster a Chyffes Llundain ar le'r ddeddf a'r Ysbryd wrth gymell pobl i edifeirwch. Tra bod Cyffes Westminster yn mynnu fod y pechadur i gael ei argyhoeddi o ddrwg ei bechod trwy gyfryngdod y ddeddf, '... the filthiness and odiousness of his sins, as contrary to the holy and righteous law of God ...', mae'r gyffes Fedyddiedig (gan ddilyn Savoy) yn rhoi'r pwysau ar weithgaredd uniongyrchol yr Ysbryd Glân:

> Gras efangylaidd yw'r edifeirwch achubol hwn, trwy ba un mae'r dyn, wedi ei wneud gan yr Ysbryd Glân yn deimladwy o amrywiol ddrwg ei bechod, trwy ffydd yng Nghrist, yn ymddarostwng ei hun o'i blegid, gyda duwiol dristwch, a chasineb atto, a hunan-ffieiddiad; gan weddïo am faddeuant a nerth gras, ynghyd â bwriad ac ymdrechiad, trwy gynnorthwyadau'r Ysbryd, i rodio ger bron Duw, ac i ryngu bodd iddo ymhob peth. (Pen. XV/3)

Bu'r pwyslais hwn eto yn fodd i atal defnyddwyr y gyffes rhag syrthio i ddeddfoldeb yn eu dealltwriaeth o'u ffydd.

Ond i ddychwelyd at y cefndir hanesyddol.

Erbyn mis Mai 1689 roedd y brenin newydd, sef y Protestant cadarn

William III, wedi arwyddo'r Ddeddf Goddefiad er caniatáu rhyddid helaethach i Anghydffurfwyr nac a gaed ers terfyn y Werinlywodraeth yn 1660. Ymhen deufis roedd llythyr o eiddo gweinidogion Bedyddwyr Neilltuol Llundain, William Kyffin, Hanserd Knollys, John Harries, George Barrett, Benjamin Keach a Richard Adams yn eu plith, yn gwahodd cynrychiolwyr yr eglwysi i gymanfa gyffredinol yn Llundain o'r 3ydd o Fedi ymlaen. Gofal am adfywiad crefydd ac am ddyfodol y weinidogaeth oedd prif bwrpas y gymanfa hon hefyd, 'for the raising up of an able and honourable ministry for the time to come'.[11] Daeth cynrychiolwyr o tua chan eglwys ynghyd, yn eu plith y Cymry Christopher Price o'r Fenni, William Pritchard o Flaenau Gwent ac naill ai yno yn bersonol neu mewn cysylltiad trwy lythyr oedd Lewis Thomas a Robert Morgan o Abertawe, Francis Giles Llanwenarth, a Griffith Howell a William Jones o Sir Benfro.[12] Yng nghwrs eu gweithgareddau dyfarnodd y cynrychiolwyr o blaid derbyn Cyffes Ffydd 1677 fel crynhoad cywir o'u ffydd:

> We the Minsters and Messengers of, and concerned for, upwards of one humndred baptized Congregations in England and Wales, denying Arminianism, ... have thought meet for the satisfaction of all other Christians that differ from us in the point of Baptism, to recommend to their perusal the confession of our faith, which confession we own, as containing the doctrine of our faith and practice ...[13]

Felly trowyd Cyffes Ffydd 1677 yn Gyffes Ffydd 1689 gan ennill ei lle yn fuan fel y dehongliad awdurdodedig o gred Bedyddwyr Neilltuol y deyrnas am ganrif a hanner a mwy. Yn Lloegr fe'i defnyddiwyd fel mynegiant swyddogol yr eglwysi oll tan 1832 pryd y'i hepgorwyd gan y Particular Baptist General Union mewn ymgais i geisio undeb â'r Bedyddwyr Arminaidd a chreu'r hyn a ddaeth wedyn yn Undeb Bedyddwyr Prydain Fawr ac Iwerddon. Ond hyd yn oed wedyn fe ddaliodd ei thir fel cyffes ffydd llu o eglwysi unigol a chael ei hadargraffu yn gyson trwy'r ganrif.[14] Ac fe ddaliodd ei bri yng Nghymru yn yr un modd. Yn union fel yr adffurfiwyd Cymanfa Gorllewin Lloegr ar sail y Gyffes yn 1732, etholodd cynrychiolwyr y Gymanfa Gymreig yn eu cyfarfod ym Mhen-y-garn, Sir Fynwy, yn 1734 i ymrwymo wrth y ddogfen: 'In front of their letter they were desired to mention to the association, their agreement with the articles set forth by the Elders and Brethren in London in the year 1689'.[15] Dywedodd Timothy Thomas fod ei draethawd dylanwadol ar athrawiaeth cyfiawnhad, *Y Wisg Wen Ddisglair, Gymmhwys i fyned i Lys y Brenhin Nefol* (1758), 'yn gyttunol, fwyaf i gyd, â *Chyffes Ffydd*, a osodwyd allan yn y fl. 1689',[16] tra ffurfiwyd yr eglwys yng Nghaer-leon, yn 1771, ar 'the doctrines of grace in their several branches as so far we can see them in the Word of God and other useful books, particularly the confession of faith as it was published by our own baptized brethren in the year 1689'.[17] O ran y Gymanfa, gan fod y Gyffes yn cael ei dyfynnu yn fynych mwyach yn ei gweithgareddau, awgrymwyd yn Llanwenarth yn 1757 y dylai pob aelod eglwysig wneud pwynt o ddarllen ei chynnwys o leiaf unwaith y flwyddyn.[18] Pan argraffwyd y llythyr blynyddol am y tro cyntaf ymhen tair blynedd, hysbyswyd fod y cwbl a oedd ynddo yn unol â chanonau 1689.[19] Daeth yr alwad am adargraffiad yng Nghymanfa Llangloffan, 1781, [20] ac yng Nghymanfa'r Dolau yn 1790, dywedodd Joshua Thomas:

> I took the liberty to move the reprinting of that Confession in Welsh, and the revising the first edition (*sic*) which is very scarce and incorrect. The moderator readily seconded the motion; and I do not recollect to have heard one negative voice.[21]

Ac felly ymlaen, gydag adargraffiadau cyson o gyfieithiad Joshua yn cael eu gwneud ar hyd y bedwaredd ganrif ar bymtheg.[22]

Ei Chymreigiad

Cyn fersiwn Joshua Thomas, y cyfieithiad a ddefnyddiwyd yn yr eglwysi oedd eiddo Rees David, yr ysgolfeistr o Ddyfed a droes yn Armin ac a aeth wedyn i gadw tafarn yng nghylch Aberhonddu. 'Dyn moesol, tawel a didramgwydd' ydoedd yn ôl Joshua, a oedd yn ei adnabod o'i ddyddiau yntau yn ardal Y Gelli yn yr 1740au.[23] Yn 1721 ymddangosodd ei fersiwn gan ddwyn y teitl *Cyffes ffydd wedi ei gosod allan gan henuriaid a brodyr amryw Gynulleidfaoedd (wedi eu bedyddio ar broffes o'u ffydd) yn Llundain a'r wlâd*. Ond erbyn diwedd yr 1770au roedd rhywbeth mwy na phrinder copïau a gwallau iaith yn peri'r galw cynyddol am ei chyhoeddi o'r newydd. Joshua Thomas eto sy'n awgrymu'r rhesymau eraill hyn: 'Ever since 1779, there had been some whisperings about the commonly received doctrine of the Trinity; and some objection to signing formularies composed by fallible men'.[24]

Y gŵr a ddaeth allan yn erbyn y dehongliad clasurol ynghylch y Drindod oedd Nathaniel Williams o Feidrum a fynnai yn ei *Diologus, neu Ymddiddan Rhwng Philalethes ac Eusebes; mewn perthynas i wir Grist'nogrwydd* (1778) nad ysgrythurol oedd sôn am y Tad a'r Mab a'r Ysbryd fel personau ond yn hytrach dyna'r enwau a ddefnyddiwyd gan yr un Duw i ddatguddio'i hun. Yng ngolwg y Gymanfa Sabelieth oedd hyn, [25] sef y gred mai agweddau ar Dduw oedd yr enwau Tad, Mab ac Ysbryd, ond bod Duw ei hun y tu hwnt i'r enwau. Ofn y Gymanfa oedd y byddai duwdod y Mab a'r Ysbryd yn cael ei golli gan arwain maes o law at Undodiaeth. Ofn llithriad tebyg oedd wrth wraidd barn y sawl a gymeradwyent arwyddo credo. Roedd y credoau wedi'u llunio er mwyn amddiffyn y Beibl rhag camddehongliadau megis Sabeliaeth, Ariaeth, Undodiaeth ac yn y blaen. Fodd bynnag, rhwng 1778 a diwedd y ganrif, gwireddwyd yr ofnau hyn gydag ymgiprys ddifrifol yn y De-Orllewin rhwng y rheini a fynnent arddel uniongrededd y Gyffes ac eraill a fynnent ymwrthod â hi. Arweinwyr y gwrth-Gyffeswyr oedd Nathaniel Williams, Daniel Jones Abertawe, William Richards o Gastellnewydd Emlyn (a King's Lynn, Norfolk) a William Williams, yr ynad bregethwr o Aberteifi. Er iddynt arddel y Beibl a'r Beibl yn unig fel rheol eu ffydd, mynnent ddehongli'r Beibl yn unol â rhesymoliaeth yr *Aufklarüng* ('Yr Aroleuo') a oedd, yn ôl eu beirniaid, yn tanseilio ffydd glasurol yr eglwys. Wrth adweithio yn erbyn y grymusterau diwygiadol a oedd erbyn hynny yn ysgubo trwy'r enwad, pwysleisient le rheswm mewn crefydd ac yr oeddent yn cynyddol fwy amheus o'r elfennau goruwchnaturiol yn y ffydd draddodiadol. Erbyn 1790 roedd y datblygiadau hyn yn fater pryder cyffredinol y tu mewn ac y tu allan i'r teulu Bedyddiedig. Meddai William Williams Pantycelyn wrth ei gyd-Fethodist, Thomas Charles o'r Bala, ym mis Mai 1790:

> There are palpable and dreadful errors in the country, and new and destructive heresies brought to light, which for a long time had been dead and buried, such as denying the doctrine of the Trinity, which is the foundation of Christianity, and also the divinity and sonship of Christ.
>
> They say that some of the Baptists deny the divinity of our Saviour ... They preach that his blood, by which we understand his sufferings and death as a satisfaction for sin, is no better than the blood of a common man; which is horrible to think of ... [26]

P'un ai oedd anuniongrededd mor noeth â hynny wedi cydio yn y blaid anghyffesiadol mor gynnar ag 1790 mae'n amhosibl dweud, ond yn sicr dyna gefndir awydd fawr Joshua Thomas i ddarparu fersiwn newydd o'r Gyffes.

'Byd a chyflwr cyfnewidiol iawn yw hwn', meddai yn 1791. 'Yr oedd y ddwy oes ddiweddaf yn hynod drwy Ewrop, am bennu a gosod allan erthyglau crefydd, neu grediniaeth, y rhai a elwid yn gyffredin, *Cyffes Ffydd*. Mae'r oes hon yn hynod am esgeuluso, diystyru, a dirmygu y fath beth'[27] Luther a Chalfin oedd y cyntaf i osod allan cyffes o'u ffydd er mwyn tystio i'w gwrthwynebwyr natur eu hymlyniad wrth yr Ysgrythur a phriodoldeb eu lle oddi mewn i'r traddodiad catholig. Dilynwyd hwy gan eraill, y Diwygwyr Anglicanaidd er enghraifft, yn yr unfed ganrif ar bymtheg. Y ganrif wedyn a welodd gyhoeddi'r cyffesion Anghydffurfiol cyntaf gan gynnwys Cyffes Westminster a Chyffes Bedyddwyr Llundain 1644, yr hon a adargraffwyd yn dilyn Cymanfa 1689. Heblaw am y rhain roedd gan eglwysi unigol eu cyffesion ffydd: 'Yr oedd *cyffes ffydd* gan Fedyddwyr Cymru o gylch y flwyddyn 1655; ac mae un o waith yr oes ddiweddaraf yn hen lyfr eglwys Rhydwilym, hyd heddyw; ac un yn llyfr Cilfowyr a wnaed tua dechreu'r oes hon'.[28] Am yr argraffiad presennol, cyfieithiad hollol newydd ydoedd, wedi'i hysgrifennu cyn i'r awdur gael cyfle i weld yr hen gyfieithiad a'i gymharu. 'Mae'r un hen yn dra ffyddlon a didwyll; ond y mae'r iaith yn afrwydd; amcanwyd gosod yr un newydd yn fwy rhydd a hawdd ei deall.'[29] Ond yna daw'r cwestiwn mawr: 'Ond, medd rhyw un, Beth yw'r achos son am *gyffes ffydd*? Onid digon yw cyffesu ein bod yn credu'r Bibl, heb ofalu am ddim arall?' Mae'n werth gwrando ar ateb Joshua yn ei grynswth:

> Mae pawb ag sydd yn galw eu hunain yn grist'nogion yn dweud eu bod yn credu'r ysgrythur: am hynny, yn achos o gyffes ffydd yw, nid er mwyn ei gosod yn lle'r gair, nac yn ogyfuwch ag ef; ond i ddangos pa fodd yr ydym yn deall ac yn credu'r Bibl. Felly, wrth ein credo, fel y mae rhai yn dewis eu galw, gellir deall p'un a ydym dros neu yn erbyn bedydd plant; p'un ai Calfinistiaid neu Arminiaid; p'un ai dros neu yn erbyn athrawiaeth y Drindod; dros neu yn erbyn duwdod Crist, ei aberth, &c. Dros neu yn erbyn Ariaieth, Sosiniaeth, Sabeliaeth ydym: felly amryw bethau eraill.[30]

O ran eu dealltwriaeth o'r Ysgrythur roedd eglwysi John Myles o'r cychwyn wedi dyfarnu o blaid pwyslais Calfin ar sofraniaeth Duw, ar y dehongliad clasurol o'r Drindod, dros gyflawn dduwdod Crist a natur iawnol ei farwolaeth. O'r Ysgrythur y tarddodd yr argyhoeddiadau hyn, oddi wrth Air Duw yn y Beibl, ac nid oedd y Gair hwnnw, yn ôl y dehongliad hwn, yn caniatáu lle i nag Ariaeth na Sosiniaeth na Sabeliaeth. Awydd Joshua, y mwyaf eirenig o Fedyddwyr ei oes, oedd dweud hyn yn ddifloesgni. 'Am y gyffes hon', meddai, 'nid ydys yn amcanu rhwymo neb i'w chredu, hi a osodwyd allan gan ein teidiau yn yr oes ddiweddaf, yr hyn oedd wirionedd ysgrythurol yr amser hynny, sydd felly etto'.[31] Nid cael pobl i gredu cyffes oedd amcan Joshua ond egluro i bobl gynnwys y Beibl. Ac oes oedd y Gyffes yn adlewyrchu cynnwys y Beibl yna fe ellid ei harddel: 'Os bydd neb yn barnu yn ei gydwybod, fod un rhan o honi yn anghyttunol â gair Duw, gadawed hyny, a gwnaed y defnydd goreu o'r hyn a ymddangoso iddo yn ysgrythurol'.[32]

Ni pherthyn i ni olrhain yma gamau'r frwydr athrawiaethol a gododd yn sgil ailgyhoeddi'r Gyffes. Digon dweud iddi hi gychwyn o ddifri gyda phamffled William Richards, dyddiedig 1 Mai 1798, *Llythyr at Gymmanfa Ebenezer*; iddi gael ei dwysáu gyda chylchrediad Llythyr Cymanfa'r De-Orllewin, gwaith William Williams Aberteifi, ychydig wedyn:

Caniattaodd y diwygwyr i'r bobl ddarllen y Bibl, ond i'w deall yn yr un ystyr a'r ffurf a osodasant hwy eu dehongliad eu hunain arno yn eu cyffes o ffydd. Ac yn gyffelyb fodd *i rai* yn yr oes bresennol, yr oeddent yn cyfrif pob dyn yn anghredadyn, anghrefyddol, ac yn llygredig mewn barn, os na synient a'r cyfansoddiad penaf o gyffes, neu'r hyn a gyfenwid *y ffydd gatholig*. Mewn rhai dysgleoedd, dynion ieuaingc, a ddysgir beth sydd i'w ffyddio – beth i bregethu, - nid gymmaint, *yn y cyfan*, yn ôl yr ysgrythurau ag oddi wrth ryw ffurf ddynol, gofynir dodi llaw wrth y gyffes, fel arwydd o gydsyniad. Fe roddir galwad, ac annogaeth i'r bobl i gredu y cyffesiad a drefnir gan y pen-swyddogion. Eithr chwychwi frodyr, nid felly y dysgasoch Grist.[33]

Gwaethygodd y frwydr yn y cyfarfodydd chwarterol nes i'r Gymanfa benderfynu ym Mehefin 1799 i dynnu ymaith oddi wrth yr aelodau a'r eglwysi hynny na fynnent arddel sylwedd y Gyffes.[34] Mynegodd John Reynolds, Felin-ganol, deimladau'r blaid gyffesiadol yn ei lythyr at John Rippon, arweinydd Bedyddwyr Llundain, ar 14 Medi 1799. Dywedodd fel y dychwelodd William Richards o'i eglwys yn King's Lynn i'w gartref ym Mharc Nest, Castellnewydd Emlyn, yn fawr ei sêl dros ryddid cydwybod:

> After that he went on to the nature, spirit and temper of Christianity and the very nature of Christianity gave every member a right to *judge for himself* &c, and truly whatever they did judge, they kept it all to themselves, for they never would explain themselves on the most important doctrines of the gospel, and whenever we desired to know what they did believe, then they would rail against us and our *creeds*. And the first pretence to opposition was to say that Calvin and the Calvinists held the doctrine of reprobation and when they had tired themselves in railing against that ... they went on to ridicule election, original sin and all the doctrines of what is commonly called Calvinism.[35]

Roedd Nathaniel Williams erbyn hynny heb ymwrthod â'i Sabeliaeth; roedd William Williams cyn ei farw annhymig yn hydref 1798 eisoes yn arddel Cristoleg fabwysiadol y Ffrancwr Courmayer; roedd William Richards (i'r graddau fod ganddo safbwynt diwinyddol diffiniedig o gwbl) yn Ariad o ran cred, a Daniel Jones wedi cerdded ymhell ar hyd y llwybr a'i harweiniodd i rengoedd yr Undodiaid.[36] Felly pa mor ddiffuant oedd sêl y blaid radicalaidd tros ffydd 'feiblaidd' seml, roedd y ffydd honno yn cael ei hamodi gan sgeptigaeth drwyadl ynghylch uniongrededd. Meddai John Reynolds:

I shall freely confess that I have been long duped by these people, and it was not till last March that I understood them. I had not the least suspicion of their departure from the doctrines of the gospel and I was unwilling to think so of them.[37]

Mae'n bwysig deall nad degymu'r mintys a'r annis oedd Cymanfa'r De-Orllewin wrth ddyfarnu o blaid y Gyffes Ffydd. Credai'r swyddogion, fel Athanasiws yn ei frwydr yn erbyn Ariws gynt, fod sylwedd Cristionogaeth yn y fantol. Swyddogaeth y Gyffes oedd sicrhau cywirdeb dehongliad yr eglwysi o hanfodion yr efengyl. Edwino a marw oedd tynged yr eglwysi hynny a neilltuodd oddi wrth y mudiad yn dilyn dyfarniad 1799 – Hen Dŷ Cwrdd Abertawe, er enghraifft, ac eglwys 'yr Engine' yng Nglan-dŵr – tra bo'r sawl a ddychwelodd i'r rhengoedd cyffesiadol ar ôl eu neilltuad byr – fel y gwnaeth Glan-y-fferi yn 1803, Heol y Prior, Caerfyrddin yn 1805, Castellnewydd Emlyn, Rhydargaeau ac eraill yn fuan wedyn[38] – wedi elwa'n sylweddol ar y llwyddiant ysgubol a ddaeth i'r mudiad Bedyddiedig yn chwarter cyntaf y bedwaredd ganrif ar bymtheg.[39] Dibynnai'r cynnydd hwnnw ar ymlyniad wrth hanfodion clasurol y ffydd. Nid y lleiaf o gymwynasau Joshua Thomas oedd sicrhau fod yr hanfodion hynny, a ddiogelwyd yng Nghyffes 1689, ar gael mewn fersiwn glân, hwylus a dealladwy ar gyfer yr eglwysi.

Ei Chynnwys

Pa fath ffydd oedd honno a gyffeswyd gan Fedyddwyr Neilltuol Chymru yn dilyn Cymanfa Llundain yn 1689? Gellid crynhoi cynnwys y Gyffes ynghylch yr efengyl yn fras fel hyn. Mae hi'n cychwyn gyda'r arfaeth:

Arfaethodd Duw ynddo ei hun, er pob tragwyddoldeb, trwy dra doeth a sanctaidd gyngor ei ewyllys ei hun, yn rhydd, ac yn anghyfnewidiol, pa bethau bynnag oll a ddel i ben; etto yn y cyfryw fodd fel nad yw Duw, trwy hynny, nac yn awdur pechod, nac yn ymgyfeillachu â neb ynddo. (Pen III/1)

Trwy yr arfaeth honno fe ordeiniwyd y saint i fywyd tragwyddol yng Nghrist ac fe drefnwyd moddion i'w galw yn effeithiol i gyfranogi o'r iachawdwriaeth:

... oherwydd paham y cyfryw a etholwyd, gan iddynt syrthio yn Adda, a brynwyd gan Grist, a elwir yn effeithiol i ffydd yng Nghrist, gan yr Ysbryd yn gweithio mewn amser dyladwy, a gyfiawnheir, a fabwysir, a sancteiddir, ac a gedwir gan ei allu ef trwy ffydd i iechydwriaeth. (Pen. III/6)

Natur gyfamodol sydd i'r berthynas rhwng Duw a'i bobl yng Nghrist:

Gan i ddyn ddwyn ei hun tan felltith y ddeddf trwy ei gwymp, rhyngodd bodd i'r Arglwydd wneuthur cyfamod o ras, ymha un y mae yn cynnyg yn rhad i bechaduriaid fywyd a iechydwriaeth trwy Iesu Grist, gan ofyn ganddynt hwy ffydd ynddo ef, fel y byddont gadwedig. (Pen. IV/2)

Iesu ei hun, yn ei swyddogaeth fel Proffwyd, Offeiriad a Brenin, yw cyfryngwr y cyfamod ac mae'r Gyffes yn bur delynegol wrth restru'r priodoleddau a'i gwnaeth yn gymwys i gyflawni'r gwaith hwn:

Mab Duw, yr ail berson yn y Drindod Sanctaidd, yr hwn sydd wir a thragwyddol Dduw, disgleirdeb gogoniant y Tad, o'r un sylwedd ac yn ogyfuwch ag ef, yr hwn a wnaeth y byd, ac sydd yn cynnal ac yn llywodraethu'r holl bethau a wnaeth; pan ddaeth cyflawnder yr amser, efe a gymmerodd arno y natur ddynol, ynghyd â'i holl briodolaethau hanfodol, a'i chyffredin wendidau, etto heb bechod: wedi ei genhedlu gan yr Ysbryd Glân ynghroth y forwyn Mair; yr Ysbryd Glân yn dyfod arni, a nerth y Goruchaf yn ei chysgodi; felly gwnaethpwyd ef o wraig, o lwyth Juda, o had Abraham a Dafydd, yn ôl yr ysgrythurau: felly cysylltwyd ynghyd, yn anwahanol, ddwy natur hollol, berffaith, wahaniaethol, mewn un Person, heb gyfnewidiad, cymmysgiad, nac annhrefn; yr hwn Berson sydd yn wir Dduw a gwir Ddyn, etto un Crist, yr unig gyfryngwr rhwng Duw a dyn. (Pen. VIII/2)

Mae'r adlais o Gredo Nicea yn y cyfeiriad at Grist fel disgleirdeb gogoniant y Tad ac o'r un sylwedd ag ef, a'r defnydd o Ddiffiniad Chalcedon wrth ddisgrifio dwy natur yr Iesu, y naill yn ddwyfol a'r llall yn ddynol, 'yn anwahanol ... heb gyfnewidiad, cymmysgiad, nac annhrefn', yn dangos awydd y tadau i ddatgan eu ffyddlondeb i sylwedd catholig y ffydd. Nid cyffesu ffydd newydd a wnaeth cynrychiolwyr y Gymanfa ond amddiffyn eu hawl i gael eu hystyried yn gyflawn aelodau o'r Un eglwys, Lân, Gatholig ac Apostolaidd. Nid ar unrhyw gyfrif y gellid ystyried hon yn ddogfen sectaraidd. Cyffes o ymlyniad wrth uniongrededd clasurol yr eglwys ydyw.

Iesu Grist, felly, yn Dduw ac yn Ddyn oedd cyfryngwr y cyfamod newydd:

> ... Efe a wnaethpwyd dan y ddeddf, ac efe a'i perffaith gyflawnodd hi, ac a aeth dan y gosb oedd yn ddyledus i ni, yr hon a ddylasem ni ei dwyn a'i dioddef, gan ei wneud yn bechod ac yn felltith drosom ni ... croeshoeliwyd ef, bu farw ... cyfododd o feirw y trydydd dydd, ac yn yr un corph ag y dioddefodd, a'r hwn hefyd a esgynnodd i'r nefoedd lle mae yn eistedd ar ddeheulaw'r Tad yn eiriol; ac efe a ddychwel i farnu dynion ac angylion ar ddiwedd y byd. (Pen. VIII/4)

Mae yn yr efengyl hon, a arfaethwyd gan Dduw ac a gyflawnwyd gan Grist trwy'r cyfamod, helaethrwydd digonol o ras i bwy bynnag a fynn elwa oddi wrthi: 'Yr efengyl yw'r unig foddion allanol i ddatguddio Crist a'i achubol ras, [ac y mae] fel y cyfryw, yn gwbl ddigonol i hynny' (Pen. XX/4).

O droi oddi wrth ddehongliad y Gyffes o natur yr efengyl at ei diffiniad o'r broses o ddod a bod yn Gristion, dyma a ddywedir:

> Y rhai a ragluniodd Duw i fywyd, y mae'n gweld yn dda, yn ei amser terfynedig a chymmeradwy, eu galw yn effeithiol, trwy ei air a'i ysbryd, o'r cyflwr o bechod a marwolaeth, ymha un y maent wrth nattur, i ras ac iechydwriaeth, trwy Iesu Grist; gan oleuo eu meddyliau, yn ysbrydol ac achubol, i ddeall pethau Duw; gan gymmeryd ymaith y galon garreg, a rhoddi iddynt galon o gig; gan adnewyddu eu hewyllys, a'u tueddu, trwy ei hollalluog nerth, at yr hyn sy dda, a'u tynnu yn effeithiol at Iesu Grist; etto felly, fel y maent yn dyfod o'u hollol wirfodd, wedi eu gwneud yn ewyllysgar trwy ei ras ef. (Pen. X/1)

Yn dilyn y galw daw'r cyfiawnhau, yna'r mabwysiad ac yna'r sancteiddhad:

> Y rhai mae Duw yn alw (*sic*) yn effeithiol, mae fe yn eu cyfiawnhau hefyd yn rhad, nid trwy dywallt cyfiawnder ynddynt, eithr trwy faddau eu pechodau, a thrwy gyfrif a chymmeradwyo eu personau megis cyfiawn ... er mwyn Crist yn unig. (Pen. XI/1)

> Y rhai oll a gyfiawnhawyd, rhyngodd bodd i Dduw, er mwyn ei unig Fab, Iesu Grist, eu gwneud yn gyfrannogion o'r gras o fabwysiad; trwy'r hyn y cymmerir hwynt i nifer, ac y mwynhânt rhydd-did a breintiau plant Duw; gosodir ei enw ef arnynt, derbyniant Ysbryd mabwysiad, mae iddynt ddyfodfa gyda hyfder at orsedd gras, cynorthwyir hwynt i lefain, Abba Dad (Pen. XII/1)

> Y sawl a unwyd â Christ, a alwyd yn effeithiol, ac a adgenhedlwyd; gan fod ganddynt galonnau newydd, ac ysbryd newydd, wedi eu creu ynddynt, trwy rinwedd marwolaeth ac adgyfodiad Crist; maent hefyd yn cael eu sancteiddio ymhellach, yn wirioneddol ac yn bersonol, trwy'r unrhyw rinwedd, trwy ei air ef, a'i Ysbryd yn preswylio ynddynt (Pen. XIII/1).

Os ydi'r uchod yn digwydd trwy fwriad ac ymyrraeth uniongyrchol Duw, mae i'r credinwyr hwythau eu dyletswyddau i'w cyflawni ym mhroses yr iachawdwriaeth. Disgwylir iddynt ymarfer ffydd, profi edifeirwch ac fel canlyniad gwneud gweithredoedd da er mwyn profi dilysrwydd eu tröedigaeth:

> Y gras o ffydd, trwy'r hwn y cynnorthwyir yr etholedigion i gredu i gadwedigaeth eu heneidiau, yw gwaith Ysbryd Crist yn eu calonnau, ac a weithir trwy weinidogaeth y gair ... Trwy'r ffydd hon y mae cristion yn credu mai gwir yw beth bynnag a ddatguddir yn y gair, o herwydd awdurdod Duw ei hun ... fel y mae'n dal allan ogoniant Duw yn ei briodolaethau; godidowgrwydd Crist yn ei anian a'i swyddau; a gallu a chyflawnder yr Ysbryd Glân yn ei gynhyrfiadau a'i weithrediadau: ac felly cynorthwyir ef i fwrw ei enaid ar y gwirionedd a gredir fel hyn. (Pen. XIV/1,2)

> Gras efangylaidd yw'r edifeirwch achubol hwn, trwy ba un y mae'r dyn, wedi ei wneud gan yr Ysbryd Glân yn deimladwy o amrywiol ddrwg ei bechod, trwy ffydd yng Nghrist, yn ymddarostwng ei hun o'i blegid, gyda duwiol dristwch, a chasineb atto, a hunanffieiddiad; gan weddïo am faddeuant a nerth gras, ynghyd â bwriad ac ymdrechiad, trwy gynnorthwyadau'r Ysbryd, i rodio ger bron Duw, ac i ryngu bodd iddo ymhob peth.(Pen. XV/2)

> Y gweithredoedd da hyn, a wneler mewn ufudd-dod i orchymmynion Duw, ydynt ffrwythau a thystion o wir a bywiol ffydd; a thrwyddynt y mae'r rhai sy'n credu yn amlygu eu diolchgarwch, yn cadarnhau eu sicrwydd, yn adeiladu eu brodyr, yn harddu eu proffes o'r efengyl, yn cau geneuau eu gwrthwynebwyr, ac yn gogoneddu Duw, gwaith yr hwn ydynt, wedi eu creu yng Nghrist Iesu i hynny. (Pen. XVI/2)

Ac yn olaf, dyma grynhoad o ddiffiniad y Gyffes o natur yr eglwys, corff Crist ar y ddaear:

Mae'r eglwys gatholig, neu gyffesiadol, yr hon ... a ellir ei galw yn anweledig, yn cynnwys holl nifer yr etholedigion, y rhai a fu, y sydd, neu a gesglir yn un, dan Grist eu pen; a'i ddyweddi ef ydyw hi, ei gorph, a'i gyflawnder ef, yr hwn sydd yn cyflawni oll yn oll (Pen. XXVI/1)

Er mai o blith 'y seintiau gweledig', sef y sawl sy'n proffesu ffydd yr efengyl heb sarnu ei broffes trwy gyfeiliorni neu ymarweddiad anaddas, y dylid corffoli pob eglwys, eto

Mae'r eglwysi puraf dan y nef yn ddarostyngedig i gymmysgedd ac i gamsynied; a dirywiodd rhai mor bell fel nad oeddynt mwyach yn eglwysi Crist, ond synagog Satan; er hynny yr oedd gan Grist bob amser, a bydd ganddo, deyrnas yn y byd hwn hyd ei ddiwedd, o'r cyfryw ag sydd yn credu ynddo, ac yn proffesu ei enw. (Pen. XXVI/2, 3)

Crist, felly, trwy weinidogaeth y Gair a gwaith yr Ysbryd, sy'n galw ei bobl allan o'r byd ac yn eu siarsio i ddod ynghyd mewn 'cymdeithasau neillduol, neu eglwysi, er adeiladaeth ei gilydd, ac er iawn gyflawni yr addoliad cyhoeddus y mae fe'n ofyn ganddynt yn y byd' (Pen. XXVI/5). Fe berthyn i bob un o'r eglwysi hyn lawn awdurdod, o dan Grist, drosti'i hun, gyda'r hawl i ddewis ei swyddogion o blith ei haelodau er mwyn iddynt gyflawni gweinidogaeth esgob, henuriad neu ddiacon. O gael ei sicrhau fod aelod wedi'i ddonio gan yr Ysbryd i gyflawni un o'r swyddogaethau hyn, dylai'r eglwys, trwy gydsyniad ei haelodau, neilltuo y cyfryw rai trwy ympryd a gweddi ynghyd ag arddodiad dwylo (Pen. XXVI/7-9).

Gwaith gweinidog, boed ef yn fugail, yn esgob neu yn henuriad, yw gwylio dros eneidiau'r aelodau gan ddisgwyl i'r aelodau ei barchu a chyfrannu at ei gynnal. A gwaith yr eglwys yw peidio â bod yn annibynnol ar ei chyd-eglwysi ond, pan fo hynny'n bosibl, cynnal cymundeb er adeiladaeth ei gilydd. Yn yr un modd, mewn achosion o anhawster neu ymrafael, gan barchu egwyddor sofraniaeth yr eglwys leol

> ... mae yn ôl meddwl Crist i amryw eglwysi a fo'n cynnal cymmundeb a'u gilydd gyfarfod trwy eu cenhadon, i ystyried a rhoddi eu cyngor yn yr achos o ymrafael, a'i hysbysu i bob eglwys ag y perthynai (Pen. XXVI/15).

Dylai pob eglwys gynnal cymdeithas ymhlith y saint yn yr ystyr o ofal yr aelodau am ei gilydd (Pen. XXVII/1, 2) gan arfer hefyd, fel rhan o'r addoli cyhoeddus, y ddwy ordinhad sanctaidd o fedydd a Swper yr Arglwydd:

> Ordinhad o'r Testament Newydd yw bedydd, a ordeiniwyd gan Iesu Grist, i fod i'r hwn a fedyddier yn arwydd o'i gymdeithas ef yn ei farwolaeth a'i adgyfodiad; o'i impiad ynddo ef; o faddeuant pechod; ac o'i ymroddiad fynu i Dduw, trwy Iesu Grist, i fyw a rhodio mewn ufudd-dod buchedd.

Prin bod rhaid dweud mai credinwyr yn unig yw priod ddeiliaid yr ordinhad hon, ac mai dull ei gweinyddu yw suddo mewn dŵr (Pen. XXIX/ 1, 2, 4). Yna:

> Swpper yr Arglwydd Iesu a ordeiniwiyd ganddo ef, yn y nos y bradychwyd ef, i'w chadw yn ei eglwysi hyd ddiwedd y byd, er parhaus goffadwriaeth a dangos allan ei aberthiad ei hun yn ei farwolaeth; cadarnhad ffydd y crediniol yn ei holl freintiau; eu porthiant ysbrydol, a'u tyfiant ynddo ef (Pen. XXX/1).

Dylid nodi yma nad arwydd noeth mo'r Swper nad yw ond yn cyfeirio at waith gorffenedig Crist, ond moddion gras ydyw sy'n cadarnhau'r saint, eu porthi er mwyn iddynt dyfu ynddo Ef, y Crist byw. Dyma'r athrawiaeth sacramentaidd a gysylltir ag enw John Calvin yn hytrach nag Huldrych Zwingli. Yna, wedi i'r tadau Bedyddiedig wrthgyferbynnu eu hathrawiaeth am y Swper â dehongliad Rhufain, dywedent:

> Mae'r derbyniwr teilwng, trwy fod yn gyfrannog yn allanol o'r elfennau gweledig yn yr ordinhad hon, hefyd yr un pryd yn dufewnol trwy ffydd, yn ddieu ac yn

wirioneddol, etto nid yn gnawdol ac yn gorphorol, ond yn ysbrydol yn derbyn ac yn ymborthi ar Grist croeshoeliedig, a holl freintiau ei farwolaeth ef; gan fod corph a gwaed Crist y pryd hynny, nid yn gorphorol neu yn gnawdol, eithr yn ysbrydol yn bresennol i ffydd y rhai crediniol, yn yr ordinhad honno (Pen. XXX/7).

Yn yr ystyr yma y gall, ac y dylai, Protestant o Fedyddiwr gyffesu fod ganddo yntau gred yn y 'bresenoldeb real' gan ddiolch i'r tadau am ddiogelu ar ei gyfer athrawiaeth uchel a chyfoethog am yr eglwys a'i sacramentau.

* * * *

Wrth i ninnau ddathlu drichanmlwyddiant y gyffes hon, byddai'n dda i ni gofio geiriau'r medrusaf o'i chyfieithwyr, Joshua Thomas. Nid rhywbeth i gymryd lle'r Gair mohoni, nac ychwaith rywbeth i'w osod yn gyfochrog â'r Gair. Yn hytrach moddion ydyw i ddangos sut yr arweiniwyd y tadau i ddehongli'r Gair hwnnw: 'Am y gyffes hon, nid ydys yn amcanu rhwymo neb i'w chredu, hi a osodwyd allan gan ein teidiau yn yr oes ddiwethaf, [ond] yr hyn oedd wirionedd ysgrythurol yn yr amser hynny, sydd felly eto'. Os oedd hynny'n wir ddwy ganrif yn ôl, gall fod eto'n wir yn ein dyddiau ni. Chwedl Joshua, dichon y gall y Bugail da, trwy ei Ysbryd, wneud y gwaith hwn o fawr ddefnydd i'r oes hon, ac i'r oesoedd a ddêl.

Yr enaid aflonydd: Ben Bowen (1878-1903)

(2003)

Obryd i'w gilydd mae Bedyddwyr Cymru yn eu cael eu hunain yn dadlau ynghylch sut orau i ddehongli'r ffydd Gristionogol. Os oes neges wedi'i hymddiried i ni, a bod a wnelo'r neges honno â'n hadnabyddiaeth o Dduw ac ag iachawdwriaeth y byd, does dim syndod bod y peth yn peri dadlau ac nid hwyrach rywfaint o densiwn yn ogystal. Digwyddodd yn niwedd y ddeunawfed ganrif pan ymrannodd eglwysi'r De-Orllewin ar gyfrif y priodoldeb o ddehongli'r ffydd Fedyddiedig yn unol â Chyffes Ffydd 1689 a chafwyd William Richards o Lynn, William Williams Aberteifi, Titus Lewis a Joseph Harris, Gomer, yn gwrthwynebu'i gilydd ac yn diaelodi'i gilydd o gymdeithas eglwysig[1] Digwyddodd rhywbeth tebyg yn y Gogledd, yn sgil llwyddiannau cenhadol y Diwygiad Efengylaidd, gyda J.R.Jones Ramoth yn ymneilltuo oddi wrth 'Fedyddwyr Babilonaidd Cymru' ac yn dirmygu ac yn diystyru eu prif addurn, Christmas Evans o Fôn.[2] Nid diwedd y ddeunawfed ganrif fydd ffocws y bennod hon ond dechrau'r ugeinfed ganrif, ac os na chafwyd ymraniad eglwysig, roedd holl elfennau anghytundeb diwinyddol o'r iawn ryw yn yr hyn y daethpwyd i'w alw yn 'helynt Ben Bowen'. Gyrfa fer a llachar y bardd o Gwm Rhondda fydd byrdwn y sylwadau sy'n dilyn.[3]

Dechreuadau

Ganed Ben Bowen ar 19 Hydref 1878 yn Nhreorci, yn fab i Thomas a Dinah Bowen. Un o Boweniaid Felin-foel oedd Thomas (1832-

98), yn fab i Thomas Bowen y cyntaf (g.1801) a Margaret ei wraig, a'i gysylltiadau Bedyddiedig yn helaeth iawn yn ardaloedd Felin-foel, Dafen a Llwynhendy, er yn y Pwll, plwyf Pembre, y ganed ef. Symudodd y teulu i Fryntroedgam, rhwng Port Talbot a Maesteg yn yr 1830au ac yno y bedyddiwyd Thomas y mab. Yn y Bryn y bu farw ei rieni, Margaret yn gyntaf yn 1851 a Thomas, ei gŵr, ddwy flynedd yn ddiweddarach. Ni bu'n hir cyn i Thomas Bowen y mab fudo i Ddyffryn Rhondda ac ymaelodi yn Nebo, Ystrad, mam-eglwys Bedyddwyr y cwm. Er mai'r fasnach lo a dynnodd y teulu i Forgannwg, roedd hyn cyn y diwydiannu mawr a'r Rhondda o hyd yn lled wledig ei naws. Priododd Thomas â Margaret John a dod yn dad i ddau o fechgyn: Thomas (y trydydd) a Christopher, ond yn fuan ar ôl geni Christopher bu farw ei fam.

Ail wraig Thomas Bowen, felly, oedd Dinah Davies (1840-84). Yn hanu o deulu o Annibynwyr o Fwlchnewydd ger tref Caerfyrddin, symudent i'r gweithiau tua chanol y bedwaredd ganrif ar bymtheg, a dod i fyw i'r Pentre. Cafodd Dinah'r anffawd o ddod yn fam i ddau o blant cyn iddi hi briodi. (Bu farw un yn dri mis oed). Fodd bynnag, tra yn y Rhondda cyfarfu â'r gŵr gweddw ifanc Thomas Bowen ac yn 1870 priodasant. Daeth hi i arddel crefydd ei gŵr a bedyddiwyd hi yn Afon Rhondda gan Rufus Williams, gweinidog eglwys Nebo. Ymaelodasant wedyn yn yr achos newydd (1876) ym Moreia, Pentre. Yn ychwanegol at ei merch ei hun, sef Mary, a dau o blant Thomas, sef Thomas ieuaf a Christopher, daeth wyth arall o blant i'r aelwyd: Margaret, Ann (sef mam y diweddar Syr Ben Bowen Thomas), Dafydd (sef y bardd Myfyr Hefin, gweinidog Horeb Pump Heol a sefydlydd Urdd y Seren Fore), William, a fu farw yn ddyflwydd oed, Rachel, Benjamin (sef gwrthrych y bennod hon) a Hannah a fu farw hithau yn ei babandod. Collwyd Thomas ieuaf yn 1882 pan oedd ef eto yn llanc, ac oherwydd hynny, gan ddilyn y traddodiad teuluol, galwyd y plentyn olaf yn Thomas ar ei ôl. (Deuai hwn yn Barchg

T. Orchwy Bowen, tad i ddau fardd nodedig arall, sef y prifeirdd Euros a Geraint Bowen.) Yn 1884, pan oedd Ben yn chwe blwydd oed, bu farw ei fam a hithau'n 45 oed. Felly dyma Thomas Bowen y tad yn cael ei adael yn weddw am yr eilwaith, â'r cyfrifoldeb trwm ganddo o fagu llond tŷ o blant.

Bu Ben fel gweddill y plant am ysbaid yn Ysgol Bwrdd Treorci, ond oherwydd y sefyllfa deuluol, gorfu iddo adael yn 1890 pan oedd yn ddeuddeg oed er mwyn ennill ei damaid yng nglofa Ty'n-y-bedw. Glôwr anfodlon ydoedd. 'Cofus gennym amdano', meddai Dafydd, ei frawd, 'y diwrnod cyntaf y dechreuodd weithio, yn dod i'r talcen glo ... yn llaw un o'r dryswyr tan wylo a dweud ei fod am fynd yn ôl i'r ysgol'.[4] Gwyddai eisoes mai i fyd y meddwl a byd y dychymyg, byd llyfrau a barddoniaeth, roedd yn cael ei ddenu, a'r peth cyntaf a wnaeth wedi iddo ennill swllt cyntaf ei gyflog oedd pwrcasu copi o'r *Ysgol Farddol* sef llawlyfr Dafydd Morganwg ar y cynganeddion, ac aeth ati i feistroli elfennau cerdd dafod. Cyn pen dim dysgodd sut i englyna, ac erbyn cyrraedd pymtheg oed roedd yn hyddysg yn y pedwar-mesur-ar-hugain. Parodd y gamp anarferol hon gryn syndod i lawer, nid lleiaf y bardd Brynfab, golygydd barddoniaeth *Tarian y Gweithwyr*, a Dafydd Morganwg yntau, a oedd yn gyfrifol am golofn yr awen yn y *South Wales Daily News*.

Os canu fyddai dileit ei chwiorydd, adrodd, ac yna barddoni, a gipiodd ddychymyg Ben a Dafydd, ei frawd hŷn. Roedd gwareiddiad y capel yn rhoi bri ar y ddeubeth: caniadaeth y cysegr a'r gair llafar, gydag Ymneilltuaeth fyrlymus Oes Victoria yn plethu diwylliant a chrefydd ynghyd yn un patrwm tynn. Fel hyn y disgrifiodd Ben Dreorci ei gyfnod: 'It is crammed with privileges ... It is full of life and joy, especially in the singing line'.[5] Nid peth crintachlyd, crablyd, cul oedd Ymneilltuaeth iddo, ond yn fynegiant egnïol ac iach o ddyheadau'r werin, a'r werin honno'n werin Gristionogol. Er i Ben wrthryfela yn erbyn rhai agweddau o gynnwys athrawiaethol yr Ymneilltuaeth honno maes o law, ni chwestiynodd erioed y cyswllt rhwng crefydd a'i mynegiant yn niwylliant ei fagwraeth. Roedd y grefydd Ymneilltuol yn beth cwbl naturiol iddo, a'r diwylliant yr ymhyfrydai ynddo yn ymestyniad anorfod ohoni. 'I attribute my conversion largely to some kind of growth of which I can hardly give any account', meddai, wrth ymgesio am le yng Ngholeg y Bedyddwyr, Bangor, ar droad y ganrif, 'but I have confidence in its reality'.[6] Nid tröedigaeth argyfyngus a gafodd, yn creu rhwyg rhyngddo â'i gefndir, ond datblygiad esmwyth a oedd yr un mor ddyledus i werthoedd ei fagwraeth ag i apêl yr efengyl. Roedd yn bedair ar ddeg oed pan wnaeth ei broffes gyhoeddus, mewn cyfeillach noson waith ym Moreia, ac fe'i bedyddiwyd ar 27 Hydref 1892. Gwir y dywedodd Dafydd, ei frawd: 'Pan ymunodd â chrefydd, nid oedd y cam ond bychan a naturiol iddo'.[7]

Blagur ei awen

Am y blynyddoedd nesaf, cystadlu ac eisteddfota a aeth â'i fryd. Englyn i'r gath yn eisteddfod Bodringallt ar ddydd Nadolig 1893 oedd ei lwyddiant cyntaf mewn cystadleuaeth, a rhwng hynny a'i awdl 'Gardd Eden' yn eisteddfod Rhymni, y Llungwyn 1903, rhoes gynnig ar ennill gwobrau mewn dwsinau o eisteddfodau, fawr a mân, ar hyd a lled y wlad. Canu ar destunau crefyddol a chenedlgarol a wnaeth fwyaf, a hynny yn ôl y confensiwn. 'Ioan ym Mhatmos' oedd pwnc yr englyn yn eisteddfod Bethania, Treorci, 1894, 'Cleddyf yr Arglwydd a Gideon' oedd teitl awdl eisteddfod Dowlais ar dydd Nadolig 1895, 'Arch Duw a ddaliwyd' ym Mhenrhiwceibr, 1896, 'Yr Iesu a wylodd' a 'Gethsemane' oedd testunau 1897, y naill ym Mhontarddulais a'r llall ym Mhen-wyll, Blaenau Tawe,

'Crist gerbron Peilat' yn Nhreorci 1898, ac felly ymlaen. Byddai'n canu englynion coffa ac englynion cyfarch mynych, a oedd yn dangos mwy o fedr nac o ysbrydoliaeth, a byddai'n canu i natur yn bur gyson hefyd. O ran ei ganeuon cenedlgarol, confensiynol eto oedd ei drawiad. Gwlatgarwch anfeirniadol Oes Victoria sy ganddo; mae'n Brydeinig, yn ymerodrol, ac yn gwbl anwleidyddol ei natur. Ond yn ei ganol fe geir ambell fflach sy'n dangos nad bardd dibwys mo Ben. 'Y Gymraeg' oedd testun tri phennill ar ddeg a ganodd ym Mehefin 1897 wedi taro ymweliad â Chwm Syrhywi, Gwent, man geni ei eilun, Islwyn. Siom a syndod a fynegir yn y gerdd, mai di-Gymraeg yw'r plant, fod yr iaith yn angof yn y fro, a'r cof am y bardd yn pallu ymhlith y trigolion.

> A'i gwefus bur a welwn
> A'i threm i'r byd a ddaw,
> Mae'r hen Gymraeg yn marw
> A'r Beibl yn ei llaw.[8]

Dim ond bardd o allu a fedrai greu epigram mor gofiadwy yn ei gwpled clo, a fyddai'n crynhoi tynged yr iaith yng Ngwent ac yna ym Morgannwg yn ystod y blynyddoedd canlynol.

Yn wahanol i rai o'i gyfoeswyr, prin oedd ei ddiddordeb mewn gwleidyddiaeth fel y cyfryw. Er mai gweithiwr ydoedd, yn gwybod am anghyfiawnder ac yn gwbl gyfarwydd â gwendidau'r gyfundrefn gyfalafol, nid oes argoel iddo gael ei hudo gan sosialaeth y Mudiad Llafur newydd nac iddo ddehongli hanes yn nhermau gwrthdaro buddiannau dosbarth. Mewn gwirionedd, nid oes arwydd i'r ffactorau hyn chwarae unrhyw ran yn ei ddatblygiad deallusol o gwbl. Yr unig gerdd o'i eiddo sy'n cydnabod bodolaeth y tensiynau cymdeithasol cyfoes yw 'Cri y Glöwr' a gomisiynwyd gan barti o'i gyn-gydweithwyr er mwyn ei hadrodd wrth iddynt ymdaith ar hyd y wlad ar daith gasglu adeg streic fawr 1898.

Y mae aelwydydd Cymru lân
Fu'n llawn o gân gorfoledd
Yn gweled heddiw'r plantos llon
Yn dlodion ym mhob anedd;
Mae ing ein hamgylchiadau blin
Yn gwthio'i hun i bobman,
Ac weithian dan y newyn du
Mae glowyr Cymru'n griddfan.

Mae cân yn troi'n ochenaid drom,
Mae siom yn lladd gobeithion,
Nid oes ond newyn ar bob llaw,
A braw yn llanw'r galon;
Mae'n galed fod y glowyr du,
Sy'n methu cael iawnderau,
Yn gorfod mynd heb ddim ond cri
At ddrws tosturi weithiau.

Byddai'n dda gweld rhywfaint o ysbryd gwrthryfel yn y gân ddigon bywiog ac effeithiol hon, ond ysywaeth nid dyna a geir. Nid dymchwel y drefn a fynnai Ben, na'i gantorion ychwaith, ond yn hytrach gofyn cardod gan eu cyd-Gymry.

Ffarweliwyd â chartrefi draw
Am law o help tosturi –
Nid help i herio meistri yw,
Ond help i fyw mewn tlodi;
Fydd Cymru roes ei hun mewn gwaed
Dan draed yn lle'i hiawnderau,
Yn ôl â'i llaw i gael y wawr
I dorri'n awr drwy'n heisiau.[9]

Nid 'help i fyw mewn tlodi' oedd ei angen ar weithwyr Deheudir Cymru adeg y streic fawr, ond roedd ganddynt hawl a dyletswydd 'i herio meistri'. Rhan o drychineb Ymneilltuaeth dechrau'r ugeinfed ganrif oedd i'r eglwysi fodloni ar anghyfiawnder dybryd y *status quo* gan adael i'r Mudiad Llafur seciwlaraidd, anghymreig frwydro dros iawnderau sylfaenol y bobl. Talodd y capeli (a lwyddodd yn well na neb yn Ewrop gyfan yn y bedwaredd ganrif ar bymtheg i ddal teyrngarwch gwrywod y dosbarth gweithiol) yn ddrud am yr esgeulustod hwn.

Nid sosialydd ond Rhyddfrydwr Fictoraidd oedd Ben Bowen, a'i unigolyddiaeth yn ffrwyth dealltwriaeth ei gyfnod o natur ei grefydd Ymneilltuol. Ymfalchïai mewn bod yn radical, ond roedd a wnelo'r radicaliaeth honno â hawliau'r unigolyn ac â gwerthoedd diwylliannol yn hytrach nag â strwythurau cyfundrefn ormesol. Er mwyn ffynnu roedd gofyn i'r unigolyn fod yn rhydd, a moddion y rhyddhad hwnnw oedd diwylliant a dysg. Unigolyddiaeth ronc oedd hyn, ac yn ffrwyth yr ideoleg ryddfrydol. Dull o hunanfynegiant oedd barddoniaeth iddo, ac mae'r unig bolemig sydd yn ei ganu yn cael ei anelu nid at gyfundrefn economaidd a oedd yn hanfodol anghyfiawn, ond at y math o grefyddolder a fygai hawl yr unigolyn i gredu'r hyn a fynnai. Yn wahanol i T.E.Nicholas, nid cyfrwng propaganda yn erbyn y perchnogion ac o blaid y dosbarth gweithiol oedd barddoniaeth iddo, ond mynegiant o brofiadau a dyheadau'r enaid unigol.

Clod eisteddfodol

Enillodd Ben gadair eisteddfod leol Penrhiwceibr yn 1896 ac yntau'n ddwy ar bymtheg oed, a chael ei glodfori fel bardd cadeiriol ieuengaf Cymru. Dyblodd y gamp ymhen chwe mis pan enillodd gadair eisteddfod

Aberdâr. 'Y Deffroad Cenedlaethol' oedd ei destun, a dehonglodd y deffroad hwnnw yn unol â rhagdybiaethau politicaidd y Blaid Ryddfrydol a'r unigolyddiaeth a dybiai oedd yn hanfodol i Ymneilltuaeth Gymreig. Profiad, neu deimlad digyfrwng yr unigolyn o Dduw, oedd nod amgen crefydd iddo, a'r cwbl a wnaeth credo gyfundrefnol neu sefydlaid eglwysig oedd mygu a thagu'r unigoliaeth honno:

> Crefydd flodeuai'n werdd fel olewydden
>
> Yn nwylaw'r Babaeth wedi ei throi'n groesbren! –
>
> Croesbren i ailgroeshoelio Arglwydd Bywyd! –
>
> Croesbren, wrth daro golau'r tragwyddolfyd
>
> Ar uchelderau rhyfyg, sydd yn taflu
>
> Ei chysgod drosti i dduo'r nos, a Chymru
>
> Mewn lludded wedi'r brwydro am annibyniaeth
>
> Yn suddo i ddyfnderoedd anystyriaeth
>
> A'i thrwmgwsg llethol ...'[10]

Annibyniaeth oddi wrth ofergoel oedd yr unig annibyniaeth y sonia amdano, a dyma'r unig annibyniaeth a oedd yn werth ei chael. Yn ogystal â chynrychioli gormes, ymgorfforiad o dywyllwch ysbrydol, ofergoel a gau-grefydd oedd y Babaeth iddo, ac nid oedd y sefydliad Anglicanaidd a'i disodlodd yn fawr gwell:

> O mor ddu, mor ddwfn ofnadwy ydyw'r nos o anwybodaeth!
>
> Ofergoeliaeth yn cau llwybrau Gwir y nef i'w hymwybyddiaeth. [11]

Sêr bore y deffroad oedd nid Harri VIII neu Elisabeth I, nid yr Esgob Richard Davies neu'r Esgob William Morgan a fu'n frwd dros sefydlu cyfundrefn Brotestannaidd a throi'r Beibl i iaith y werin, ond y Piwritaniaid a'r Ymneilltuwyr:

> Daw aml i seren i wybrennu'r hanes
>
> Yn gennad arall fyd: beth yw Llanfaches
>
> Ac Erbury a Cradoc hyd Vavasor
>
> A'u cydryw oll, ond byd-sêr nef ein goror?[12]

Rhagflaenu'r wawr a wnaeth y rheini, wrth gwrs. Roedd rhaid aros tan y ddeunawfed ganrif i'r wybren lasu ac i'r wawr dorri:

> Cynhyrfu'r wlad wna mellt-'hediadau Christmas,
>
> Oleuant lwybrau'r Wern a John Elias.
>
> Bellach mae'r nos mewn dydd yn ymfantellu,
>
> Ac mae morwynig fach i'r nef yn ymdaith drwy holl Gymru.
>
> Fyth annwyl, dyner, Ysgol Sul,
>
> Canllawiau Duw i'r llwybr cul ... [13]
>
> ... Mae cysgodion yn diflannu o dan ddilyw y goleuni!
>
> Ia ffurfioldeb yn ymdoddi o dan wres calonnau'n llosgi.[14]

Mae'r datblygiad yn un cyfarwydd: o dywyllwch dudew yr Oesoedd Canol i oleuni llachar y Diwygiad Efengylaidd, mae'r Ysbryd yn bwrw heibio ffurfiau crefyddol, boed Gatholig neu Anglicanaidd, er mwyn ymddisgleirio'n danbaid noeth mewn Ymneilltuaeth, sef y wir grefydd ac ysbrydolrwydd o'r iawn ryw. Ac mae Ymneilltuaeth yn ei thro yn esgor ar addysg a diwylliant, y math addysg a diwylliant a oedd yn uchafbwynt dyheadau Ben Bowen yn llanc. Mae'n ddiddorol sylwi pwy oedd yn y pantheon: Ieuan Gwynedd, Ceiriog, Gwilym Hiraethog, Golyddan, Emrys, 'Syr Hugh Owen fawr a'i gydryw sy'n gwasgaru clir oleuni'.[15] Ond diwylliant y festri capel yn fwy na'r capel ei hun sydd agosaf at galon y glöwr ifanc:

> Deffro calon gwlad i ganu'n ddiarwybod wna'r Eisteddfod
>
> Ac y mae'r Ddarlith a'r Gymanfa yn melysu ei myfyrdod.[16]

Nid barddoniaeth aruchel mo hon, ond mae'r gân yn ddiddorol fel ymgorfforiad perffaith o hyder ac optimistiaeth Oes Fictoria, a chynnydd anorfod y gwerthoedd Ymneilltuol:

> Mae'r dydd a ddisgwyliwyd mor hir wedi dod!
>
> Aeres cyfanfyd wyt, Gymru, i fod!
>
> Mae nos anwybodaeth ymhell, ymhell,
>
> Drosot, fy ngwlad, mae dydd gobaith gwell.[17]

Dechrau pregethu

Roedd y dathlu yn Nhreorci yn fawr yn sgil buddugoliaeth eisteddfodol yr 'hogyn pengoch, gwyneblwyd, tawel ei olwg, crotynaidd ei ymddangosiad'[18] a enillodd gymaint bri yn Aberdâr, a gwnaed tysteb iddo er mwyn ei alluogi i fynd i goleg. Erbyn hyn roedd Thomas Bowen, ei dad, yn clafychu'n ddifrifol wedi cyfres o ergydion a'i parlysodd a dwyn ei leferydd oddi wrtho. Yr unig ffordd y gallai Ben gyflawni ei ddymuniad ysol i adael y pwll glo oedd trwy dderbyn cymorth ariannol gan gymwynaswyr, a dyna a alluogodd y dysteb iddo'i wneud. Gorffennodd ei yrfa yng nglofa Ty'n-y-bedw yn Ebrill 1897 ac ymrestrodd yn fyfyriwr yn Ysgol Baratoi Pontypridd y mis Medi dilynol gan fwriadu ymgymhwyso i fynd i'r coleg prifysgol newydd yng Nghaerydd. Bu ym Mhontypridd tan fis Rhagfyr 1898, a theithiodd yn ôl ac ymlaen o Dreorci bob dydd ar y trên. Ynghyd â'i astudiaethau, parhaodd i farddoni. Derbyniwyd ef i Orsedd y Beirdd yn Eisteddfod Genedlaethol Casnewydd, Awst 1897, dan yr enw 'Euros' (cafodd Dafydd ei frawd ei urddo dan yr enw 'Myfyr Hefin' yr un pryd). Fel y gwelwyd eisoes, doedd dim deuoliaeth rhwng ei awydd addysgol, ei weithgareddau barddonol a'i grefydd Ymneilltuol, felly nid yw'n syndod ei weld yn dechrau pregethu ac yn cael ei ddenu at y weinidogaeth fel gyrfa gymwys iddo.

Dechreuodd bregethu ar gymhelliad ei eglwys ym Moreia, Pentre, rywbryd yn 1897. Gan gydnabod fod chwaeth cyfnod yn newid ac mae cynnyrch dyn ifanc sydd yma heb gyrraedd ei ugain oed, siomedig yw cynnwys ei bregethau. Ffansïol a thelynegol ydynt, yn gyforiog o ddelweddau byd natur – yr ardd, y cwmwl, y bryn a'r ddôl, blodau ac adar a threigl y tymhorau – sydd, yn amlach na pheidio, yn gorchuddio'r pwynt mae'r pregethwr yn dymuno'i wneud yn hytrach na'i oleuo. Mae'r esboniadaeth feiblaidd yn fympwyol. I'r graddau bod ganddo gyfundrefn athrawiaethol, math o idealaeth Blatonaidd ydyw gyda realaeth gwrthychol wedi'i guddio y tu ôl i haen drwchus o niwlogrwydd meddwl. Mae'n drawiadol eto nad oes ynddynt ddim cyfeiriad at gyfiawnder cymdeithasol er bod gormes yn amlwg iawn yn y math fywyd roedd brodyr a chyfeillion Ben yn gorfod ei wynebu yn feunyddiol, ac mae'r delweddau yn ddieithriad yn rhai gwledig. Gellwch feddwl na suddwyd pwll glo yn y Rhondda erioed a bod diwydiant yn perthyn i fyd arall.

Oherwydd ei orysbrydolrwydd Idealaidd, prin yw ei afael ar athrawiaeth y creu, ac oherwydd hynny does dim gwir ddeelltwriaeth ganddo o ystyr yr ymgnawdoliad – yn sicr nid o *gnawd* yr ymgnawdoliad, a'i natur unigryw ym Mherson Crist – ac ofer disgwyl unrhyw werthfawrogiad o'r cysyniad beiblaidd am atgyfodiad y corff. Anfarwoldeb yr enaid yw'r llinyn arian sy'n rhedeg trwy'r pregethau i gyd. Gan nad oes ganddo grap ar yr ymgnawdoliad nid yw ychwaith yn medru dirnad y cysyniad o sacrament. Darlun pert yw'r bedydd y gellid ei hepgor er mwyn mynd at y gwir sylwedd ysbrydol nad oedd a wnelo ddim â dŵr, na chreadigaeth Duw, nac ymgnawdoliad Crist, na'r atgyfodiad o'r bedd. Peth cwbl anfaterol ydoedd, ymhell y tu hwnt i fyd y synhwyrau. I Ben Bowen nid y greadigaeth neu'r cnawd neu'r sylweddau corfforol sy'n bwysig ond yr enaid, sef y darn bywydol o'r unigolyn nad oedd yn ddarostyngedig i amser a lle ond a oedd mewn cyswllt annatod â'r sylwedd tragwyddol. Soniai am 'fywyd yn y weithred o dorri drwy blisgyn byd mater i ymbaratoi i gymryd ei adain yn awyr yr ysbrydolfyd'.[19] 'Mae amser', meddai, 'wrth ddringo i uchelfeydd y meddwl dan oleuni bywyd Duw, yn cael ei weddnewid yn dragwyddoldeb'.[20] Yr unig ddeuoliaeth sydd yma yw nid yr un feiblaidd rhwng Duw a'r ddynolryw neu rhwng gras a phechod, ond y ddeuoliaeth Blatonaidd rhwng yr enaid pur a'r corff cyfyng. Ystyr iachawdwriaeth yw ymryddhau o hualau amser er mwyn profi eangderau diddarfod tragwyddoldeb. 'Dyn', meddai, 'yw tragwyddoldeb amser';[21] 'Ffotograff o Dduw yw enaid';[22] 'Nid yw dyn da ond Duw ar raddfa fechan';[23] 'Beth wyddom ni nad enaid yn dringo at ei berffeithrwydd dros lethrau serth, heb golli ei olwg ar y nod, yw pechod?'[24] Doedd dim rhyfedd y byddai'r syniadaeth anuniongred hon yn ei arwain, yn bur fuan, i gryn rysedd.

Cynnyrch cyfnod oedd hyn i gyd. Byth oddi ar yr 1870au roedd pobl ifanc deallus yn arbennig, yn ymwybodol iawn fod y byd syniadaol yn newid. Roedd un byd, sef y byd a seiliwyd ar y Beibl fel cofnod dibynadwy o ffeithiau diymwad mewn hanes, yn ildio'i dir i fyd arall a hwnnw'n seciwlaraidd ei natur. Nid datguddiad fyddai'r allwedd i ddatgloi cyfrinachau'r cread mwyach ond gwyddoniaeth, ac nid llwyfan i'r gwyrthiol oedd y byd, ond roedd bywyd dyn yn ddarostyngedig i ddeddfau digon caeth a oedd yn ymhlyg mewn hanes. Ychydig iawn, yng Nghymru o leiaf, oedd yn awyddus i gefnu ar grefydd yn sgil y chwyldro syniadol hwn, ond roedd rhaid ailddehongli crefydd i weddu i'w ragdybiaethau. Fel roedd hi'n digwydd, roedd cyfundrefn athronyddol hwylus wrth law i fedru gwneud hyn. Roedd yr Idealaeth a oedd yn gysylltiedig â meddylwyr fel George Wilhelm Friedrich Hegel (1770-1831) yn yr Almaen, Edward Caird (1835-1908) yn yr Alban a T.H.Green (1836-82) yn Lloegr, yn hytrach nag ymwrthod â Duw yn ei adleoli: o'r tu hwnt i'r greadigaeth i fod yn un â'r greadigaeth. Nid y Duw trosgynnol a greodd bob dim ydoedd bellach ond yr ysbryd (*Geist*) mewnfodol a yrrai hanes ac a gynysgaeddai bopeth â'i bresenoldeb. 'Wyt ti yn gweld fy safbwynt?', gofynnodd Ben i Dafydd ym Mis Medi 1901. 'Y mae Duw i mi yn *identical* ac yn un â'r *universe*'.[25] Os nad oedd gwahaniaeth rhwng Duw a'r bydysawd, roedd rhai pethau eraill yn dilyn yn anorfod: roedd yr unigolyn, mewn rhyw fodd, yn ymestyniad o Dduw a Iesu Grist yn enghraifft berffaith o ddynoliaeth a ddwyfolwyd. Nid gwahaniaeth mewn natur oedd rhyngddo ef a'r gweddill ohonom, ond gwahaniaeth mewn gradd yn unig. 'A oes rhywun erioed wedi gallu tynnu ffin rhwng dyn a Duw?', gofynnodd Ben fis ynghynt. 'Nac oes. Yr hyn yw Duw wyf finnau. Os mynni ddweud fod Iesu yn Dduw, o'r gorau. Dywedaf finnau hynny, ac addolaf. Os dywedi fod yn natur Iesu rywbeth nad oes yn fy natur i, neu fod rhyngddo Ef â mi "gagendor" – atal dy law a saf yn ôl'.[26] Dyma ŵr ifanc pur sicr o'i bethau, ac yn tosturio, braidd, fod ei frawd mor anobeithiol o hen ffasiwn. Fel Hegelydd da, credai Ben fod cynnydd ei argyhoeddiad ef yn anorfod. 'Nid oes ynof yr amheuaeth leiaf nad at fy safbwynt i y bydd yn rhaid i ni ddod. Y mae y dyfodol gennyf'.[27]

'Y Bardd Newydd'

Gadawodd Ysgol Baratoi Pontypridd adeg y Nadolig 1898 ac ymrestrodd ar gyfer cwrs gohebol Caer-grawnt er mwyn cyrraedd y safon ofynnol i ennill mynediad i'r brifysgol yng Nghaerdydd. Dyna'r pryd yr ymgeisiodd am le yng Ngholeg y Bedyddwyr, Bangor. Ei fwriad, mae'n debyg, oedd darllen am radd yn y celfyddydau yng Nghaerdydd, ac yna gwblhau ei hyfforddiant gweinidogaethol yn Y Coleg Gwyn. 'My name', meddai, ar ei ffurflen gais, '- Ben Bowen, High Street, Treorchy. I am 20 years of age. My occupation before entering the preparatory course for college was coal mining. My health never fails me'.[28] Byddai'n pregethu'n gyson erbyn hyn ac yng nghwmni ei gyfaill David Rhydderch, aeth ar daith bregethu i siroedd Fflint a Dinbych, ac yno, ym Mrymbo yng Ngorffennaf 1899 dechreuodd boeri gwaed. Dyna'r argoel cyntaf fod ei ysgyfaint wedi'i heintio ac i'w fywyd fod mewn perygl oherwydd y ddarfodedigaeth. Wedi iddo ddychwelyd gartref bu'n orweiddiog am weddill y flwyddyn.

Er na allai bregethu mwy ac iddo roi'r gorau i'w gwrs gohebol, byddai'n dal i farddoni. Gwyddai mai 'Williams Pantycelyn' oedd testun y goron yn Eisteddfod Genedlaethol Lerpwl yn yr Awst dilynol, a bu'n ddiwyd, er gwaethaf ei salwch, yn paratoi ar ei chyfer. Yn nodweddiadol o bryddestau Oes Fictoria mae'n hir gan ymestyn dros ddeugain tudalen, ac yn gwbl nodweddiadol o awen 'y Bardd Newydd'. J.J.Roberts (Iolo Carnarvon), Rhys J.Huws, Ben Davies Pant-teg a Gwili a gynrychiolodd ysgol y Bardd Newydd, a'r hyn oedd yr Idealwyr ym maes crefydd a diwinyddiaeth, dyna oedd y Bardd Newydd ym maes barddoniaeth. 'Amcan bodolaeth dyn a'r cyfanfyd oedd eu pwnc, a'u myfyr yn cyniwair o ddyfnder calon dyn hyd bellterau'r Duwdod', meddai Thomas Parry.

> Un o'r canonau mwyaf cyson yw nad oes dim parhad mewn dim gweledig ... Felly nid rhyfedd na chanodd y Bardd Newydd delynegion i adar a blodau a gwrthrychau eraill Natur ... Ei duedd oedd llunio ymadroddion trystfawr, ymhudoli'n derfysglyd a myned yn fwyfwy chwilfrydig ynghylch hanfod popeth nes gorffen yn glwt o gaddug annealladwy.[29]

Cryn gamp oedd troi Williams Pantycelyn, o bawb, yn gyfrinydd Hegelaidd, ond dyna, mewn gwirionedd, a lwyddodd Ben Bowen i'w wneud.

... Pa beth yw marw ond enaid cryf yn torri

Drwy blisgyn tenau daearoldeb

I chwarae edyn yn anfarwoldeb dlysni

Awyrgylch laswen tragwyddoldeb? ... [30]

... Dangos yr ystafell olau,

Gyda'i ffenestr fechan draw,

Lle bu'r bardd yn agor dorau

I feddyliau'r byd a ddaw ... [31]

... Drwy ffenestri ei fyfrdodau

Pa sawl angel, pa sawl dyn

Welodd yn ei fywyd golau

Fod y byd a'r nef yn un? .. [32]

... Fy Mhantycelyn! Dyma'th neges di:

Cael bod i'th wlad yn llygad tragwyddoldeb

I syllu drwy ffenestri daearoldeb

Ar ddydd y nef yn ymdaith atom ni;

Anghofia'r ffenestr – amser – mewn golygfa

Wna i bob bryn weddnewid yn Galfaria –

Wna degan plentyn bach o'r byd a'i fri ... [33]

Er iddi ddod yn ail-orau yn y gystadleuaeth, y peth mwyaf cofiadwy am y bryddest hirfaith hon oedd iddi achosi'r beirniad, Iolo Carnarvon, i wneud y sylw trawiadol: 'Soniai ormod o lawer am daranau a mellt, am Gymru a thragwyddoldeb'.[34] Ergyd ar ben siom oedd y sylw hwn. Yn ôl ei gyfaill, y bardd Myfyrfab, 'Teimlodd Ben yn ddwys o golli hon, ac ni chredodd hyd ei fedd na ddylai Coron Lerpwl fod yn eiddo iddo ef'.[35] Cyn pen deng mlynedd byddai'r geiriau 'Canodd ormod am Gymru a thragwyddoldeb' wedi'u cerfio ar garreg fedd Ben Bowen ym mynwent Treorci.

Credoau'r eglwys

Ym Mis Ionawr 1900 ailafaelodd yn ei astudiaethau er mwyn cyflawni'i hen uchelgais o fynd i'r brifysgol. Symudodd i Gaerdydd i baratoi at fatriciwleiddio, a lletyodd gyda David Rhydderch a oedd yn fyfyriwr yno eisoes, ond oherwydd breuder ei iechyd bu'n rhaid rhoi'r gorau iddi drachefn. 'I am home for the fourth time "for good"', meddai wrth ei chwaer Mary ym Mis Mai. 'It is very trying and disappointing. The present stage of my career is very critical indeed'.[36] Ar ddechrau'r ugeinfed ganrif siawns denau oedd i'r neb a ddioddefai o tuberculosis fyw yn hir. Y driniaeth effeithiolaf oedd symud i hin gynnes a gobeithio am y gorau. Roedd Ben Bowen eisoes yn hysbys fel bardd ifanc o addewid anghyffredin, ac am yr eildro yn ei fywyd casglwyd tysteb i'w alluogi i fynd dramor i geisio gwellhad. O dan y pennawd 'Struggling Welsh genius', cofnododd y *South Wales Daily News* ei hanes. 'Ben Bowen', meddai'r adroddiad, 'is a genius if ever there was one in these prosaic days in Wales',[37] ac arwydd o'i boblogrwydd oedd i'w gyfeillion, ei gymdogion a'i deulu aberthu eto er mwyn ei gynnal mewn dyddiau dreng. Prin y gellid dweud, mewn gwirionedd, mai athrylith ydoedd. Bu'n dipyn o ryfeddod, do, ar gyfrif ei ieuengrwydd, ei ddychymyg barddol a'i dalent i rigymu, ond ni feddai'r ddawn brin honno i godi uwchlaw ei oes a'i genhedlaeth a gweld bywyd mewn goleuni newydd. Nid treiddgarwch ond egni aflonydd a nodweddai'i feddwl, a hunanhyder yn hytrach na gwir grebwyll ym mhethau'r deall. Fodd bynnag, anweswyd ef gan ei gymuned a ymfalchïodd ynddo yn fawr. Cafwyd cwrdd ymadawol mawreddog yng nghapel Moreia ar 19 Ionawr 1901 a hwyliodd Ben o Southampton am Dde Affrica wythnos yn ddiweddarach. 'Byddaf yn ôl ymhen blwyddyn', meddai, 'yn ddyn iach'.[38]

Er gwaethaf ei ymlyniad diamheuol wrth holl deithi moesol a diwylliannol Ymneilltuaeth Gymreig, o ran athrawiaeth roedd yn symud ymhell oddi wrth gonsensws y capeli. 'It is my misfortune to have had a sceptical frame of mind', meddai ar fwrdd y llong. 'Struggling with doubts has cost me my health'.[39] Ni rydd tystiolaeth ei lythyrau yr argraff fod bwrw heibio'r hen syniadau yn achos ing iddo. Yn sicr, nid dyna a barodd ei salwch. Fodd bynnag, po bellaf y symudodd o dir ei wlad, mwyaf eofn y daeth ei feirniadaeth o'r dehongliad traddodiadol o gynnwys y ffydd. 'Pe gorfyddid imi edrych ar fywyd yng ngoleuni cannwyll corff Athanasius, bedd neu wallgofrwydd neu ddiddymdra meddyliol a fyddai fy nhynged ar fyr'.[40] Athanasius oedd y diwinydd o'r bedwaredd ganrif a fynnodd, yn wyneb gwrthwynebiad yr Ariaid, fod Iesu Grist o'r un sylwedd â'r Tad. Roedd yn un o benseiri Athrawiaeth y Drindod ac yn sgil ei safiad ef y daeth yr eglwys i arddel ei chred yn nwy natur Person Crist. Ond i Ben ffiloreg oedd hyn a'i oleuni mor bŵl a golau gwyll. 'Nid oes heddwch i mi ym myd credoau'r Eglwys', meddai o Kimberley, De Affrica, ar 8 Awst 1901.[41] Ond eto roedd ganddo ei gredo bendant ei hun.

> Y mae fy meddwl wedi methu'n lân a rhoi bywyd mewn dogma er ymdrechu'n onest yn enw Duw drwy bedair blynedd o uffern. Bellach, yr wyf yn addoli Duw ar allor y mynydd ym mherarogl y blodau, yn seceina'r heulwen, ac yn nheml awyr las, a theyrnas nefoedd yn llythrennol fyw i mi.[42]

Cyfnewid un ddogma am ddogma arall a wnaeth Ben Bowen, gyda'r ddogma uniongred gyda'i Duw trosgynnol a ymgnawdolodd unwaith am byth yng Nghrist, yn ildio i'r ddogma Idealaidd â'i Duw wedi ymdoddi yn un â'i greadigaeth. Nid yw'n syndod ei weld yn darllen cyfrol David

Adams (Hawen), tad y rhyddfrydiaeth ddiwinyddol Gymraeg, *Traethawd ar Ddatblygiad yn ei berthynas â'r Cwymp, yr Ymgnawdoliad a'r Atgyfodiad* (1893), yn cael ei galonogi gan syniadaeth flaengar John Morgan Jones, Aberdâr (prifathro Bala-Bangor wedyn), ac yn cymeradwyo gwaith diweddaraf y mwyaf dysgedig o'r rhyddfrydwyr Almaeneg Adolf Harnack yn ei *Das Wesen des Christentums* ('Sylwedd Cristionogaeth') (1900).[43] Pan ddywedodd, 'Rhaid yw ufuddhau i Dduw ac argyhoeddiad a rheswm yn hytrach nag i ddynion a chredo a thraddodiad',[44] roedd y ddeuoliaeth yn ddiddorol, a dweud y lleiaf. Roedd Duw, i Ben, ar ochr argyhoeddiad a rheswm, sef ei argyhoeddiad a'i reswm ei hun. Nid ystyriai y gallai'r gredo uniongred fod o Dduw, ie, hyd yn oed yn yr ugeinfed ganrif, a nad oedd ei ddeiliaid o reidrwydd yn amddifad o argyhoeddiad nac o reswm. Ffrwyth darllen gwŷr ifainc ei gyfnod oedd y syniadaeth efelychiadol hon, a chredo ddigon ffaeledig oedd ganddo er gwaethaf ei sawr feiddgar.

Barddoni oddi cartref

Nid diwinydda oedd yr unig beth i fynd â'i fryd yn ystod ei flwyddyn a hanner dan awyr las a heulwen crasboeth meysydd y diamwntiau. Aeth ati i ddysgu Almaeneg, iaith Goethe a Schiller yn ogystal ag iaith Hegel a Harnack; gwnaeth gyfeillion newydd ymhlith alltudion Prydeinig Kimberley a Cape Town; daeth i adnabod milwyr o Gymru a oedd yn ymladd yn Rhyfel y Bwyriaid, a gwnaeth ei orau glas i adennill ei nerth. Ei ddiddordeb pennaf oedd barddoni, neu yn hytrach gystadlu, oherwydd er gwaethaf y pellter mawr rhyngddo a'r hen wlad, roedd yn dal i freuddwydio am gipio un o brif wobrau'r Eisteddfod Genedlaethol. 'Y Diwygiwr' oedd testun y goron yn Eisteddfod Merthyr Tudful yn Awst 1901 ac aeth ati i gyfansoddi cadwyn hirfaith o englynion a hir-athoddeidiau a oedd, fel y cyfaddefodd ei hun, yn 'gerdd i bersonoliad y syniad o ddatblygiad bywyd dynoliaeth heb ei gyfyngu i le ac amser'.[45] Yr hyn a ofynwyd amdano oedd nid traethawd athronyddol ond cerdd ar y testun 'Y Diwygiwr'. Unwaith eto roedd yr Idealaeth Hegelaidd wedi mynd yn drech na'r gallu diamheuol a oedd gan Ben i lunio barddoniaeth swynol a da. Nid oedd hi'n syndod, hyd yn oed yn ôl safonau amaturaidd Oes Fictoria, i'r gerdd gael ei dyfarnu'n annhestynol gan y beirniaid, ac i un ohonynt, J.T. Job, awgrymu fod gormod o ôl cyfrol Syr Henry Jones ar Robert Browning arni.

> Dydd yr Eisteddfod a ddaeth, ond druan â Ben a'i obeithion, nid yn unig ni chafodd y Gadair, ond yn ôl y beirniaid, nid oedd yn ail, yn drydydd, nac yn bedwerydd orau chwaith; ond daeth yn bumed yn ôl Job, ac yn chweched yn ôl Berw, ac yn nawfed yn ôl Dafydd Morganwg.[46]

Cythruddwyd Ben yn aruthr gan y canlyniad hwn, a chredai fod Job yn ei gyhuddo o lenladrad. Aeth yn drafodaeth ffyrnig ar dudalenau Y *Cymro* gyda chyhuddiad a gwrthgyhuddiad yn hedfan yn ffri.

> Dywedwch y maddeuaf fi i chwi am beidio ysgrifennu ymhellach ar y mater hwn. Na faddeuaf. Maddeuaf i chwi pan y tynnoch eich geiriau yn ôl, a diolchaf o galon i chwi pan brofoch eich cyhuddiad.[47]

Wele'r cythraul eisteddfodol ar ei fwyaf cas!

Cafodd ganmoliaeth yn ogystal â beirniadaeth am y gân hon, ac anghymesuredd y ganmoliaeth yn dangos fod rhywbeth difrifol o'i le ar ganonau beirniadol y cyfnod. 'Your awdl is not far from being the high-water mark of Welsh literature', meddai ei gyfaill William Tudor, y fferyllydd o Cape Town. 'I have read the best things in English, and there is absolutely nothing to surpass, if equal, your closing stanzas'.[48] Fodd bynnag, yng nghanol y caddug Hegeleidd a'r niwl athronyddol, roedd ambell i lecyn a oedd yn profi fod Ben Bowen yn fardd gwirioneddol dda:

I enaid fo'n aflonydd
Y dyry Duw doriad dydd.[49]

Ymdawelaf, mae dwylo – Duw ei hun
Danaf ym mhob cyffro;
Yn nwfn swyn ei fynwes O
Caf lonydd – caf le i huno.[50]

Roedd y cwpled a'r englyn yn od o broffwydol.

Y cymun rhydd

Gadawodd Ben Dreorci yn anwylddyn bro ac yn arwr cenedl. Dymuniad cymuned gyfan oedd iddo gael adferiad iechyd trwyadl a dychwelyd er mwyn cyflawni'r addewid a welodd cymaint ynddo. 'Diau y dof i ben y daith', meddai, 'yn gallach, iachach, a chryfach nag erioed'.[51] Ond yn y cyfamser aeth rhywbeth difrifol o'i le. Pan ddychwelodd i Gwm Rhondda flwyddyn a hanner yn ddiweddarach, roedd yn wrthrych amheuaeth ddifrifol a drwgdybiaeth fawr. Yr hyn a achosodd y newid oedd ei ysgrif ddadleuol 'Bedyddiwr at Fedyddwyr', neu ysgrif 'y Cymun Rhydd'.

Safbwynt ei enwad ar ddechrau'r ugeinfed ganrif oedd mai'r eglwys leol oedd ffocws y gymuned Gristionogol, mai trwy fedydd trochiad ar gyffes o ffydd roedd person yn cael mynediad i'r eglwys honno, a bod Swper yr Arglwydd yn cael ei gyfyngu i'r sawl oedd wedi cyfamodi adeg ei fedydd i fod yn ddisgybl i Grist. Mewn eglwys ryddgymunol y gwahoddwyd pawb, p'un ai y'u bedyddiwyd nhw fel credinwyr ai peidio, at y bwrdd. Mewn eglwys gaethgymunol, dim ond y sawl a fedyddiwyd ar broffes o ffydd a fyddai'n cyfrannu yn y cymun. Enwad caethgymunol oedd y Bedyddwyr Cymraeg yn 1900.

Er iddo gael ei fedyddio yn 14 oed ym Moreia, Pentre, ac iddo gael magwraeth Fedyddiedig o'r crud, roedd Ben wedi hen ymwrthod â'r syniadaeth gaethgymunol hon. 'Mae y safbwynt yna yn sefyll neu syrthio ar anffaeledigrwydd y Beibl', meddai yn Rhagfyr 1901, 'ac y mae hynny o athrawiaeth wedi ei gwrthod gennyf fi ers tro maith'.[52] Ar wahân i Dafydd, ei frawd, ni wyddai neb pa mor bell roedd ef wedi symud oddi wrth gred ac arfer ei fagwraeth, ac roedd Dafydd yn gwirioneddol boeni amdano: 'Dywedi fy mod i bob pwrpas yn anghredadun'.[53] Ond nid fel hyn y gwelai Ben bethau o gwbl. 'Paid â chredu bod Ben wedi colli'r ffordd', meddai, mewn ymgais i leddfu pryderon ei frawd. 'Yn hytrach cred ei fod yn dod i'r ffordd – ffordd fawr meddwl yr oesau, ac y caiff mwy gerdded fel cyd-bererin â meddyliau mwyaf y byd'.[54] Cynrychiolwyd y rheini gan y Hegeliaid modern, a thasg yr eglwys, yn ei dyb, oedd ad-drefnu ei dysgeidiaeth fel y byddai'n cyd-daro â'u hathroniaeth.

> Credaf i sicrwydd fod y gwirioneddau Beiblaidd y dadleuir cymaint yn eu cylch, ac y trafodir cymaint arnynt ym mhob man yng Nghymru, yn *bethau a fu*. Credaf, ym mhellach, y cyll y pulpud ei afael ar y wlad oni theifl ymaith wisg offeiriadol yr hen gredoau.[55]

Ymhlith y credoau whisgerog hyn oedd awdurdod gwrthrychol yr Ysgrythur, trosgynnedd Duw a'r gwahaniaeth rhyngddo â'r greadigaeth, natur bechadurus y ddynolryw, Person a Gwaith Crist a phob cymal arall o Gredo'r Apostolion heb sôn am Gyffes Ffydd y Bedyddwyr 1689. Byddai'r chwyldro yn un trwyadl a'r ailddehongli yn ymestyn o'r brig i'r bôn. 'Clywed ___ ar enedigaeth Crist', meddai ar 22 Rhagfyr 1901. 'Mae yn boenus o *out of date*. Cred fod yr engyl wedi canu yn llythrennol, fod y doethion a'r bugeiliaid yn chwaraewyr cywir ar chwaraefwrdd hanes, a'r geni o'r Ysbryd Glân'.[56] Nid yn unig roedd awdurdod yr Ysgrythur yn cael ei wfftio, ond roedd dull yr ymgnawdoliad yn cael ei ddiystyru hefyd. Hyd yma tybiaethau personol oedd y rhain, ac yn gyfyngedig i gylch ei gydnabod agosaf. Ond roedd pethau ar fin newid yn ddirfawr. 'Danfonaf heddiw erthygl i'r *Geninen*, "Bedyddiwr at Fedyddwyr"', meddai ymhen wythnos. 'Mae'n hen bryd i rywun wneud hynny'.[57] Gwyddai'r proffwyd 23 oed beth fyddai pen draw'r peth. 'Sicr y pair gyffro ymhlith cyfeillion i mi, ac o greu gelynion i mi ymhlith fy enwad fy hun. "Ni ddeuthum i fwrw tangnefedd ar y ddaear ond cleddyf"'.[58]

Y bedd gwag

Pledio achos undeb eglwysig rhwng yr enwadau Anghydffurfiol oedd pwrpas yr erthygl ar y wyneb, ond er mwyn gwneud hynny anelodd ergydion nid yn unig at fodolaeth y Bedyddwyr fel enwad ar wahân, ond (o bosibl, heb yn wybod iddo'i hun) tanseiliodd natur hanesyddol y ffydd Gristionogol gyfan. Nid cyfundrefn allanol gyda'i defodau, ei sacramentau, ei chredoau a'i ffurfiau oedd y wir Eglwys Gristionogol iddo, ond ffenomen a oedd yn bodoli ar lefel yr ysbryd. Roedd hi'n dilyn, felly, fod yr ordinhadau yn ddibwys ar y gorau ac nid hwyrach yn rhwystr gwirioneddol ar lwybrau ffydd. 'Ar fedydd tân yr Ysbryd, ac nid ar ysbrydolrwydd y bedydd dŵr, y gosodai Crist bwys'.[59] Dadleuodd nad oedd bedydd yn angenrheidiol naill ai i iachawdwriaeth neu i aelodaeth eglwysig, yn gyntaf am mai dyna roedd y Testament Newydd yn ei ddysgu ac yn ail, am mai peth ysbrydol, nid materol, oedd y ffydd Gristionogol yn ei hanfod. 'Dibwys yn ei olwg Ef i fywyd ysbrydol ei ganlynwyr yw allanolion, pa un bynnag ai yn y ffurf o ddefod gwlad ynteu ddefodau eglwys'.[60] Goddefol, nid gweithredol, oedd bedydd Iesu o Nasaraeth yn yr Iorddonen, meddai, defod y cydymffurfiodd Iesu â hi oherwydd ei berthynas ag Ioan yn hytrach na rhywbeth yr oedd iddi unrhyw arwyddocâd lletach: 'Meddwl ieuanc y Meseia wedi cael hen ddigon ar lwydni offeiriadaeth wag ac yn amlygu ei gydymdeimlad â'r gŵr sydd yn gweiddi am gyfnewidiad ysbrydol welaf fi ym medyddiad Crist gan Ioan'.[61] Disgyblion Iesu, ac nid Iesu ei hun, a fynnent barhau â'r ddefod, ac roedd y duedd i fateroli'r ysbrydol wedi andwyo tystiolaeth yr eglwys o'r dechrau. 'Daw y byd i weld yn gliriach o hyd gymaint ragorach yw ysbrydolrwydd dilyffethair y Meistr na chredo a defod y disgybl'.[62] Dysgeidiaeth foesol y Deyrnas oedd nod amgen gweinidogaeth Iesu, ac nid unrhyw ddefodaeth allanol: 'Prin y credaf fi i Grist erioed roi fawr pwys ar fedydd yn ei ddysgeidiaeth'.[63]

Gan fod y bedydd yn ddianghenraid, roedd y syniad o gaethgymundeb fel amod bywyd eglwys yn ddiystyr. 'Ni wn am ddim yn y Testament Newydd yn dweud yn bendant fod bedydd yn hanfodol i aelodaeth eglwysig', meddai. 'Ni chredaf, ychwaith, y dysgir Caeth Gymundeb yn un man y tu fewn i gloriau y Beibl'.[64] Cariad-wledd oedd y Swper Sanctaidd iddo, ac nid oedd iddo unrhyw arwyddocâd litwrgaidd na sacramentaidd. Yn wir hyd a lled athrawiaeth ewcharistaidd Ben Bowen oedd y diffiniad anfarwol hwn: 'Forget-me-not ein cyfaill gorau yw'r Cymundeb'.[65] Gyda syniadau mor ansylweddol, gwrth-faterol, am y sacramentau, ni ddylai neb fod wedi synnu at ei ddull o ddehongli'r atgyfodiad. 'Credaf fod Crist wedi ei farw yn fyw i'r disgyblion', meddai, 'ond dirgelwch, ac nid ffaith, yw y bedd gwag yn fy ngolwg'.[66] Haniaeth oedd yr atgyfodiad iddo nad oedd yn bod ar lefel hanes. Oherwydd rhagdybiaethau a oedd yn tarddu mewn cyfundrefn athronyddol estron, dyma'r bardd o Gwm Rhondda yn diystyru tystiolaeth y Testament Newydd, yn diddymu athrawiaeth y creu, yn ystymio athrawiaeth yr ymgnawdoliad ac yn llurgunio'r cysyniad Beiblaidd am atgyfodiad y corff! O dan gochl cynnydd anorfod y meddwl beirniadol, roedd Ben yn ailadrodd y math Gnosticiaeth roedd Iraenaeus, diwinydd systematig cyntaf yr eglwys, wedi gorfod ymgodymu â hi yn y drydedd ganrif o Oes Crist. Y trueni yw na feddai gwrthwynebwyr Ben ddeuparth graslonrwydd, na degfed rhan gallu, y diwinydd mawr o Lyons gymaint ganrifoedd ynghynt.

Cystadlu drachefn

Rhwng gyrru'r ysgrif i'r wasg a wynebu'r storm a ddilynodd ei chyhoeddi, aeth llafur barddonol Ben Bowen ymlaen gyda'i brysurdeb arferol. Enillodd gadair eisteddfod Cymry Llundain yn Chwefror 1902 gyda cherdd ar y testun 'Goleuni'r Byd'.

> O Eglwys Dduw, bydd wrol –
> Bydd wrol a cherdd ymlaen.
> Mae golau'r byd tragwyddol
> O'r newydd yn mynd ar daen.
> Er i gredoau ddiffygio
> Rhaid i wirionedd fyw;
> Yn wyneb pob cur a tharo
> Digon yw cariad Duw.[67]

Eisteddfod leol oedd eisteddfod Llundain, er iddi hi gael ei chynnal ym mhrifddinas Lloegr pan oedd yr Ymerodraeth Brydeinig ar ei mwyaf rhwysgfawr. Ond roedd llygad Ben ar yr Eisteddfod Genedlaethol a fyddai'n cael ei chynnal yr Awst dilynol ym Mangor. 'Ymadawiad Arthur' oedd y testun a'r beirniaid oedd Elfed a'r Athro John Morris-Jones. Roedd yr athro o Fangor eisoes wedi mynegi'i anfodlonrwydd ag amaturiaeth y farddoniaeth boblogaidd a niwlogrwydd haniaethol y Bardd Newydd.[68] Ni wnâi neb fwy i adfer i feirniadaeth lenyddol ddechrau'r ugeinfed ganrif glasuriaeth a bri. Ar ben hyn, ni wyddai neb mai un o'r cystadleuwyr ar gyfer y gadair fyddai newyddiadurwr o Betws-yn-Rhos, Sir Ddinbych, o'r enw Thomas Gwynn Jones, ac y byddai ei awdl ef yn bwrw llond estyll o hoelion i arch y Bardd Newydd. Byddai Eisteddfod Bangor 1902 yn nodi fod y dadeni llenyddol Cymraeg eisoes wedi dechrau.

'Bum yn caboli "Ymadawiad Arthur" y dyddiau diwethaf', meddai Ben wrth Dafydd, 21 Mawrth 1902. 'A bod yn blaen, nid yn rhwydd yr eir heibio imi ym Mangor'.[69] Ni fu hyder neb mor ddi-sail erioed. Os oedd Ben yn dal i rygnu ar hyd yr hen rigolau, roedd ffresni Gwynn, ei ddawn storïol anghyffredin, eglurder diriaethol ei ganu a chyffyrddiad hudolus ei awen, yn nodi gwawr yr oes newydd:

> Draw dros y don mae bro dirion nad ery
> Cwyn yn ei thir, ac yno ni thery
> Na haint na henaint fyth mo'r rhai hynny
> A ddêl i'w phur, rydd awel, a phery
> Pob calon yn hon yn heini a llon,
> Ynys Afallon ei hun sy felly ...[70]

Yr uchaf a gododd 'Ymadawiad' Ben oedd y disgrifiad trawiadol o Arthur yn clafychu, a'r trawiad hunangofiannol yn effeithiol iawn:

> Fy nghlwyf, ai angheuol yw? – Afallon,
> 'Gaf fi wella? 'Ydyw
> Ofn y bedd yn derfyn byw?
> A ddaw dydd wedi heddiw?
>
> Ymaith yr wyf yn myned – ym merw
> Moroedd ffydd ac anghred;
> Ti, angau, teyrn pob tynged
> Yrru lu dy fellt ar led!

O fel y carwn fyw – a dychwelyd

A chalon dynolryw

Yn y fron fau! Ond ofer yw

Breuddwyd mor ewybr heddiw.[71]

Trydydd y daeth yn y gystadleuaeth, yn ôl Elfed beth bynnag, ond roedd y fflachiadau hyn yn dangos fod nod y gwir brydydd ar Ben Bowen. Ei anffawd oedd iddo fynd ormod dan ddylanwad ffasiynau llenyddol a oedd eisoes yn darfod o'r tir.

Yr ymateb

Tynnodd ysgrif y cymun rhydd nyth cacwn gwirioneddol ar ben ei hawdur pan ymddangosodd yn Y Geninen ym Mis Ebrill 1902. Y cyntaf i ymateb oedd 'Chronos', yn Seren Cymru, 23 Mai, a rhwng hynny a Mis Medi cyhoeddwyd llu o ymatebion i syniadaeth Ben, y rhan fwyaf o ddigon yn wrthwynebus. Dewisodd 'Chronos', 'Nid Bardd', 'Shôn Chwarae Teg', 'Gideon' a 'Meton' ei fflangellu o ddiogelwch anhysbys eu ffug-enwau, er y daethpwyd i wybod cyn diwedd yr helynt mai'r Parchg T. T .Hughes, Rhos, Aberpennar oedd 'Chronos'. Er i'r ddau James, Spinther a Waldo, feddu digon o wroldeb i ddefnyddio'u henwau priod, difrïo ac enllibio'u bête noir a wnaethant yn hytrach na chynnal dadl gall ar faterion a oedd yn hawlio ystyriaeth resymol. Er gwaethaf ei rethreg, 'Chronos' oedd y mwyaf treiddgar ei feirniadaeth:

> Ni dderbynnir ef i eglwysi Rhufain a Lloegr, oblegid y mae yn rhy llawdrwm ar y defodau. Ni dderbynnir ef i enwadau taenellyddol Cymru, oblegid y mae yn gwadu ysgrythyroldeb y peth mwyaf annwyl a feddant. Nis gall ymuno â'r Salvation Army, oblegid y buasai raid iddo lefain ar gongl rhyw stryd 'Come to Jesus', a does dim Jesus i'w gael heb atgyfodiad. Does dim o'i flaen ond iddo gychwyn enwad iddo ei hun, fel mae dynion mawr wedi eu gwneud o'i flaen.[72]

Ieuan Dyfed a 'Felix' oedd yr unig rai i ddod allan, ar dudalennau'r *Seren*, o'i blaid, ac amddiffyn ei hawl i bledio'i farn a wnaethant yn hytrach na chymeradwyo sylwedd y farn honno. Ond roedd sylwadau 'Felix' yn hynod arwyddocaol. 'Credwyf fod ysgrif Mr Ben Bowen yn fynegiant cywir o deimladau ieuenctid yr enwad mewn perthynas i'r pwnc o fedydd', meddai. 'Yn sicr, arwydd yr amserau ydyw fod teimladau o anesmwythder ac anfodlonrwydd yn ffynnu ymhlith y dosbarth mwyaf meddylgar a darllengar o'n pobl ieuainc'.[73]

Yn hytrach na derbyn y feirniadaeth, neu adael i'r storm chwythu'i hun allan, fel yn achos coron Eisteddfod Lerpwl, mynnu ei amddiffyn ei hun a wnaeth Ben. Erbyn hyn roedd ei gyfnod yn Ne Affrica yn tynnu tua'i derfyn. Roedd arno hiraeth am Gymru, a beth bynnag am freuder ei iechyd, mynnai ddod yn ôl. Gadawodd Kimberley am Durban a Pietermaritzburg ar 22 Ebrill, ac ar 2 Mehefin cychwynnodd ar fordaith hamddenol ar hyd arfordir De Affrica heibio i Mozambique, Zanzibar a Dar Es Salaam mor bell â Môr y Canoldir. Wedi galw yng Nghreta, Napoli, Pompei, Lisbon a Finistaire, hwyliodd heibio i Ynys Wyth ar 17 Gorffennaf 1902. Roedd yn ôl yng Nghymru mewn pryd i fynychu Eisteddfod Bangor yn nechrau Mis Awst.

Baner rhyddid barn

Ar 5 Gorffennaf, ac yntau yn ymyl arfordir Sbaen, ysgrifennodd Ben at Dafydd:

> Yr wyf yn postio ateb i Spinther yr un pryd â'r llythyr hwn, ac ofnaf mai dyma ddiwedd arnaf fel Bedyddiwr. Ond nid yw waeth gennyf. Yr wyf wedi codi baner rhyddid barn, ac wrthi y glynaf hyd fy medd – boed hynny bell, boed agos ... Y mae'r ail erthygl hon yn sicr o fynd i galon yr enwad fel ergyd o barlys. Y mae'r erthygl gyntaf yn ddof a thawel yn ei hymyl.[74]

Yr un oedd sylwedd yr erthygl nesaf, ond iddi drin y deunydd ysgrythurol yn fwy manwl. Canoli ar arfer Crist yn ôl yr efengylau cyfolwg a wnaed yn y lith gyntaf, ond y tro hwn aeth Ben ar ôl deunydd yn yr epistolau. Os oedd yr Apostol yn gweu'r profiad ysbrydol o farw a chodi gyda Christ yn dynn wrth y weithred sacramentaidd o fynd trwy'r dyfroedd, nid felly y dehonglodd diwinydd Môr y Canoldir y peth. 'Ni chredwn', meddai, wedi cyfeirio at adrannau fel I Cor. 1:12-17; 12: 12-14; Rhuf. 6:1-4; Col.2: 11-15, 'fod Paul yn pwysleisio bedydd fel ordinhad o werth arhosol neu hanfodol yn unman'.[75] Ac yna, wedi ychwanegu at ei ddadl arfer yr eglwys fore yn Llyfr yr Actau, 'Nid oes o fewn holl Feibl Duw gysgod o orchymyn fod yn rhaid bedyddio cyn cymuno, na chysgod o osodiad amwys na phendant i gyfreithloni Cymun Caeth'.[76] Yn unol â chanonau beirniadaeth feiblaidd, ac oherwydd ei ddehongliad anfaterol o'r atgyfodiad, roedd yn bendant nad oedd yna unrhyw werth gwirioneddol i'r comisiwn cenhadol ar derfyn Efengyl Mathew. 'Yr ydym o'r farn', meddai, 'na lefarodd Crist y comisiwn yn y ffurf y mae gennym ni yn Mathew a Marc, am y buasai i Grist bwysleisio defod, a'i gwneud yn hanfodol i'w Eglwys, yn taro yn erbyn corff mawr dysgeidiaeth Crist yn yr efengylau'.[77] Yr egwyddor yma yw barnu'r Testament Newydd yn ôl y ddogma wrth-faterol yn hytrach na thafoli'r ddogma yng ngoleuni'r Ysgrythur. Ond er mwyn cynnal ei ddadl, doedd gan Ben ddim dewis arall. Wedi trin y dystiolaeth i gyd, daw i'r unig ganlyniad y gall ei ragdybiaethau ganiatáu iddo: 'Arfer gyffredinol, ynte, ac nid deddf orfodol, oedd bedydd yn yr oes apostolaidd'.[78]

Roedd athrawiaeth ysbrydlyd, Fanicheaidd Ben Bowen o'r bedydd yn tarddu o'i amharodrwydd i ganiatáu i fater – dŵr, bara, gwin, y corff - unrhyw bwysigrwydd neu arwyddocâd yn y ddysgeidiaeth Gristionogol. Iddo ef roedd deuoliaeth radical yn bod rhwng yr ysbryd a'r cnawd. Dirgelwch iddo oedd yr hyn roedd diwinyddion yr eglwys wedi dysgu ar hyd y canrifoedd ynghylch athrawiaeth y creu. A chan fod ei syniad am y creu yn annigonol, roedd hi'n gwbl anorfod y byddai'i ddealltwriaeth o'r ymgnawdoliad ac atgyfodiad y corff yr un mor wrth-faterol. 'Y mae'r esboniad a gynigiaf ar atgyfodiad y meirw', meddai wrth ei frawd ar 7 Gorffennaf 1902, 'ac atgyfodiad y Crist yn sicr o beri cyffro'.[79] Bellach mae'r esboniwr beiblaidd yn troi'n athronydd. 'Cyfnod o ddatblygiad ar yr athrawiaeth am anfarwoldeb dyn a gynrychiolir gan y frawddeg feiblaidd "atgyfodiad o feirw"',[80] meddai. Gan fod y dyb hon yn ddogma ganddo ac yn fater o gredo, ymwrthyd ag unrhyw dystiolaeth a allai awgrymu fod gwedd wrthrychol, ffisiolegol, i ddirgelwch yr atgyfodiad. 'Rhaid trosglwyddo "y bedd gwag" i fyd yr ysbrydol',[81] meddai. Beth bynnag arall oedd atgyfodiad Iesu Grist i Ben Bowen yn 23 oed, nid oedd a wnelo ddim byd â gwacau beddau. Ffordd amrwd a chlogyrnaidd oedd iaith atgyfodiad o fynegi gwirionedd a oedd yn llawer mwy derbyniol ganddo, sef yr athrawiaeth neo-Blatonaidd, Idealaidd a Hegelaidd o anfarwoldeb yr enaid. 'Anfarwoldeb dyn [yw dysgeidiaeth Crist]', meddai, 'nid corff yn codi o fedd'.[82]

> Deil rhai fod gwirionedd y gyfundrefn Gristionogol yn dibynnu ar atgyfodiad y marw o fedd ... Nid yw gweld Crist yn ddigon iddynt hwy, rhaid iddynt hwy hefyd weld y bedd gwag.[83]

Tair ar hugain oed, fel y dywedwyd, oedd Ben Bowen pan luniodd yr ysgrif hon. Roedd yn ddarllenwr mawr, ond heb fod yn feddyliwr praff. Roedd yn ddyn ifanc â'i feddwl eto yn datblygu. Ni chawsai ddisgyblaeth cwrs coleg cyflawn, ac roedd diwinyddiaeth ac esboniadaeth feiblaidd yn ddwy wyddor roedd ef eto i'w meistroli'n deg. *Roedd* rhywbeth amrwd, gor-lythrennol, yn y ffordd roedd llawer o'i gyd-Fedyddwyr yn trafod yr atgyfodiad. Nid chwythu anadl i mewn i gorff marw *tout simple* mo gweithred Duw ar y trydydd dydd, ac mae lle i gredu i Ben adweithio yn erbyn y math o lythrenoliaeth simplistig hon. 'Y mae edrych ar yr atgyfodiad yn y goleuni y credaf fi y dylid edrych arno', meddai, 'yn symud i ffwrdd ar y naill law yr anawsterau meddyliol a godir yn lleng o amheuon gan y gredo fod corff marw wedi codi o'r bedd'.[84] Ond wedi dweud y cwbl y gellid o'i blaid, doedd dim amheuaeth iddo gyfeiliorni, ac i'w wyrni darddu o ragdybiaeth ei oes ynghylch gwirionedd eithaf y gyfundrefn Idealaidd. Yn ôl yr Hegeliaeth ffasiynol, ni allai'r Ysbryd fyth ymhél â byd mater. Roedd rhaid dyfarnu bedydd dŵr, presenoldeb y Crist byw yn elfennau'r bara a'r gwin, yr ymgnawdoliad fel ffaith wrthrychol, ac yn anad dim atgyfodiad y corff, yn bethau yr oedd iddynt werth symbolaidd ar y gorau. Pethau i'w hepgor oeddent wrth i'r credadun ymdoddi i mewn i'r gwir sylweddau dwyfol.

Y diarddel

Pa mor wallus bynnag oedd y ddiwinyddiaeth hon, roedd yr ymateb iddi hi, ac yn waeth na hynny y driniaeth bersonol a gafodd Ben Bowen, yn gwbl annheilwng onid yn warthus. Ymhlith y miniocaf o'i feirniaid oedd gweinidog Moreia, Pentre, a'i fugail ef ei hun, y Parchg Thomas Davies. Un o Waunysgor, Sir y Fflint, oedd Thomas Davies (1873-1956) a briododd i mewn i deulu nid anenwog o'r fro honno, teulu Macdonald. Fe'i hordeiniwyd yng Nghaerwys yn 1894 a threuliodd amser yn y Ffordd-las, Sir Ddinbych, cyn derbyn galwad i Gwm Rhondda yn 1899. Symudodd i'r De-Orllewin yn 1910, ac fel Thomas Davies Dre-fach, awdur y gyfrol bregethau *Prynu'r Amser*, y daethpwyd i'w adnabod. Roedd yn bregethwr grymus iawn, ac ymhlith hoelion wyth ei genhedlaeth. Ond cyn hynny daeth ei enw i sylw'r cyhoedd mewn cysylltiad â'r hyn a oedd eisoes yn cael ei alw yn 'helynt Ben Bowen'.

Cafwyd adroddiad yn *Y Celt*, 15 Awst 1902, am y derbyniad claear a gafodd Ben ymhlith y bobl a oedd wedi bod yn frwd eu cefnogaeth iddo flwyddyn a hanner ynghynt. Yr awdur oedd James James, neu Iago Pen-rhys. Dychwelodd Ben i Dreorci ddydd Llun 21 Gorffennaf, a mynychodd gwrdd gweddi ym Moreia ar y nos Iau. Digroeso ac oeraidd oedd ymateb ei gyd-aelodau, neu felly y teimlodd ef beth bynnag. Yna, ar fore Sul 27 Gorffennaf, yn dilyn yr oedfa, penderfynodd y gweinidog a'r diaconiaid, gan nad oedd Ben yn aelod rheolaidd yn yr eglwys er ei ymadawiad â Chymru ddeunaw mis ynghynt, na fyddai'n bosibl iddo dderbyn y cymundeb. Wedi'r cwbl, eglwys gaethgymunol ydoedd, ac roedd y cymun i'w weinyddu y noswaith honno. Ni wyddai Ben ddim am y penderfyniad hwn, ni hysbyswyd ef ohono, ac ni wnaed unrhyw gyhoeddiad i'r perwyl yn oedfa'r nos. 'Cyn y cymundeb', meddai, wrth gofnodi'r hanes, 'dywedodd y gweinidog ar goedd, "Nad oedd ganddynt hwy fel eglwys ddim yn erbyn i frawd ifanc ddweud ei farn." Cyfranogais o Swper yr Arglwydd wedi holi fy hun, a chennyf gymaint o gariad at Grist ag erioed'.[85] Y nos Iau ddilynol, mewn cwrdd eglwys, dyfarnwyd yn swyddogol nad oedd Ben bellach yn aelod ym Moreia, a phetai ef yn mynychu oedfa gymun eto ni ddylid cynnig yr elfennau iddo. I bob pwrpas, dyma ef yn cael ei dorri allan. Yr amwysedd, wrth gwrs, oedd p'un ai ydoedd yn aelod yno yn lle cyntaf. Roedd hi'n wir iddo dderbyn llythyr cymeradwyaeth o Foreia wedi'i gyfeirio at unrhyw chwaer eglwys o gyffelyb ffydd a threfn, pan adawodd am Dde Affrica yn Ionawr 1901. Ond gan nad ymaelododd mewn eglwys tra y bu yno, credai Ben ei fod yn aelod rheolaidd yn ei eglwys gartref o hyd. P'un ai o ran cyfleustra neu o ran egwyddor, nid felly y tybiodd swyddogion Moreia. Beth bynnag am y manylion, dyma ddatgan mewn ffaith nad oedd ran iddo yng nghymdeithas yr eglwys na chroeso iddo bellach o gwmpas y bwrdd.

Mewn llythyr tra ymfflamychol yn *Seren Cymru*, 5 Medi 1902, aeth

Thomas Davies i'r afael â Iago Pen-rhys ar gyfrif ei adroddiad yn *Y Celt*. 'Celwyddau cymhlith' oedd yr awgrym fod Ben wedi ei dorri allan – sut allai gael ei ddiaelodi os nad oedd yn aelod yn y lle cyntaf? – a 'dallineb myfiyddiaeth' a barodd iddo'i amddiffyn mewn ffordd mor daer. Ac yna cafwyd y sylwadau hyn:

> Pan gododd Mr Bowen ei hun yn bregethwr, oedd nemawr neb arall yn gweled fawr o gymhwyster ynddo ar gyfer y swydd bwysig hon, ond oherwydd ei daerni, a rhag iddo yn y diwedd ddyfod i syfrdanu yr eglwys, caniatawyd iddo ei gais. Felly gwelir mai o dan ddeddf goddefiad y sgriwiodd Mr Bowen ei hun i'r pulpud.
>
> Gyda golwg ar y pentwr anwireddau a gyhoeddir ynglŷn â'i ddiarddeliad, nis gallai neb ar wahân i gymorth bardd eu dychmygu, ac mae'n anodd meddwl y gallai neb fagu digon o ryfyg i fedru anfon y fath sbwriel i bapur crefyddol.[86]

Wedi caniatáu i Thomas Davies gael y gair olaf, terfynodd y golygydd y drafodaeth, nid cyn pryd.

Yr helynt yn parhau

Ond gwaetha'r modd, aeth yr helynt yn ei flaen. Â cholofnau'r *Seren* wedi'u cau yn ei erbyn, parhaodd Davies y drafodaeth yn gyntaf ar ddudalennau'r *Celt*, a phan dynnodd y golygydd y drafodaeth i ben yno, ar ddudalennau *Tarian y Gweithiwr*, papur wythnosol cymoedd y De. Ailadroddodd sylwedd ei lythyr i'r *Seren* yn *Y Celt*, 29 Awst 1902, ac ychwanegu:

> Dymunaf wrth derfynu ddymuno pob llwydd i Mr Bowen ar ei yrfa Fethodistaidd, oblegid deallwyf mai yr enwad parchus hwnnw sydd debycaf o gael ei anrhydeddu â'i gwmni yn y dyfodol. Dichon mai mantais fydd i'r

Methodistiaid gofio fod yn agos i ddwy flynedd er pan gafodd Mr Bowen y dysteb ddiwethaf.[87]

Pe na bai hynny'n ddigon bustlaidd, yn *Y Darian*, 2 Hydref, rhagorodd Davies arno'i hun:

Byddai'n well gan eglwys Moreia weld ôl troed y brawd hwn yn y domen, na holl gorff Ben Bowen. Mae Pedr ar lawr yn fwy cymeradwy na Judas ar ei draed. A chyda llaw, cofied Ben Bowen fod y *brewery* yn cael nawddogaeth dynion mor urddasol â beirdd weithiau. Os nad yw Mr Bowen yn deall, cadwed y geiriau 'Kimberley Hotel', 'billiard room' a 'photeli *Bass*' mewn cof.[88]

Erbyn hyn roedd Ben Bowen yn amlwg yn clafychu. Nid oedd tamprwydd a thawch Cwm Rhondda yn gwneud dim lles i'w ysgyfaint, a'r peth olaf oedd ei eisiau ar ddyn ifanc gwanllyd ei iechyd a chythryblus ei feddwl, oedd ensyniadau maleisus fel hyn. I ddirwestwr mor bybyr a gŵr hynod sensitif ynghylch ei gymeriad moesol ei hun, brathodd y cyhuddiad o feddwdod i'r byw. Teimlodd nad oedd ganddo ddewis ond ei amddiffyn ei hun. Cafodd doreth o lythyrau gan ei gydnabod yn Ne Affrica yn cadarnhau nad yfodd ddim tra y bu yno, a phenderfynodd fynd â gweinidog Moreia gerbron llys ar gyhuddiad o athrod. Fodd bynnag, yn ôl ei gyfreithiwr, Mr Millward o'r Pentre, byddai'r croesholi mewn llys barn yn dweud yn enbyd ar ei iechyd, a mynnodd ei feddyg, Dr Hughes, y Ton, nad oedd yn agos ddigon iach i ddal y straen. Ni chredai neb, mewn gwirionedd, fod unrhyw sail i gyhuddiadau Thomas Davies. Yn ôl Dr Morris, Treorci, gweinidog Noddfa a thywysog pregethwyr y cwm: 'Tystiwn mai coron ei fywyd oedd ei gymeriad ardderchog. Ieuwyd ynddo athrylith a chymeriad moesol dilychwin. Ffurfiodd gymeriad moesol cryf'.[89] Beth bynnag am ei ehediadau athrawiaethol, erys y driniaeth a gafodd Ben Bowen ym mlwyddyn olaf ei fywyd yn destun cywilydd o hyd. 'Mae'n ddigon hawdd dilyn Crist', meddai, cyn i'r storm dorri; 'yr anhawster yw dilyn ei ganlynwyr.'[90]

Dyna pryd y cyfansoddodd y penillion 'At fy enwad':

O fy enwad, gwrando, - 'Credais
Ac am hynny y lleferais':
Ac os wyf yn cyfeiliorni,
Oni ddylet faddau imi?

Mawr fu dwndwr dy gynffonwyr –
Cudd a distaw dy arweinwyr;
Fe fu rhywrai yn pardduo –
Heddwch,! Nid yw Duw'n anghofio ...

Fe fu dydd y buost tithau
O dan sen a dirmyg rhywrai
Am dy danllyd argyhoeddiad:
Heddiw ble mae'th gydymdeimlad? ...

Onid claddu offeiriadaeth
A defodaeth yw'th genhadaeth?
O! rwy'n ofni – paid â digio –
Dy fod heddiw'n ei hanghofio ...

Os na cheri'r newydd olau,
Gwell yw maddau nag ymddadlau:
Gwell i ti a gwell i minnau
Ganu'n iach os nad oes maddau ...

O fy enwad, rwy'n dy garu,
Ac yn methu, methu cefnu:
Ac os wyf yn cyfeiliorni,
Oni ddylet faddau imi? ...[91]

Fel mudiad gwrth-offeiriadol, gwrth-ddefodol a gwrth-sacramentaidd y dehonglodd ef hanes ei draddodiad. Y rhyddid i'r unigolyn farnu drosto'i hun ym materion crefydd oedd nod amgen tystiolaeth Bedyddwyr Cymru yn ei dyb. Daliai i gredu fod y traddodiad yn un anrhydeddus ac roedd ganddo ymlyniad greddfol iddo o hyd. Ond eto, roedd mewn cyfyng gyngor. Fe'i clwyfwyd yn ddwfn gan y driniaeth a gafodd ym Moreia a chan law ei gweinidog yn arbennig. Yn sicr, gwell oedd canu'n iach os nad oedd maddau. Os apêl i'w fam eglwys i'w dderbyn yn ôl oedd y gân, ni bu'n effeithiol. Ni bu maddau, o ran Moreia beth bynnag, ac yn wahanol i Dafydd ei frawd, a drosglwyddodd ei aelodaeth i Noddfa, Treorci, ni cheisiodd aelodaeth mewn unrhyw eglwys Fedyddiedig arall. Wedi rhai misoedd o ymbalfalu, gofynnodd am gael ei dderbyn yn aelod rheolaidd yn eglwys y Methodistaidd Calfinaidd Jerusalem, Ton. Gan ystyried fod hon yn arddel bedydd plant ac yn rhwym wrth gyffes ffydd Galfinaidd bur gaeth, roedd hyn yn ddewis annisgwyl, braidd. Ond dyna a wnaed ac ni fu Ben yn edifar. 'Cafodd dderbyniad cynnes a charedigrwydd mawr gan y frawdoliaeth yno, ac yn fuan iawn aeth yn eilun yr eglwys'.[92] Eironi, serch hynny, oedd i ŵr a brisiai ryddid athrawiaethol mor fawr a chyfrifoldeb yr unigolyn i wneud ei ddewisiadau crefyddol drosto'i hun, gael ei hun mewn cyfundeb mor gyffesiadol ei naws. A dyna, i bob pwrpas, oedd diwedd 'helynt Ben Bowen'.

Erbyn y gwanwyn 1903 roedd iechyd Ben yn dadfeilio'n amlwg. Roedd yr afiechyd wedi lledu o'i ddwy ysgyfaint i'w afu a'i ymysgaroedd, ac roedd yn pesychu gwaed yn gyson. Daliai i farddoni. Ei freuddwyd oedd ymgeisio am y gadair yn Eisteddfod Genedlaethol Llanelli yn Awst 1903, a chyfansoddasai fwy na hanner awdl ar y testun 'Y Celt' eisoes, ond ni chafodd fyw i'w chwblhau. Gyrrodd awdl 'Gardd Eden' i eisteddfod Rhymni ar y Llungwyn a dod yn ail, ac enillodd yng nghystadleuaeth yr englyn gyda'i gân 'Llygad y dydd' yn eisteddfod Caerffili tua'r un pryd. Ond ei gampwaith diamheuol oedd yr englyn 'Cystudd'.

Os yw cur yn fy llesgáu – os yw'r nos
Oer yn hir, mae'r golau
Yn ymyl Iôn yn amlhau;
Iesu ŵyr be sy orau.[93]

Nid ffrwyth cystadleuaeth oedd hon ond ffrwyth profiad. Beth bynnag am ei athrawiaeth, roedd ei ffydd yn real ac yn gynhaliaeth iddo yn nydd y prawf. Bu farw brynhawn Sul 16 Awst 1903 yng nghartref Mary, ei chwaer, yn y Ton, a'i gladdu ym mynwent gyhoeddus Treorci. Roedd yn 24 oed.

Plentyn y dyfodol?

Oherwydd ei lwyddiannau cynnar a'i farw annhymig, dywedwyd llawer o bethau ysgubol am Ben Bowen a'i athrylith sy'n ein taro ni heddiw yn chwithig o anaddas. 'Ystyrir ef erbyn hyn', meddai Myfyr Hefin yn 1915, 'fel yr "addewid fwyaf gafodd Cymru erioed".[94] Yn ôl y cylchgawn *Celt Llundain*, ef oedd 'y meddyliwr mwyaf godwyd yn enwad y Bedyddwyr',[95] tra soniai *Cylchgrawn Myfyrwyr y Bala* amdano fel un a oedd yn sefyll 'yn rheng flaenaf y beirdd a welodd ein gwlad'.[96] Mewn gwirionedd nid oedd yn feddyliwr gwreiddiol nac yn fardd mawr, er bod ganddo allu, talent ac egni anarferol. Ond arall oedd ei arwyddocâd. Drych o argyfwng crefyddol Oes Fictoria oedd gyrfa lachar, aflonydd Ben Bowen. Roedd yn etifedd yr hen ond fe'i cyfareddwyd gan y newydd; roedd yn ddyledus i ddoe ac i'r grymusterau a greodd y Gymru Ymneilltuol, ond roedd ganddo hyder di-ball yn yr yfory:

Rwyf yn blentyn y dyfodol
Sy'n etifedd y gorffennol. [97]

Fel cynifer o'i genhedlaeth, credai fod y byd yn ymsymud yn anorfod tua'r goleuni a bod hanes yn dwyn y ddynolryw ymlaen tuag at ddyfodol gwell. Ni allai'r hen gredoau wneud cyfiawnder â'r gwirioneddau newydd hyn, a'r angen oedd nid ymwrthod â chrefydd nac â Christ ond eu hail-ddehongli yn unol â deddf cynnydd a datblygiad. Ni fygwyd yr optimistiaeth heulog hon gan ei brofedigaethau chwerw, yn wir roedd y nodyn a drawodd yn 'Gardd Eden', y gerdd olaf iddo'i llunio o fewn ychydig fisoedd i'w farw, yr un mor hyderus â dim a ysgrifennodd Watcyn Wyn erioed:

> A thrwy amheuon fil mi glywaf lef
>
> Groewaf yr oesau'n stormus nef
>
> A llif o fiwsig rhyw baradwys bell;
>
> A holl freuddwydion prydferth gobaith gwell
>
> Dynoliaeth – holl riddfannau daear drist –
>
> Yn teithio, teithio o hyd, o hyd at Grist.[98]

Ond eto, roedd islais o bryder i'w glywed dan riniog ei ganu, a hwnnw yr un mor nodweddiadol o gymhlethdod cyfoethog blynyddoedd olaf Oes Fictoria:

> Mae amheuon lond yr awyr,
>
> Y mae pryder lond ein cri,
>
> Yn dy gariad glân, difesur,
>
> Arglwydd Iesu, cofia ni.[99]

Efallai nad oedd cynnydd yn anorfod, a bod hanes, ohono'i hun, yn analluog i arwain y ddynolryw i fuddugoliaeth esmwyth a rhwydd. Wedi'r cwbl, roedd pechod eto'n bod, a thrasiedi a drygioni, a'u gwreiddiau yn ddyfnach yn natur pethau nag yr oedd Idealaeth Hegelaidd yn fodlon ei gydnabod. Ddegawd a mwy yn ddiweddarach y byddai cyfoeswr iau Ben Bowen, y bugail o Drawsfynydd, yn canu o ffosydd Ffrainc:

Gwae fi fy myw mewn oes mor ddreng

A Duw ar drai ar orwel pell.[100]

Mae cymhwyso hen wirioneddau at amgylchiadau newydd heb fradychu'r naill na bod yn amherthnasol i'r llall, yn her mae'r eglwys wedi gorfod ei hwynebu ym mhob cenhedlaeth, nid lleiaf yn ein cenhedlaeth ni. Mae'n beth anodd i'w wneud, ac ni ddylai methiant Ben Bowen i'w wneud yn foddhaol beri i ni feddwl y gallwn, o reidrwydd, ragori arno. Mae yna wersi i'w dysgu: fod i'r datguddiad beiblaidd ei hygrededd ei hun, a bod i gategorïau megis y creu, yr ymgnawdoliad, yr atgyfodiad a'r bedd gwag, wirionedd y dylem ni, Gristionogion, farnu syniadaeth ddynol oddi wrthynt. Ni ddylem fyth ganiatáu i athroniaethau dynol na rhesymeg feidrol ddiddymu gwirioneddau sylfaenol ein ffydd.

Ond Cristion oedd Ben Bowen yntau. Fe'i bedyddiwyd ar broffes o ffydd ym Moreia, Pentre; roedd yn feddiannol ar brofiad crefyddol, cadwodd ei fywyd defosiynol yn loyw a chyffesai Iesu Grist yn Arglwydd a Gwaredwr ar hyd y daith. Ymddiried yng Nghrist a wnaeth, er gwaethaf popeth. Sut y dylai'r eglwys drin anghytundeb athrawiaethol ymhlith ei haelodau, y sawl sy'n proffesu Iesu Grist ac sydd yn amlwg yn ddilynwyr cydwybodol iddo ac sy'n harddu'u proffes trwy dystiolaeth lân? Yn sicr, nid trwy eu herlid na'u difrïo na diystyru cywirdeb eu cymhellion. Mae bod yn iach yn y ffydd yn bwysig, ond mae cariad yn gwbl anhepgor.

A fyddai Ben wedi newid ei syniadau petai wedi cael byw? Rwy'n siŵr y byddai wedi cymedroli'i farn oherwydd plentyn ei amgylchiadau ydoedd. Roedd ganddo'r cyneddfau barddonol o ran techneg a dychymyg i fedru elwa oddi wrth y dadeni llenyddol a gysylltir ag enwau T. Gwynn Jones, W. J. Gruffydd ac yn ddiweddarach R. Williams Parry a T. H. Parry-Williams ac roedd ef eto'n ddigon ifanc i gael ei ddylanwadu ganddynt er lles. Nid tan ddiwedd y 1920au y dechreuwyd herio'r consensws diwinyddol yng

Nghymru,[101] a phetai ef wedi cael byw, buasai'n ganol oed erbyn hynny. Nid hwyrach y byddai profiad o alanastra'r Rhyfel Mawr ac o chwalfa'r delfrydau iwtopaidd a fu'n oblygedig yn y gred Hegelaidd, wedi'i yrru nôl at y ffynnon roedd ei gyndadau wedi yfed ohoni, ond pwy a ŵyr. Y cwbl y gellid dweud i sicrwydd yw iddo farw yn ei flodau, cyn cyrraedd ei lawn dwf, ac iddo fynegi gwrthryfel oesol yr ifainc yn erbyn yr hen. Ef ei hun a luniodd yr epitaff orau:

> I enaid fo'n aflonydd
> Y dyry Duw doriad dydd.[102]

Crist yn Bodoli fel Cymuned:
Yr Eglwys yn Syniadaeth Dietrich Bonhoeffer

(1996)

Wrth ateb llythyr gan ei gyfaill Eberhard Bethge ar 8 a 9 Mehefin 1944, meddai Dietrich Bonhoeffer o'i gell yng ngharchar Tegel: 'Ynghylch eich cwestiwn p'un ai bod "daear" ar ôl ar gyfer yr eglwys, neu a yw'r ddaear honno wedi diflannu am byth … Mae'n rhaid i mi roi'r gorau iddi hi nawr, ysgrifennaf fwy amdano yfory'. Ni ddaeth yr yfory hwnnw fyth, ysywaeth, ac ni ŵyr neb i sicrwydd beth fyddai ei farn am swyddogaeth yr eglwys mewn byd 'a ddaeth i oed'. Chafodd ef mo'r cyfle i ddatblygu ei syniadau nac ymhelaethu ar ei farn, oherwydd ar 9 Ebrill 1945, fe'i dienyddiwyd. Wedi hanner can mlynedd o amser a pheth wmbredd o ddyfalu, erys y dasg o dafoli'r dystiolaeth a dehongli ei waith o hyd. Er i syniad Bonhoeffer am yr eglwys newid, yn rhannol mewn ymateb i'r digwyddiadau enbyd y cafodd ei hun ynddynt trwy gydol yr 1930au a wedyn, ni chollodd fyth mo'i ffydd ym mhwysigrwydd y *sanctorum communio*, a mynnai fod yn ddiwinydd *eglwysig* hyd y diwedd. Beth bynnag arall a olygai ef wrth 'Gristionogaeth ddigrefydd', nid Cristionogaeth ddieglwys fyddai hi. Yr hyn a awgrymir yn y bennod hon yw bod yr elfen o barhad yn fwy o lawer na'r elfen o newid yn ei waith, ac y byddai'r eglwys, ynghyd â'i thystiolaeth a'i gweinidogaeth, beth bynnag am ei hunion ffurf, yn hanfodol i iachawdwriaeth y byd p'un ai fyddai hwnnw wedi 'dod i'w oed' ai peidio.[1]

Sanctorum Communio

Yn 1922, ac yntau'n 16 oed, syfrdanodd y llanc Dietrich ei deulu trwy ddatgan ei ddymuniad i fod yn bregethwr. I bob pwrpas teulu digrefydd oedd y Bonhoefferiaid a'r eglwys yn sefydliad y byddent yn cadw draw oddi wrtho. Ond roedd Dietrich yn benderfynol: mynnai fod Duw yn ei alw i'r weinidogaeth Gristionogol. Fel myfyriwr diwinyddol yr ymrestrodd ym Mhrifysgol Tübingen ac yna ym Mhrifysgol Berlin, a blynyddoedd y darganfod oedd 1923 hyd 1928-9 pan aeth yn gurad i Barcelona; profiad cynhyrfus a dieithr iddo oedd ymdrwytho yn y ffydd nid yn yr ystafell ddosbarth yn unig, nac yn bennaf, ond yng nghyd-destun bywyd y gynulleidfa. O hynny allan byw ei fywyd 'o dan y Gair' fyddai'i nod.

Mae gwefr a newydd-deb y darganfod i'w gweld yn ei waith cyntaf, *Sanctorum Communio* (1927), y traethawd a enillodd ddoethuriaeth iddo yn 21 mlwydd oed. Ynddo mae'n cymhwyso gwyddor newydd cymdeithaseg at ffenomen yr eglwys. Beth yw'r eglwys? meddai. Ar un wedd Corff Crist ydyw, yn gymdeithas ysbrydol, yn ffrwyth bwriad Duw yn yr Ysbryd trwy'r Gair. Ond ar lefel arall, ffenomen ddynol ydyw, yn sefydliad daearol sydd wedi ymdynghedu i ddihoeni a dirywio fel popeth arall. Ond gan fod Duw yn ei ddatguddio'i hun, nid y tu hwnt i'r byd ond ynddo, mae gwedd ddaearol yr eglwys yn anhepgor ar gyfer deall ei hanfod trosgynnol. 'Yr hyn y dymunem ei ddeall', meddai, 'o safbwynt athroniaeth cymdeithas a chymdeithaseg, yw realiti'r eglwys fel y rhoddwyd ef yn natguddiad Crist'. Mae'r datguddiad yn ei ddiriaethu'i hun mewn cymdeithas ddynol.

Yr hyn yw'r eglwys i ddechrau, meddai, yw cymdeithas (*Gemeinde*) neu gymundod o bobl, ac mae pobl yn bodoli yng nghyd-destun bywydau'i gilydd. Nid bodau didoledig, ar wahân mohonynt ond personau sy'n dod o hyd i ystyr i'w bywydau yng nghymlethdod ymateb y naill i'r llall. Dyma sylfaen eu dyndod. 'Mae'r "un" yn bod yn ei berthynas a'r "llall"... Nid "unigolyn" mohono. Er mwyn i'r un fodoli, mae'n rhaid i'r llall fodoli hefyd'. Fel Martin Buber, cyfeiria Bonhoeffer at ymwneud pobl â'i gilydd yn nhermau'r berthynas 'Myfi-Tydi': 'Mae pob tydi yn rhagdybio'r myfi; mae'r myfi yn ymhlyg yn y tydi ac hebddo byddai'n amhosibl gwahaniaethu'r tydi oddi wrth wrthrychau'r byd'. Mae bywyd, felly, yn gymdeithasol yn ei hanfod; ni all neb ohonom osgoi'r hawl sydd gan y 'llall' arnom.

O sôn am y person, neu'r 'un', sy'n dod o hyd i ystyr ei fywyd yn ei berthynas a'r 'llall', sonia Bonhoeffer am y gymdeithas, sy'n ffrwyth yr amrywiol berthnasau hyn. Nid casgliad hwylus o unigolion mo'r gymdeithas ond mae iddi hi ei phriod nodweddion fel cymdeithas. 'Undod diriaethol yw'r gymdeithas', meddai. 'Nid fel unigolion y dylid ystyried ei haelodau: nid yn ei haelodau fel pobl ar wahân y ceir ei chanolbwynt ond ym mhawb ynghyd'. Mae i bob cymdeithas ei nodweddion ei hun, ei chymeriad neilltuol a'i hewyllys ei hun. 'Person cyfansawdd' ydyw a chanddo'i 'ysbryd gwrthrychol', sef yr hyn sy'n animeiddio'r gymundod a thrwy'r hwn y trosglwyddir ei theithi a'i nodweddion o'r naill genhedlaeth i'r llall.

Mae'r gymdeithas, fel y personau sy'n rhan ohoni, yn tueddu'n anorfod tuag at y drwg. Y drydedd elfen yn nadansoddiad y Bonhoeffer ifanc o'r eglwys yw ffaith pechod. 'Mae pob ffurf naturiol ar gymdeithas, er yn parhau, wedi'i lygru trwyddo', meddai. Gan fod y natur ddynol yn syrthiedig, yn hytrach na ffrwyno'r *ego*, ei borthi yw ei thuedd; ym mherthynas pobl â'i gilydd mae'n haws hawlio na rhoi. Nid peth sy'n gyfyngedig i fywyd yr unigolyn mo pechod ond mae'n hydreiddio'r gymuned oll; peth torfol a chymdeithasol ydyw, yn bechod *gwreiddiol*. Fe berthyn pawb, felly, i'r gymdeithas; mae iddo ei ran neilltuol i'w chwarae yn y 'person cyfansawdd'; fel Adda nid un dilwgwr mo'r person cyfansawdd hwnnw ond un sydd mewn angen am gael ei gyfannu a'i achub. Yr hwn sy'n ei achub yw'r Ail Adda, 'Crist yn bodoli fel yr eglwys'.[2]

Mae Crist, felly, yn ei ddatguddio'i hun yn ei eglwys, 'Corff Crist' sy'n realiti diriaethol yn ein plith. I Bonhoeffer mae'r undod sy'n bodoli rhwng y Crist atgyfodedig a'r gymuned eglwysig yn cynnwys dwy elfen, sef yr *hanesiol* a'r *weithredol*. O ran ei hanes mae'r eglwys wedi'i gwreiddio yn ffeithiau gwrthrychol person Crist a'i waith. Trwy ei uniaethu'i hun ag Israel, cyflawnodd Iesu'r ddeddf hyd yr eithaf a marw yn aberth dros y bobl: 'Ym marwolaeth Iesu ar y groes bernir hunanoldeb dyn yn derfynol, yr hunanoldeb a oedd wedi camarfer y ddeddf'. Mae a wnelo'r ddynolryw oll â hanes Israel, y genedl sanctaidd. Ni all Duw beidio â chosbi pechod dyn; mae'n gwneud hyn yn yr Iawn: 'Mae Iesu, er yn ddieuog, yn cymryd cosb ac euogrwydd eraill arno'i hun, ac wrth farw fel troseddwr, o dan felldith, mae'n dwyn holl bechodau pwysfawr y byd; ond ar y groes mae cariad yn gorchfygu; mae ufudd-dod i Dduw yn trechu euogrwydd; caiff anufudd-dod ei gosbi a'i ddileu'. Myn Bonhoeffer nad darlun amrwd o'r Tad yn cosbi'r Mab a geir yn y Testament Newydd, ond darlun cyfoethog o Dduw ei hun, yn nirgelwch y Drindod sanctaidd, yn delio â deilema enbyd pechod y ddynolryw: 'Mae'n cymryd y gosb arno'i hun'. Yna mae atgyfodiad Crist oddi wrth y meirw yn datgan y fuddugoliaeth ddwyfol yn gyhoeddus. Dyma flaenffrwyth y bywyd newydd, sef 'yr eglwys, y ddynolryw a bardynwyd yn Iesu Grist'. Y Crist hwn, Gwaredwr y byd yn ôl y dehongliad Lutheraidd a Phrotestannaidd traddodiadol, sy'n sail i ddealltwriaeth Bonhoeffer o'r eglwys: 'Cydnebydd yr eglwys y Crist croeshoeliedig ac atgyfodedig hwn', meddai, 'fel cariad ymgnawdoledig Duw tuag at ddyn, fel cyfrwng ei ewyllys er adnewyddu'r cyfamod, fel yr Un sy'n gosod i fyny'r arglwyddiaeth ddwyfol ac yn sgil hynny, yr hwn sy'n creu'r gymdeithas'.[3]

Ffeithiau diwinyddol hollbwysig ond di-fudd fyddai'r uchod oni ddeuent yn rhan brofiadol o ffydd y gymuned. Ail elfen yr undod rhwng Crist a'i eglwys yw'r weithredol. Mae Duw yn gwarchod ei sofraniaeth dros ei eglwys trwy ymbresenoli ynddi nid mewn undod cyfriniol ond trwy ddatguddiad: 'Mae'n rhaid i ni ystyried *ffurf ddatguddiedig* bodolaeth Crist fel yr eglwys', meddai. Myn Bonhoeffer mai trwy'r Gair a'r sacramentau y cyfryngir y datguddiad hwn: 'Mae Ef yn bresennol ... pan unir y gymuned Gristionogol mewn cariad brawdol gan bregethu a Swper yr Arglwydd'. Nid rhyw rinwedd ar wahân i Grist, megis gras, a gyfryngir gan yr ordinhadau hyn ond trwyddynt daw Crist ei hun yn bresennol i'w bobl: 'Cynhwysir presenoldeb Crist yag ngair ein cyfiawnhad', meddai. Byddai'r Gair hwn yntau'n ddi-fudd onibai am gyffyrddiad bywiol yr Ysbryd Glân: 'Try'r Gair ... yn Air Crist ei hun, a thrwy'r Ysbryd daw yn rym gweithredol yng nghalonnau'r gwrandawyr'; ac eto: 'Corff Crist yw'r eglwys yn ddiau, ond mae'n rhaid iddi wrth weinidogaeth gynhulliol yr Ysbryd Glân'. Trwy ddylanwad yr Ysbryd gelwir gwŷr a gwragedd i ymateb i Air Duw yn yr efengyl, yr hanes achubol am fywyd, marw ac atgyfodiad Crist, yr Arglwydd. Trwy'r Ysbryd y daw'r eglwys hithau yn 'berson cyfansawdd'. Er mai realiti gwrthrychol yw bodolaeth Crist fel yr Eglwys, trwy ffydd y'i canfyddir: 'Ffydd yn unig a all ddirnad yr eglwys fel cymuned a sylfaenwyd gan Dduw', meddai.[4]

Trwy ymateb i'r efengyl trwy'r Gair a'r Ysbryd daw pobl yn rhan o Gorff Crist. 'Mae bod yng Nghrist', meddai Bonhoeffer, 'yr un peth â bod yn yr eglwys'. 'Mae'r Ysbryd, trwy'r un weithred sy'n galw'r etholedigion i gylch y gymuned a sylfaenwyd gan Grist, yn eu tynnu i mewn i'r eglwys weledig', meddai. Felly er gwaethaf amherffeithrwydd yr eglwys a'i mynych lygriadau, oddi mewn i'w chylch hi y meithrinir perthynas pobl â Duw ac adferir eu perthynas â'i gilydd. Nid porthi'r *ego* a wneir mwyach ond ei ffrwyno a'i sancteiddio; nid hawlio a wneir ond rhoi. Daw gwir berthynas 'Myfi-Tydi' yn bosibilrwydd drachefn. Mewn geiriau eraill gwrthweithir effeithiau'r Cwymp. Mae presenoldeb achubol Crist yn 'chwyldroi'r agweddau a grewyd gan bechod'; plennir ynom gariad at gymydog, a thrwy ordinhadau'r eglwys, ei phregethu, ei haddoli, ei gweddi a'i gwasanaeth, daw Crist ei hun yn realiti yn ein mysg: 'Pan fo Crist yn rheoli'r ewyllys ddynol mae Ef ei hun yn bresennol yn ein plith'.[5]

Bu gan y Bonhoeffer un mlwydd ar hugain oed lawer iawn mwy i'w ddweud am yr eglwys yn *Sanctorum Communio*, pethau diddorol am ei hordnhadau a'i gweinidogaeth hi, pethau craff iawn am ei ffurf hanesyddol hi, ei hamherffeithderau hi a bodolaeth llawer iawn o ganghennau diffrwyth ynddi: 'Mae Teyrnas Dduw a'r eglwys yn bresennol i ni mewn ffurf ddiriaethol hanesyddol, a rhaid i ni ddygymod â'r ffaith bod ynddi lawer sy'n aelodau mewn enw yn unig'. Lutherydd uniongred ydoedd ac aelod or *Volkskirche* a oedd yn cynnwys pawb yn hytrach na'r 'eglwysi cynnull', y *Freiwilligleitskirchen* a oedd yn cynnwys aelodau ymrwymedig, ailanedig yn unig. Ond bodolaeth y Gair yn ei chanol oedd yn creu eglwys, nid y profion dynol a roed ar ei haelodau hi: 'Trwy wyrth yr addewid ddwyfol mae'r pregethiad o Air Duw yn creu ei gynhulliad ei hun, ble bynnag y bo'.[6] Os yw'r diwinydd ifanc yn optimistig onid yn naïf ynghylch yr eglwys fel y man lle mae cariad yn ffynnu a lle mae olion pechod yn cael eu dileu, mae'n realistig ynghylch amherffeithrwydd yr eglwys a'i hangen parhaus am faddeuant a gras.

Yr eglwys dan y groes

Rhwng 1929 a 1933 aeth y diwinydd ifanc rhagddo i berffeithio'i grefft. Teithiodd yn helaeth gan feithrin cysylltiadau eciwmenaidd, bu mewn trafodaethau ffrwythlon â Karl Barth, cyflwynodd ei ail draethawd academaidd (a gyhoeddwyd yn 1931 o dan y teitl *Gweithred a Bod*), treuliodd flwyddyn yn astudio yn America, fe'i hordeiniwyd i weinidogaeth yr Eglwys Lutheraidd, a dechreuodd ar ei waith fel darlithydd prifysgol. Soniai eto yn ei ddarlith academaidd agoriadol am natur ddeublyg yr eglwys, ei ffurf ddeinarnig fel cynnyrch datguddiad Duw yng Nghrist, a'i ffurf gatholig fel sefydliad a oedd yn bod yn llif hanes.

> Dirgelwch y gymuned (*Gemeinde*) yw bod Crist ynddi, a thrwyddi yr ymestyn Ef at ddynion, bod Crist yn bodoli fel cymuned yn ein plith, fel yr eglwys sydd ynghudd mewn hanes. Ond oherwydd hynny nid yw dyn fyth yn unig; mae ef yn bod oddi mewn i'r gymuned sy'n dod ag ef at Grist ... Dyn mewn cymuned yw dyn yng Nghrist.[7]

Yn wahanol i Rudolf Bultmann a oedd yn canoli'i sylw ar natur ffydd yr unigolyn, ac yn wahanol i Karl Barth a oedd yn dal i weithio allan oblygiadau'i gred yn natguddiad Duw yn y Gair, dyma Bonhoeffer eto yn clymu datguddiad wrth y gymuned. Mae Duw yn ei ddatguddio'i hun yng Nghrist ac mae Crist yn ei ddiriaethu'i hun yn yr eglwys. 'Rhwng ei esgyniad a'i ddyfodiad drachefn mewn gogoniant, unig ffurf Crist yw yr eglwys', meddai yn ei ddarlithoedd ar Gristoleg yn 1933. 'Yr eglwys', meddai 'yw corff Crist. Nid symbol mo'i gorff. Yr eglwys yn hytrach yw corff Crist'.[8] I Bonhoeffer diriaethol real yw Crist, ac mae'r Crist byw yn ei ffurfio'i hun, megis, yng nghymdeithas ei bobl.

Ond mae'r eglwys yn bod er mwyn y byd. Mae hyn yn oblygedig trwy gydol ei gyfrol gyntaf, *Sanctorum Communio*. Yn *Gweithred a Bod* fodd bynnag, daw'r pwynt yn amlwg wrth i Bonhoeffer danlinellu arwyddocâd dyndod Crist. Wrth i'r Gair ddod yn gnawd, mae'r Duw tragwyddol yn ei uniaethu'i hun â'r hyn sydd o dan ormes amser ac sy'n farwol, sy'n rhan o'r byd. Wrth gymryd arno'i hun euogrwydd a chondemniad dyn, ac atgyfodi ar fore'r trydydd dydd, mae Duw yng Nghrist yn achub dyn a'i gyfiawnhau. Gan fod hyn eto yn digwydd mewn hanes ac nid y tu hwnt iddo – soniai, er enghraifft, am 'ffaith hanesyddol noeth y bedd gwag'[9] - rhoddir pob gwedd ar fywyd dyn, yn hanesyddol, yn gymdeithasol, yn economaidd, yn wleidyddol ac yn y blaen, dan sofraniaeth y Gair. Nid esgor ar bietistiaeth mae uniongrededd Dietrich Bonhoeffer, ond mae'n peri iddo chwarae ei ran ar lwyfan hanes a'i yrru allan i ganol y byd. Ac i'r sawl a fynnai arddel sofraniaeth Duw yn wyneb absoliwtiaeth wleidyddol y Natsïaid, roedd y byd hwnnw yn prysur droi'n fyd peryglus. Yn Ionawr 1933, pan oedd Bonhoeffer yn datgan y pethau hyn i'w fyfyrwyr yn Berlin, etholwyd Adolf Hitler yn Ganghellor y wlad.

Gweithiau'r argyfwng oedd ei gyhoeddiadau nesaf. Ynghyd â Martin Niemöller a Karl Barth, daeth Bonhoeffer, er ei ieuengrwydd, yn arweinydd y *Bekkenende Kirche*, 'yr Eglwys Gyffesiadol', y rhannau hynny o'r eglwys wladol na fynnent gydymffurfio â deddfau Ariaidd y wladwriaeth newydd. Gyda Barth, ond yn wahanol i fwyafrif ei gyd-wrthwynebwyr, sylweddolodd arwyddocâd diwinyddol gwrth-Iddewiaeth y Natsïaid yn syth. Bu'n ddi-gryn ei gefnogaeth i Ddatganiad Barmen yn 1934: 'Iesu Grist fel y tystir iddo yn yr Ysgrythurau Sanctaidd, yw unig Air Duw, yr hwn y gelwir arnom i wrando arno ac ufuddhau iddo mewn bywyd ac mewn angau', ac o'i gartref newydd yn Sydenham yn Swydd Gaint, lle bu'n gweinidogaethu i gynulleidfaoedd Almaenaidd Llundain yn 1934-5, meithrinodd gysylltiadau gwerthfawr ag arweinwyr y Mudiad Eciwmenaidd, ac â George Bell, esgob Chichester, yn fwyaf neilltuol. Yr unig gorff a oedd â'r gallu ysbrydol digonol i fedru gwrthsefyll bygythiad y Natsïaid, meddai, oedd yr eglwys. Roedd Gair Crist yn farn ar ddrygioni ac annuwioldeb y byd, ac nid oedd Natsïaeth yn ddim namyn drygioni wedi'i gyfundrefnu, grymuster noeth mewn gwrthryfel â Duw. Nid oedd cymod a chymrodedd yn bosibl yn y frwydr hon. Meddai, ar 22 Ebrill 1936 heb flewyn ar ei dafod: *'Extra ecclesia nulla salus* ... Mae'r sawl sy'n ymneilltuo oddi wrth yr Eglwys Gyffesiadol yn ei ddamnio'i hun'![10]

Tystiolaeth ddigyfaddawd yr eglwys i Grist mewn byd gelyniaethus yw byrdwn *Bod yn Ddisgybl (Nachfolge)* (1937) a *Bywyd Ynghyd* (1938), y gweithiau sy'n tarddu o ddyddiau Bonhoeffer yn Finkenwalde, athrofa answyddogol yr Eglwys Gyffesiadol ar arfordir Môr y Baltig. Os yw Crist yn bodoli fel yr eglwys, Crist ei hun, yng ngwedd ei ddisgyblion, sy'n herio grym y drwg. Mae'r frwydr rhwng crediniaeth a'r anghrediniaeth sy'n dwyfoli'r hil a'r genedl, yn frwydr hyd angau: 'Pan fo Crist yn galw dyn, geilw arno i ddod a marw'. Nid crefydd arfer a chonfensiwn mo'r ffydd hon ond ffydd sy'n hawlio'r cwbl; nid gras tsiêp mo rhad ras ond gras costus:

Y mae'r fath ras yn *gostus* am ei fod yn galw arnom i ddilyn, ac mae'n ras am ei fod yn galw arnom i ddilyn *Iesu Gnst*. Y mae'n gostus am ei fod yn costio i ddyn ei fywyd, ac mae'n ras am ei fod yn rhoi i ddyn yr unig wir fywyd ... Yn bennaf oll, y mae'n *gostus* am iddo gostio i Dduw fywyd ei Fab ... Mae'n ras am na chyfrifodd Duw ei Fab yn ormod o bris i'w dalu am ein bywyd ni.[11]

Nid ffurfiwla mo'r groes ond ffaith; mae pwy bynnag a gyfiawnhawyd trwy ffydd wedi'i wedi'i wysio i ufudd-dod hyd angau.

Galw'r eglwys i fod yn eglwys a wna Bonhoeffer yn y gweithiau hyn, a'i waith ymarferol gyda darpar-weinidogion Finkenwalde yn gyd-destun i'r cwbl, ac argyfwng dwys yr Almaen yn gefndir tywyll. Mae rhan olaf *Nachfolge*, 'Eglwys Iesu Grist a Bywyd y Disgybl', yn cyfuno'i athrawiaeth gyfarwydd am yr eglwys â'r alwad am ufudd-dod digyfaddawd, ac mae *Bywyd Ynghyd* yn darlunio'r math o gymdeithas a all darddu o fod yn ddisgybl o dan y Gair. Nid rhywbeth ar wahân i'r eglwys mo'r bywyd cymunedol dan y Gair ond rhan hanfodol o'i thystiolaeth:

> O droi yn fudiad, yn urdd, yn seiat, yn *collegium pietatis,* gwywo a wnaiff bywyd ynghyd o dan y Gair; ond os pery i fod yn rhan o'r un eglwys lân, gatholig a Christionogol, gan gyfranogi o'i dioddefaint a'i brwydr a'i haddewid, erys yn braff ac yn iachus.[12]

Er mwyn bodoli dros y byd, mae'n rhaid i'r eglwys ystyried ei galwad o ddifrif. Mae hygrededd ei thystiolaeth gyhoeddus yn dibynnu ar raddfa'i hymrwymiad i'r Crist byw.

Moeseg

Erbyn inni gyrraedd cyfrol anorffen Bonhoeffer ar foeseg a luniwyd yn 1941-3, roedd ei sefyllfa bersonol, ynghyd â sefyllfa ei eglwys a'i wlad, wedi newid yn ddirfawr. Roedd ei fyfyrio ar yr eglwys wedi newid hefyd. Mae delfrydu optimistig y diwinydd ifanc wedi hen ddiflannu; mae'r alwad ddifloesgni i anghydffurfiaeth gyhoeddus hithau wedi tewi. Ildia eglurder i amwysedd; byw ei fywyd yng ngwyll y cysgodion a wna'r Cristion bellach. Mae achos yr eglwys ynghudd yn achos y Crist *incognito,* yr Arglwydd sy'n ddieithryn yn ei fyd ei hun. Beth, felly, yw ystyr tystio i Grist mewn gwladwriaeth unbenaethol? Mae dwyn y groes mewn byd fel hwn yn golygu llawer mwy na gwarchod credinedd *grefyddol* yr eglwys. Mae'r Crist sy'n bodoli fel cymuned bellach yn ei ddiriaethu'i hun yng ngweithredoedd *seciwlar-grediniol* ei aelodau, y rhai sy'n byw yn y byd.

At ddiwedd 1937 daeth gwaith Bonhoeffer ymhlith darpar weinidogion Finkenwalde i ben. Daeth terfyn ar wrthwynebiad yr Eglwys Gyffesiadol i Hitler gyda charcharu Martin Niemöller yng Ngorffennaf y flwyddyn honno, ac erbyn mis Hydref roedd yr athrofa answyddogol wedi'i chau. Trwy gydol y misoedd nesaf gwnaeth Bonhoeffer bopeth o fewn ei allu i ddeffro'r gymuned Gristionogol ryngwladol i wir natur y bygythiad

Natsïaidd. Teithiodd yn helaeth i Brydain, America a gwledydd eraill yn ymhŵedd ar yr arweinwyr eglwysig i ddwyn perswâd ar y gwleidyddion i ddefnyddio'u grym yn erbyn Hitler; ond rhwng cymrodedd (*appeasement*) Prydain ac arwahanrwydd (*isolationism*) yr Unol Daleithiau, methiant fu ei ymdrechion. Er gwaethaf apêl daer ei gyfeillion Americanaidd iddo aros yn yr Unol Daleithiau ac ymladd ei frwydr o'r fan honno, mynnodd ddychwelyd i'r Almaen. Meddai wrth Reinhold Niebuhr ddiwedd Gorffennaf 1939:

> Mae'n rhaid i mi fyw trwy'r cyfnod anodd hwn yn hanes ein gwlad yng nghwmni Cristionogion yr Almaen. Ni fydd gennyf hawl i helpu ailadeiladu bywyd Cristionogol yr Almaen wedi'r rhyfel os na rannaf yn nioddefiadau fy mhobl yn awr y prawf.[13]

Ymhen ychydig dros fis meddiannodd Hitler Wlad Pwyl.

Gyda'r Almaen bellach yn rhyfela, cynigiodd Bonhoeffer ei hun i'r gwasanaeth sifil ac ym 1940 aeth i weithio i'r *Abwher*, swyddfa filwrol y llywodraeth. Hon, trwy ryw ryfedd eironi, oedd canolbwynt y gwrthwynebiad mewnol cudd i Hitler a'i drefn. Gwyddai Bonhoeffer er 1939 am ymdrechion rhai fel y Cadfridogion Ludwig Beck, Hans Oster, a'i frawd-yng-nghyfraith ei hun, Hans von Dohnanyi, i danseilio'r llywodraeth mewn cynllwyn a gwaredu'r Almaen o gancr Natsïaeth. Mae adlais enbydrwydd y dewisiadau roedd yn rhaid i Dietrich eu gwneud yn ystod y misoedd hyn i'w glywed yn y gyfrol *Moeseg*. A ddylai Cristion gynllwynio yn erbyn ei wlad? Beth oedd goblygiadau gwleidyddol yr alwad i godi'r groes? A oedd yr alwad honno yn cynnwys teyrnfradwraeth ac, ysywaeth, teyrnladdiad? Dyma'r cwestiynau diriaethol a oedd y tu ôl i lawer o'r moesegu damcaniaethol sydd i'w weld yn y llyfr. 'Nid un argyfwng ymhlith argyfyngau eraill mo hwn', meddai, 'ond dyma ymgiprys eithaf y Dyddiau Olaf.' Roedd ei ddewisiadau yn rhai ingol derfynol; gwyddai ei fod, fel credadun, o dan farn ac na allai beidio ag ysgwyddo baich euogrwydd. Er gwaethaf hygrededd ei dystiolaeth bersonol fel Cristion, rhannai yn euogrwydd ei bobl. Roedd yr eglwys hithau, ac yntau'n aelod ohoni, yn gorfod cario'r un baich. 'Y man lle daw'r adnabyddiaeth o euogrwydd yn real yw'r eglwys' meddai, corff euog a chroeshoeliedig Crist ei hun.[14]

Mae'r pwyslais ar ddyndod Crist sydd eisoes wedi dod i'r golwg yn y gweithiau cynharach, bellach yn cael ei ymestyn wrth i Bonhoeffer ystyried gofynion y ffydd yn y sefyllfa newydd hon. Mae ei Gristoleg o hyd yn drwyadl uniongred. Yng Nghrist, meddai, y mae Duw ei hun wedi ymgnawdoli; daeth y Gair yn gnawd, gwelodd Duw yn dda i'w holl gyflawnder breswylio yn ei Fab, ynddo Ef mae holl gyflawnder y duwdod yn bresennol yn gorfforol, ac ynddo Ef mae pob peth yn cyd-sefyll (Ioan 1:14; Col.1:20; 2:9; 1:17). Dyma'r cyfeiriadau ysgrythurol sy'n destun myfyrdod parhaus i Bonhoeffer yn ei waith ar foeseg. Trwy ymgnawdoli chwalodd Duw bob ffin rhwng yr ysbrydol a'r materol, a rhwng y sanctaidd a'r seciwlar: 'Nid rhywbeth y tu hwnt i'r dynol mo'r dwyfol', meddai; 'yn hytrach mae'n cael ei ddatgelu yng nghanol y dynol'. Ar un wedd chwelir y ffin hefyd rhwng Duw a'i fyd. Mae Duw yn parhau'n Dduw, bid siŵr, yn Greawdwr trosgynnol yn ei sancteiddrwydd ac ar wahân; ond mae'r arwahanrwydd trosgynnol hwnnw'n cael ei ddatgelu yn nhermau'r byd hwn. 'Mae'r hwn a wêl Crist yn gweld Duw a'r byd yn un', meddai. 'Mae enw Iesu Grist yn cynnwys ynddo'i hun y ddynolryw'n gyfan a Duw'n gyfan ar yr un pryd'. Er ei fod yntau'n ddibechod, trwy ymuniaethu â'r ddynolryw lwgr, mae Crist yntau yn etifeddu tynged gondemniedig ei bobl.

> Y dyn mae Duw wedi'i gymryd ato'i hun, ei ddyfarnu'n euog a'i godi i newydd-deb bywyd yw Iesu Grist. Ynddo Ef y'n ceir ni oll. Dyna nyni. Ffurf Iesu Grist yn unig sy'n herio'r byd a'i orchfygu. Ac o'r ffurf hon y bydd y byd newydd yn deillio, byd sydd wedi ei gymodi â Duw.[15]

Mae'r eglwys, felly, yn angenrheidiol o hyd. Yr eglwys, wedi'r cwbl, yw ffurf Iesu Grist yn y byd, Corff Crist, y man lle mae'r Crist croeshoeliedig ac atgyfodedig yn ei ddiriaethu ei hun ymhlith pobl, Crist yn bodoli fel cymuned. 'Nid cymuned grefyddol o addolwyr Crist mo'r eglwys', meddai, 'ond Crist ei hun wedi ymffurfio ymhlith pobl'; ac eto, 'nid yw'r eglwys yn ddim namyn cyfran o'r ddynolryw lle mae Crist yntau wedi ymffurfio'. Beth, felly, yw moeseg? 'Man cychwyn y foeseg Gristionogol', meddai, 'yw Corff Crist, ffurf Crist yn ffurf yr eglwys, ac mae'r eglwys hithau'n ymffurfio trwy gydffurfio â ffurf Iesu'.[16]

Trwy wrthod sôn am ddwy realiti, yr ysbrydol a'r materol, ond eu gweld yn un oherwydd yr ymgnawdoliad - 'Nid oes dwy realiti ond un', meddai, 'sef realiti Duw a ymgnawdolodd yng Nghrist oddi mewn i'r byd' - , mae Bonhoeffer eisoes yn ystyried rhai cysyniadau a dynodd sylw darllenwyr yn y *Llythyrau o'r Carchar*. Os y byd yw'r man lle mae Duw yn ymgnawdoli, ac os yr eglwys yw'r rhan honno o'r byd lle mae Crist yn ymddiriaethu mewn cymuned, beth yw ystyr bydolrwydd bellach? Sonia yn *Moeseg* am 'fydolrwydd dilys'. Beth yw natur tystiolaeth y Cristion yn y byd hwn? 'Nid yw ei fydolrwydd yn ei wahanu oddi wrth Grist, ac nid yw ei Gristionogaeth yn ei wahanu oddi wrth y byd', meddai. 'Yn llwyr yn eiddo i Grist, saif ar yr un pryd yn gyfan gwbl oddi mewn i'r byd'.[17] Mae gwreiddyn syniad Bonhoeffer am 'fydolrwydd sanctaidd' i'w weld yn y gwaith hwn. Ond mae'r sancteiddrwydd hwn yn ymddangos nid mewn gweithgareddau crefyddol fel y cyfryw, ond yn yr hyn mae'r Cristion yn ei wneud dros eraill. Un sy'n dirprwyo dros eraill yw'r Cristion, dros y gelyniaethus a'r di-gred a'r di-ffydd. Swyddogaeth ddirprwyol sydd i'r eglwys a'r gynulleidfa oddi mewn i'r byd:

> Mandad yr eglwys yw cyhoeddi datguddiad Duw yng Nghrist. Dirgelwch yr enw hwn yw ei fod yn cynnwys nid un dyn hanesyddol yn unig ond y ddynolryw oll. Tystiwn mai Iesu Grist yw'r un trwy'r hwn y mae Duw wedi cymryd natur dyn yn gorfforol arno'i hun. Ynddo ef y ceir y ddynolryw newydd, sef cynulleidfa Duw. Yn Iesu Grist mae Gair Duw a chynulleidfa Duw yn cael eu huno'n annatod... Golyga hyn, yn y lle cyntaf, bod y gynulleidfa yn cynnwys y rhai hynny sy'n derbyn y gair am Grist ac sy'n ei gredu ac sy'n ufuddhau iddo. Mae'r hyn a ddylai ddigwydd i bawb wedi digwydd, yn y lle cyntaf, iddynt hwy; ond gan iddo ddigwydd iddynt hwy, safant hwy fel dirprwyon dros eraill a dirprwyon dros yr holl fyd.[18]

Bod dros eraill ac er mwyn eraill mae'r Cristion yn y byd, yn union fel mae Duw yng Nghrist yn bod dros eraill. Y 'dyn er mwyn eraill' oedd Crist yn *Llythyrau*, ac mae'n bwysig cofio nad diffiniad hiwmanistig oedd hwnnw ond un a oedd yn gyforiog o ystyr ddiwinyddol. Ac os yw Crist yn bod dros eraill, felly hefyd ei eglwys, Corff Crist, Crist yn bodoli fel cymuned. 'Saif y gynulleidfa yn yr union fan lle dylai'r byd cyfan fod yn sefyll', meddai drachefn. 'Yn hyn mae'n gwasanaethu'r byd, yn dirprwyo drosto ac yn bod er mwyn y byd ... Fel dirprwy mae'n dilyn ei harglwydd ac mewn cymdeithas ag Ef, yr hwn a fu byw nid drosto'i hun ond dros ac er mwyn y byd'.[19] Erbyn 1942 y prif ddatblygiad yn syniad Bonhoeffer am yr eglwys oedd y ddealltwriaeth hon o'i swyddogaeth fel dirprwy.

Y Llythyrau o'r Carchar

Arestiwyd Bonhoeffer ar 5 Ebrill 1943 a'i gadw yng ngharchar Tegel dan y ddrwgdybiaeth ei fod ymhlith y sawl a oedd yn cynllwynio yn erbyn y wladwriaeth. Yr hyn sy'n gwbl eglur yn y defnyddiau a ddaeth i law o'i gyfnod olaf yw ansawdd ei ffydd, ei ymddiriedaeth ddiysgog yng Nghrist a naws ei ddefosiwn personol. Mae'n myfyrio yn ei Feibl yn barhaus, mae'n dal i weddïo ac mae'i amserlen yn cael ei rheoli nid gan ddeddfau'r carchar ond gan y calendr eglwysig o hyd. Ond yn y cyfnod hwn mae'n mynd ati i feddwl o ddifrif am bethau fel 'y ddynoliaeth yn dod i'w hoed', Crist fel 'y dyn er mwyn eraill', a 'Christionogaeth ddigrefydd'.

> Daeth yr amser lle gellid dweud popeth trwy eiriau, boed ddiwinyddol neu dduwiol, i ben, felly hefyd y cyfnod [lle gellid cadw lle i Dduw trwy] y mewnol a'r gydwybod - hynny yw, cyfnod crefydd fel y cyfryw ... Sut y gallwn siarad am Dduw heb grefydd, sef, heb ragdybiaethau metaffiseg, y mewnol ac yn y blaen? Sut y gallwn siarad (efallai nad 'siarad' mo'r gair iawn hyd yn oed nawr) mewn ffordd 'seciwlar' am 'Dduw'?... Beth yw lle addoli a gweddi mewn sefyllfa ddigrefydd? (30 Ebrill 1944).[20]

Dyma'r geiriau a barodd i rai feddwl fod Bonhoeffer naill ai wedi colli'i ffydd, neu ei fod wedi ymwrthod â"i hen ddiwinyddiaeth eglwysig: 'Fel Cristionogion heddiw dim ond dau beth sy'n aros ar ein cyfer: gweddi a gweithredu cyfiawnder ymhlith pobl' (Mai 1944).[21] Mewn byd a seciwlareiddiwyd yn llwyr. a dawodd broclamasiwn yr eglwys? Ai yn yr eglwys neu yn y byd, trwy weithredoedd dyngarol, mae Crist yn ei ddiriaethu ei hun mwyach?

Nid oes dim amheuaeth mai estyn ei syniadau yn hytrach na gwadu'i orffennol a wna Dietrich Bonhoeffer yn y llythyrau hyn. Llythyrau personol oeddent, a ysgrifennwyd o dan amgylchiadau pur anodd. Mae'u natur ddyfalus, annorffen yn amlwg ar bob tudalen. Ysgrifennu er mwyn 'ceisio eglurder yn fy meddwl fy hun' a wna, fel y cyfeddyf wrth Eberhard Bethge, derbynnydd y llythyrau, yn gyson. Ac mae digon ynddynt i ddangos fod ei gariad at yr eglwys, hyd yn oed yn ei gwendid a'i hanffyddlondeb, yn parhau: 'Pan ganodd y clychau y bore yma', meddai mewn llythyr i'w rieni ar 14 Mehefin 1943, 'roedd gen i hiraeth enbyd am fynychu'r eglwys, ond fel Ioan ar Ynys Patmos, cynheliais fy ngwasanaeth bach fy hun'. Ar 13 Hydref mae'n sôn am ei hoffter o 'wrando pregeth dda' ac wrth feddwl am y Nadolig yn agosáu, mae'r hiraeth am gael clywed 'neges bersonol gref mewn pregeth' yn cynyddu. Er mai gweddïo a gweithredu cyfiawnder ymhlith pobl fydd priod dasgau'r Cristion mewn byd seciwlar, eto ni fydd yr eglwys yn darfod: 'Bydd pob meddylu Cristionogol, a threfnu *a datgan Cristionogol,* yn deillio megis o'r newydd o'r gweddïo a'r gweithredu hwn ... Fe ddaw'r dydd eto, ni wyddom pa bryd, pan elwir ar bobl i *ddatgan drachefn Air Duw* a chaiff y byd yntau ei weddnewid trwyddo'.[22] Yn ei 'Amlinelliad ar Gyfer Llyfr', lle bwriadodd weithio allan yn fanylach ei syniadau am 'Gristionogaeth ddigrefydd', dyma mae'n ei ddweud:

[Gwaith yr *eglwys*] yw dweud wrth bobl o bob gradd a galwedigaeth sut y dylent fyw yng Nghrist, a byw er mwyn eraill ... Bydd rhaid iddi siarad am hunanymwadiad, purdeb, ymddiriedaeth, ffyddlondeb ... Nid trwy ddadleuon cywrain ond trwy esiampl y bydd ei air yn ymrymuso a throi'n ffaith ... Mae hyn yn ddryslyd ac yn anniben iawn mi wn, ond gobeithio y daw, ryw ddydd, o fudd i'r *eglwys*. [23]

Diweddglo

I Dietrich Bonhoeffer roedd datguddiad terfynol Duw yng Nghrist yn gwbl hanfodol nid yn unig i'w iachawdwriaeth ei hun ond i dynged ac iachawdwriaeth yr holl fyd. Datguddiad diriaethol ydoedd, mewn hanes, yr hanes am Iesu o Nasareth yn y Testament Newydd i ddechrau, a hanes cymuned yr eglwys ar hyd y canrifoedd wedi hynny. Yr eglwys iddo *oedd* Corff Crist. Roedd Crist yn ei ddiriaethu'i hun ymhlith ei bobl, 'Crist yn bodoli fel cymuned'. Er nad yw'r llinell gysylltiol rhwng y gweithiau cynharaf a'r gweithiau olaf, rhwng y *Communio Sanctorum* a'r *Llythyrau o'r Carchar*, yn un unffurf nac unlliw, mae'n un amlwg, serch hynny, ac yn un gref. Ymgnawdoli mewn hanes a wnaeth Duw, yng Nghrist daeth y Gair yn gnawd. Trwy'n hundeb achubol ag Ef yn ei fywyd, ei aberth a'i atgyfodiad, daw ystyr tragwyddol i bob rhan o'n bywydau ni, yn seciwlar ac yn grefyddol. Daeth Duw yn ddyn, a thrwy hynny ail-grewyd ein dyndod, a'n cymodi â'r Tad sanctaidd. Felly gweision ydym i'n gilydd, a'r eglwys, fel ei Harglwydd, yn eglwys y Gwas. 'Ni rydd Duw i ni', meddai ar 14 Awst 1944, 'bopeth a ddymunwn, ond mae Ef bob amser yn cyflawni'i addewidion, hynny yw, mae'n parhau yn Arglwydd y ddaear, mae'n cynnal ei eglwys, ac mae'n adnewyddu'n ffydd'.[24] Hon yw'r eglwys na all pyrth uffern fyth mo'i distrywio.[25]

Yr Eglwys Gyffesiadol, yr Eglwysi Rhyddion a'r Bedyddwyr: Cymru ac Ymgiprys Eglwysig yr Almaen yn y 1930au[1]

(2009)

Mae'n bur debyg mai un o gyfnodau mwyaf argyfyngus yr ugeinfed ganrif, canrif sydd bellach yn prysur ddiflannu i niwl y gorffennol, oedd y tridegau pan ddaeth Adolf Hitler i rym yn yr Almaen a'r argoelion yn cynyddu y byddai rhyfel erchyll arall yn digwydd ar gyfandir Ewrop maes o law. Mae'n bur debyg hefyd fod y gwrthwynebiad a wynebodd Hitler o du cwbl annisgwyl eglwysi Protestannaidd ei wlad ei hun wedi arwain at arwriaeth Gristionogol na chafwyd mo'i thebyg er dyddiau'r Diwygiad Protestannaidd. Nid yn aml y cyfyd sefyllfa pan fo gofyn i eglwysi, nac i Gristionogion, wneud safiad diamwys o blaid yr hyn sy'n iawn. Mae'n wir mai Corff Crist yw'r eglwys, yn ordinhad sanctaidd gyda Gair Duw yn sail iddo, a neges yr efengyl wedi ei hymddiried i'w chyhoeddi heb gymrodedd na bloesgni, ond mae hi yr un mor wir fod cyfaddawd wedi dod yn rhan o'i gwead hi. A does dim rhaid myfyrio yn ddwys i sylweddoli, mewn hyn o fyd, bod hynny'n mynd i fod yn anorfod. Nid angylion mohonom ond pobl. Gelwir ni i gyd i fod yn saint, ond ni elwir neb ohonom, yn ôl y Testament Newydd, i fod yn arwyr. Prin odiaeth yw'r sefyllfaoedd hynny pan fydd ein tystiolaeth ddilys yn troi yn dystiolaeth yn yr ystyr lythrennol, yn *marturia*, yn ferthyrdod, o bosibl hyd angau.

Ond mae'r Gair, meddech chi, yn glir, yn ddiamwys; does dim lle i ddadlau pan fo Duw wedi llefaru'n eglur yn yr Ysgrythurau. Y broblem yn yr Almaen yn 1933 oedd bod yno ddau ddosbarth o Gristionogion Beiblaidd, yr Eglwys Gyffesiadol, y *Bekennende Kirche*, ar y naill law, a'r Eglwysi Rhyddion, y *Freiwillgkeitskirchen*, ar y llaw arall a'r Bedyddwyr yn flaenllaw yn eu plith, a oedd yn dehongli'r Beibl yn unol â rhagdybiaethau cwbl wahanol i'w gilydd ac yn dod i gasgliadau a oedd yn groes i'w gilydd. 'Iesu Grist, fel y'i datguddir yn yr Ysgrythurau Sanctaidd yw unig Air Duw, yr hwn y mae'n rhaid i ni ei glywed, ymddiried ynddo ac ymostwng iddo mewn bywyd ac mewn angau', meddai Karl Barth, Martin Niemöller a Dietrich Bonhoeffer, diwinyddion yr Eglwys Gyffesiadol, yn Natganiad mawreddog Barmen ym Mai 1934. Pan fo Adolf Hitler yn ei osod ei hunan i fyny fel ffynhonnell awdurdod absoliwt oddi mewn i'r wladwriaeth, a'r eglwys naill ai yn rhan o'r wladwriaeth neu yn gorfod tystiolaethu i'r wladwriaeth, mae'n rhaid ei herio, a'i herio at waed pe bai rhaid: 'Ymwrthodwn â'r gau ddysgeidiaeth sy'n mynnu y gallai ac y dylai'r eglwys gydnabod digwyddiadau eraill, syniadau a gwirioneddau eraill fel datguddiad dwyfol ar wahân i'r unig Air hwn ac fel ffynhonnell ar gyfer ei phregethu'.[2] Gwleidyddiaeth ydi hynny meddai Paul Schmidt a Carl Schneider, diwinyddion eglwysi Bedyddiedig yr Almaen, ein busnes ni yw cadw allan o wleidyddiaeth, a chanoli ar achub eneidiau ac ymostwng i'r drefn ragluniaethol sydd wedi gwneud Adolf Hitler yn ben. Ac mae gennym sail ysgrythurol dros wneud: 'Ymddarostynged pob enaid i'r awdurdodau goruchel, canys nid oes awdurdod ond oddi wrth Dduw, a'r awdurdodau sydd, gan Dduw y maent wedi eu hordeinio' (Rhuf. 13:1). Yr hyn a wneir yn y bennod hon fydd olrhain yr hanes, gweld sut yr oedd Bedyddwyr Cymru yn ymateb iddo ar y pryd, a gofyn a oes gwersi i ni yng Nghymru yn yr unfed ganrif ar hugain.

Y cefndir hanesyddol

Fe ddaeth Adolf Hitler i rym yn gwbl gyfreithlon ac yn gwbl ddemocrataidd yn Ionawr 1933 ac roedd llawer iawn o bobl yr Almaen yn falch o weld arweinydd cryf gydag egwyddorion pendant unwaith eto wrth y llyw. Byth oddi ar Gytundeb Versailles yn 1919 o dan arweiniad un o blant Berea Cricieth – 'that bizarre Baptist', chwedl y nofelydd Emyr Humphreys – sef y prif weinidog David Lloyd George, roedd yr Almaen yn teimlo ei bod hi wedi cael cam, ac roedd enbydrwydd economaidd y 1920au ynghyd ag anhrefn wleidyddol ac anarchiaeth foesol Gweriniaeth Weimar, wedi peri i bobl ddyheu am ddechreuad newydd. Ac yn Ionawr 1933 dyna a gafwyd. Y peth cyntaf a wnaeth Hitler oedd gosod cyfres o ddeddfau ar y llyfr statud a fyddai'n cael effaith bellgyrhaeddol nid yn syth ond ymhen amser. Un ohonynt oedd Deddf y Gwasanaeth Sifil, enw diniwed a oedd yn cuddio bwriad enbydus o atal pobl o dras Iddewig rhag dal unrhyw swyddi cyhoeddus yn yr Almaen. Gan fod clerigwyr yr Eglwysi Lutheraidd a Chalfinaidd yn dechnegol yn weision sifil, ac am fod yr eglwysi hyn yn rhai sefydledig ac yn cael eu cynnal yn rhannol trwy drethi, golygai hyn fod y ddeddf hon i'w gweithredu yn yr eglwysi. Erbyn 1934 roedd gweinidogion o dras Iddewig, er yn Gristionogion ac wedi eu hordeinio'n swyddogol i bregethu'r Gair ac i weinyddu'r sacramentau, yn cael eu diswyddo, a'u dyfodol mewn perygl cynyddol.

Er na wyddai neb hynny ar y pryd, roedd Hitler, a oedd wedi ei fagu'n Babydd, yn ddibris o'r eglwysi ar y gorau ac yn rhagweld eu dileu. Yn sicr roedd ei athroniaeth ei hun am y pegwn â Christionogaeth, ac fel Nietzsche gynt, ffieiddiai y rhinweddau Cristionogol fel trugaredd, maddeuant a gras, gan eu hystyried yn amlygiadau o wendid. Yr oedd, fodd bynnag, yn ddigon o wleidydd i sylweddoli fod angen cefnogaeth yr eglwysi arno, am y tro beth bynnag. Roedd symudiad cyfochrog oddi mewn i'r eglwysi Protestannaidd i'w huno yn un eglwys genedlaethol gref, yn *Reichskirche*, 'Eglwys y Teyrnasiad', o dan un pennaeth, sef y *Reichsbishof*, 'Esgob y Teyrnasiad', a oedd yn arddel y *Führerprinzip*, 'egwyddor yr arweinydd', sef bod un arweinydd absoliwt ar eglwys a gwladwriaeth. O ddechrau 1933 i mewn i 1934 daeth y newyddion o'r Almaen fod y gyfundrefn newydd yn gorfodi newidiadau yn yr eglwysi a bod yr eglwysi, er syndod, yn gwrthwynebu hynny yn chwyrn. Rwyn dweud 'er syndod' am fod greddf Lutheraidd yr Almaen o blaid ymostwng i'r awdurdodau gwladol beth bynnag a fyddai'r sefyllfa, a bod trwch y gweinidogion a'u cynulleidfaoedd yn gefnogol i gyfundrefn Adolf Hitler, nad oedd wedi llawn amlygu ei hagweddau sinistr hyd yn hyn. Ond erbyn diwedd 1933, o dan arweiniad, annisgwyl eto, Martin Niemöller, gweinidog plwyf Dahlen yn Berlin (a fu yntau yn gefnogwr brwd i'r Blaid Natsïaidd yn ei ddyddiau cynnar), a gweinidogion iau fel Dietrich Bonhoeffer a'r diwinydd Karl Barth ym mhrifysgol Bonn, ffurfiwyd Urdd Argyfwng y Gweinidogion a droes erbyn dechrau 1934 yn Eglwys Gyffesiadol, y *Bekennende Kirche*, 'Eglwys y Tystion', a fynnai fod deddfau gwlad i'w gwrthod oddi mewn i'r eglwys os oeddent yn groes i lythyren yr efengyl. Pan oedd yr efengyl yn mynnu nad oedd na gwryw na benyw, Iddew na Groegwr, caeth na rhydd oddi mewn i eglwys Iesu Grist, nid oedd gan Adolf Hitler nac unrhyw wleidydd arall hawl i ddiswyddo gweinidogion, am fod eu statws eglwysig yn dibynnu ar eu ffydd Gristionogol a'u bedydd ac nid ar sail gwaed a thras.

Creodd y newyddion o'r datblygiadau hyn gryn anesmwythdra wrth iddynt gyrhaedd y byd oddi allan, ac mae'n wir iddynt greu anesmwythyd i Fedyddwyr Cymru yn ogystal. Rhwng Chwefror 1933, pan gafwyd y sylw cyntaf ar yr helynt, ac Ebrill 1937, pan ddaeth Karl Barth ag elfen o eglurder diwinyddol digyffelyb i'r sefyllfa fel rhan o'i ymweliad â Llundain ar y pryd, roedd *Seren Cymru* yn adrodd yn gyson ar 'Yr

Ymgiprys Eglwysig', fel y'i gelwid. Roedd y ffaith fod dirprwyaeth bwerus o blith Bedyddwyr Cymru dan arweiniad Dr E. K. Jones, y Rhos, yn bresennol ym Mhumed Cynghrair Bedyddwyr y Byd ym Merlin yn Awst 1934 yn ennyn diddordeb ychwanegol yn yr hyn a oedd yn digwydd yn yr Almaen. Y drasiedi, fodd bynnag, oedd bod rhagdybiaethau Ymneilltuol ac anniwinyddol Bedyddwyr Cymru, beth bynnag am basiffistiaeth ganmoladwy E. K. Jones, yn dallu'r sylwebyddion i wir ystyr yr argyfwng a oedd yn dwysáu, a bod eu hanesmwythyd â'r syniad o gyffesion ffydd yn eu hanghymhwyso i ddeall beth yn union a oedd yn y fantol rhwng yr Eglwys Gyffesiadol a neges bietistaidd, arallfydol - os Beiblaidd - Undeb Bedyddwyr yr Almaen.

'Herr Hitler mewn grym'

Mewn nodyn yn y golofn 'O'r Arsyllfa' yn rhifyn 3 Chwefror 1933 o *Seren Cymru*, datganodd y golygydd, y Parchg Morris Brynllwyn Owen, gweinidog Sittim Felingwm a Salem Felin-wen, fod 'Herr Hitler bellach wrth y llyw'. Tarodd nodyn o bryder: 'Argyfwng diflas yw'r presennol i Germani, tebyg i gyfnod Cromwell ar ddiwedd ei oes yn y wlad hon'.[3] Roedd hi'n naturiol i hanesydd fel M. B. Owen, a oedd yn athro Hanes yr Eglwys yng Ngholeg Presbyteraidd Caerfyrddin yn ogystal â bod yn weinidog ar y ddwy eglwys wledig ar gyrion y dref, dynnu cyffelybiaeth hanesyddol, ac yr un mor anorfod y byddai'n gweld y peth yng ngoleuni arwriaeth Ymneilltuol yng Nghymru a Lloegr. Ymneilltuwr, wedi'r cwbl, oedd Oliver Cromwell, a gafodd ei hun yn cynnig arweiniad politicaidd yn yr unig gyfnod pan oedd yr Ymneilltuwyr yn dal awenau grym gwleidyddol yn y wlad. Ymhen yr wythnos, yn y golofn 'O Ddydd i Ddydd', dywedwyd eto, gydag elfen o broffwydoliaeth yn ogystal â phryder: 'Erbyn hyn y mae Hitler yn ganghellydd yr Almaen. Ychydig gyda deugain oed ydyw, a dyn bychan ei gorffolaeth gyda llais mawr. Pa beth yw neges y gŵr hwn? Ai hedd, ai rhyfel?'[4] Bymtheg mlynedd ynghynt roedd un rhyfel gwaedlyd newydd ddirwyn i ben, ac roedd y syniad y gallai rhyfel arall ddechrau, o'r Almaen o bobman, a gafodd ei gorchfygu mor sownd gwta hanner cenhedlaeth ynghynt, yn arswydus. Nid oedd hi'n syndod fod heddwch ar frig yr agenda rhyngwladol, fod cefnogaeth i Gynghrair y Cenhedloedd yn eang ac yn frwd, a bod pasiffistiaeth wedi troi o fod yn dystiolaeth i ddelfrydiaeth absoliwt Iesu o Nasareth i fod yn ddogma wleidyddol, nid lleiaf ymhlith rhai o arweinwyr blaenllaw Undeb Bedyddwyr Cymru. Wrth drafod dadl enwog Undeb Rhydychen, pan ddatganodd myfyrwyr y brifysgol ddethol honno na fyddent ar unrhyw gyfrif yn codi arfau dros eu brenin a'u gwlad, meddai M. B. Owen (nad oedd, gyda llaw, yn heddychwr):[5] 'Un o ddynion rhyfeddaf ei oes yw Hitler. Ceid dosbarth o grefyddwyr yn Germani a elwid y pietistiaid a gredent mewn ymostwng i gyflwr pethau fel y maent nes y codai proffwyd mawr yn eu plith i gychwyn cyfnod newydd. Un felly oedd Luther i'w barn hwy, a thebyg yr ystyrient Hitler yn un arall'.[6] Yr hyn na wyddai M. B. Owen oedd mai dyna union safbwynt Bedyddwyr yr Almaen ar y pryd.

Os oedd M. B. Owen yn un o newyddiadurwyr ymroddgar ei enwad, ffigur llawer amlycach a mwy dylanwadol oedd J. Gwili Jenkins, a benodwyd i olynu Owen fel golygydd *Seren Cymru* ar ddechrau Mehefin 1933. Os oedd M. B. Owen yn Ogleddwr, yn frodor o Eifionydd, Sir Gaernarfon, a dreuliodd ei oes yn gweinidogaethu yn y De, roedd Gwili yn frodor o'r Hendy, ar y ffin â siroedd Caerfyrddin a Morgannwg, ond a wnaeth ei gyfraniad mwyaf yn y Gogledd lle bu er 1923 yn athro Testament Newydd yn Y Coleg Gwyn, Coleg y Bedyddwyr, Bangor. Roedd y ddau yn athrawon mewn colegau diwinyddol a'r ddau yn rhyddfrydol eu pwyslais athrawiaethol. Gwili a benododd rhyw 'Ferwyn', yr hynafgwr o Gorwen, y Dr Hywel Cernyw Williams o bosibl, i lunio colofn wythnosol 'Y Byd a'i Helynt', ac ar 4 Awst 1933 o dan y teitl 'Atgyfodi Paganiaeth', sylwyd ar y duedd yn yr Almaen i gyfystyru nodweddion cenedlaethol â chrefydd ac â'r hanfodion ysbrydol. 'Nid Cristionogaeth yw crefydd sydd gyfystyr â mantais un wlad doed a ddelo ar bob gwlad arall', meddai 'Berwyn' mewn sylw eironig ac anffodus, 'ond Iddewiaeth yn ei hacrwydd'.[7] 'Berwyn', ar 22 Medi 1933, oedd y cyntaf i dynnu sylw Bedyddwyr Cymru at effaith y deddfau Ariaidd ar Lutheriaeth yr Almaen, ac mewn cyfraniad arall o dan y teitl 'Y ddwy groes', tynnodd wahaniaeth rhwng y swastika a chroes Calfaria gan ddweud pa mor gwbl anghydnaws oeddent.[8]

Ar 6 Hydref 1933 ceir gan 'Berwyn' gyfeiriad cyntaf at Karl Barth, nid yn gymaint at ei gyfraniad fel diwinydd, er bod Cyfadran Brotestannaidd Prifysgol Bonn yn denu lluoedd o fyfyrwyr i astudio o dano ar y pryd, ond oherwydd y rhan flaenllaw yr oedd yn chwarae yn y frwydr eglwysig yn erbyn Hitler.[9] Ddeufis yn ddiweddarach, ar 8 Rhagfyr 1933, soniodd 'Berwyn' am Urdd Argyfwng y Gweinidogion, sef y dosbarth o weinidogion oddi mewn i'r eglwysi tiriogaethol sefydledig, y *Landeskirchen*, yn Lutheriaid ac yn Galfiniaid, a wrthododd gydymffurfio â llythyren y ddeddf gan nad oedd yn deillio o'r llysoedd eglwysig eu hunain. Roedd hi'n amlwg fod pethau yn symud yn gyflym yn yr Almaen, ac mewn cyfeiriad na allai lai na llonni calon radical o Ymneilltuwr Cymreig: 'Dyma ddechrau'r mudiad anghydffurfiol yn yr Almaen', meddai, 'ac os myn Hitler gosbi'r bobl hyn, diamau y bydd rhwyg yn rhengau'r Eglwys Lutheraidd ... Diddorol gwylio tyfiant y gwrthwynebiad i drawsawdurdod Nebuchodnosor Germani, a thybiwn mai alegori y ffwrn dân wireddir y tro hwn eto'.[10]

Erbyn dechrau 1934 roedd llygaid y byd ar ddigwyddiadau eglwysig yr Almaen, a'r ymdeimlad o edmygedd tuag at yr Eglwys Gyffesiadol, fel yr unig wrthwynebiad effeithiol i bolisïau gormesol y Nazïaid, yn gyffredinol a diffuant.[11] O dan yr is-bennawd, 'Rhwygo'r eglwys', soniodd 'Berwyn' ar 6 Ionawr 1934 am y chwe mil erbyn hynny o weinidogion yr eglwysi taleithiol a oedd wedi cynghreirio ynghyd 'yn erbyn darostwng crefydd i amcanion gwleidyddol a chefnogir eu protest gan lu mawr o'u praidd'.[12] Roedd hyn wedi rali enwog y *Sportzplatz* ym Merlin pan ddatganodd Dr Reinhold Krauze ar ran mudiad y 'Cristionogion Almeinig' fod rhaid diarddel yr Iddewon, torri'r Hen Destament o'r Beibl, ymwrthod ag athrawiaethau cyntefig fel athrawiaeth yr Iawn a oedd o wneuthuriad 'y rabbi Paul', a chreu eglwys Ariaidd a fyddai'n bur o bob elfen wrth-Almeinig. Roedd hyd yn oed yr Almaenwyr ceidwadol, heb sôn am y rhai cymedrol, yn cael bod hyn yn wrthun, ac roedd cymhellion sinistr y 'Cristionogion Almeinig' bellach wedi dod i'r golwg.[13] 'Yr elfen Galfinaidd yn Germani', meddai 'Berwyn', 'sy'n meiddio gwrthwynebu'r awdurdodau fel hyn'.[14] Nid Calfiniaid, fodd bynnag, ond Lutheriaid teyrngar oedd Niemöller a Bonhoeffer, a'r hyn ni ddywedodd 'Berwyn', am nad oedd y peth yn hysbys iddo, oedd y ffaith fod Bedyddwyr yr Almaen yn gwbl fud ynghylch y ddrama gynhyrfus a oedd yn cael ei chwarae o'u cwmpas. Wrth gyfeirio at at 'Dr Barth', a oedd bellach wedi ei ddiswyddo o'i gadair ddiwinyddol ym Mhrifysgol Bonn am wrthod tynnu llw o ufudd-dod i Adolf Hitler yn ôl gorchymyn diweddaraf y llywodraeth, meddai 'Berwyn': 'Mae'r gŵr dewr hwn yntau o'r diwedd yn ddi-waith ac yn ddigyflog am sefyll i fyny dros ryddid cydwybod mewn pethau ysbrydol. Dal i ennill tir mae'r ysbryd Anghydffurfiol yn Germani'.[15]

Cynhadledd Bedyddwyr Berlin

Yr hyn a barodd fwy fyth o gynnwrf ymhlith darllenwyr *Seren Cymru* oedd y ffaith fod dirprwyaeth sylweddol o Fedyddwyr Cymru wedi teithio i Berlin yn Awst 1934 i gymryd rhan ym Mhumed Cynhadledd Cynghrair Bedyddwyr y Byd. Sefydlwyd y Cynghrair yn 1905 i hyrwyddo cymdeithas ymhlith Bedyddwyr y gwledydd, ac roedd y gymuned Fedyddiedig fechan yn yr Almaen wrth ei bodd fod y gynhadledd, am y tro cyntaf erioed, yn ymweld â'u gwlad. Roedd hi'n gynhadledd bwerus gydag 8,000 o gynrychiolwyr o 35 o wledydd ac yn eu plith gymaint â 300 o Brydeinwyr. Ymhlith y Prydeinwyr oedd mintai o Gymry: y Parchgn D. J. Bassett, S. L. Davies o Bonciau, a ysgrifennodd am ei brofiadau mewn erthygl ddiddorol yn *Yr Arweinydd Newydd*, E. K. Jones, gweinidog dylanwadol Penuel, Rhos, Morgan Jones, Hendy-gwyn-ar-Daf, D. Wyre Lewis, W. T. Lloyd Roberts, cynrychiolydd y Gymdeithas Genhadol, Waldo Roberts, Huw Roberts a W. R. Watkin, Moreia, Llanelli. Nid pawb oedd yn hapus eu bod yn mynd, gyda'r Americanwyr yn arbennig yn ofni y byddai'r gynhadledd yn rhoi buddugoliaeth bropaganda i'r Natsïaid. Fodd bynnag, cynadledda a wnaed; cafwyd telegram o gyfarchiad gan Hitler ac roedd Dr Göbbels, gweinidog propaganda'r weinyddiaeth, yn medru dweud â'i law ar ei galon fod perffaith ryddid i grefydda'n ddilyffethair yn y Drydedd Reich. I Fedyddwyr Cymru yr hyn oedd yn bwysig oedd bod y teulu Bedyddiedig yn medru arddangos ei undod a thystio i'r hyn a oedd agosaf at ei galon: crefydda'n rhydd heb ymyrraeth awdurdodau gwladol, rhannu efengyl Crist â byd cyfan, ac arddel buchedd lân a phrydferth. Yr hyn a oedd yn allweddol i'r ddealltwriaeth Fedyddiedig o'r ffydd Gristionogol oedd rhyddid, rhyddid yr unigolyn a rhyddid i addoli. 'Er na wna presenoldeb Bedyddwyr y byd ym Merlin ddim gwahaniaeth i lywodraeth Germani', meddai 'Berwyn', 'dengys eu presenoldeb yno wroldeb, a rhoddant eu tystiolaeth megis o ffau'r llewod'.[16] Roedd hi'n fater ymffrost nid yn unig fod bodolaeth y Bedyddwyr yn cael eu goddef yn yr Almaen, rhywbeth na ddigwyddodd cyn i Hitler ddod i rym, ond bod eu hachos yn ffynnu a bod eu niferoedd yn cynyddu ar raddfa na welwyd erioed o'r blaen.

Er nad oedd y Cymry ymhlith prif siaradwyr y gynhadledd, rhoddodd W. R. Watkin anerchiad byr yn y cyfarfod cenhadol ar nos Sul 5 Awst 1934 ar y pwnc 'yr efengyl a'i chymhwyster at holl anghenion dyn', tra bod E. K. Jones wedi sefyll i gefnogi cynnig yr Americanwr George Truett o Gynghrair Bedyddwyr y De, o blaid heddwch rhyngwladol a diarfogi diymdroi:

> This congress affirms its profound conviction that war is contrary to the mind of Christ ... [and] urges upon all Christian men and women constantly to bear their personal testimony against the inhumanity and anti-Christian character of war, earnestly to promote the corporate and united action of the Christian churches in the cause of peace, and untiringly to advocate and practice goodwill towards people of all nations.[17]

Tybed a gawn ni eto air mor huawdl o blaid heddwch gan un o arweinwyr Cynghrair Bedyddwyr y De? Roedd y Cymry yn bresennol i glywed dau anerchiad a ddylai fod wedi mygu'r ewfforia yn bur sydyn. Wrth ymateb i anerchiad N. J. Nordström ar genedlaetholdeb, meddai'r Parchg Ddr Paul Schmidt, ysgrifennydd Undeb Bedyddwyr yr Almaen, bod yna ffin bendant rhwng yr eglwys a'r wladwriaeth, bod awdurdod Iesu i'w weithredu oddi mewn i'r eglwys ond bod deddfau gwlad i reoli'r wlad, ac nad oedd gan ddeddfau'r eglwys ddim hawl i dresmasu ar diriogaeth y byd. 'The spirit of the nations is a healthy nationalism', meddai. 'Facts of blood, speech and mental outlook are a natural innate gift to a people, the basis of its selfconsciousness and a guarantee of its continuance'.[18] Nid gras, felly, ond natur sydd wrth wraidd nodweddion cenedlaethol ac y maent yn annileadwy, yn rhan o fwriad digyfnewid Duw ar gyfer ei fyd. 'The church thus proclaims the order of redemption and also the divine order for peoples and states. Avoiding party politics or entanglement with paricular forms of state organizations, she says with Peter: "We must obey God rather than men"'.[19] Yr hyn na wyddai'r cynadleddwyr, ond a ddaeth yn hysbys yn ddiweddarach, oedd bod Schmidt yn aelod o'r Blaid Natsïaidd. Roedd niwtraliaeth Schmidt, a'i gred ddiysgog yn y fersiwn Bedyddiedig o'r athrawiaeth Lutheraidd ynghylch y ddwy deyrnas, yn ffordd hwylus o gynnal *status quo* a oedd yn ei hanfod yn ddifaol i wir amcanion y ffydd Gristionogol. Er bod y Bedyddwyr yn rhydd i genhadu, efengylu ac achub eneidiau oddi mewn i'r Drydedd Reich, roedd grymusterau ar waith na wyddai hyd yn oed Schmidt amdanynt. Roedd y 'rhyddid' a ganiateid iddynt yn eu hamddifadu o'r hawl i lefaru gair proffwydol a allai danseilio'r holl gyfundrefn.

Roedd y Cymry hefyd yno i roi clust i'r Athro Carl Schneider, athro Hanes yr Eglwys yng Ngholeg y Bedyddwyr Hamburg, a wnaeth yr haeriad hynod hwn:

The centenary of the German Baptists synchronizes with the rebirth of the German nation as a people. God the Lord has given us, in Adolf Hitler, a man who recognizes the needs of the time and its perils, and who is directing and using the forces that make for health in order to subdue those that make for decay. As a force making for health, the German Baptist community has been recognized and used by the Third Reich and actively included in the process of renewal. Never before has our movement experienced so much in the way of public recognition and support as in the Third Reich, and today in Berlin. United by speech and blood with the German people in the homeland, in love for the Fatherland and in the consciousness of sharing the responsibility for its destiny, the German Baptist movement co-operates, on the basis of the gospel, with all its power in the work of building up a self-reliant state, in which a physically and morally healthy generation can live free and confident, contented and self-disciplined.[20]

Mae'n hawdd i ni, sy'n byw ar yr ochr yma i Belsen a Buchenwald, ac sy'n gwybod am wir gymhellion Adolf Hitler a'i fwriad i ddifa yn derfynol genedl yr Iddewon, feirniadu naïfrwydd yr athro hybarch o Hamburg, ac i weld y gwendidau yn rhesymoli gor-rwydd y Dr Paul Schmidt. Mae'r Testament Newydd yn dysgu fod Satan yn gallu ymddangos yn rhith angel y goleuni, ac i lawer o bobl dduwiol a da, dyna a ddigwyddodd yn Almaen Hitler. Roedd y Bedyddwyr, wedi'r cwbl, wedi eu hen ormesu o dan y gyfundrefn Lutheraidd gynt, ac roedd y Cymry a oedd yn bresennol yn dal i ymfalchïo yn y ffaith fod Ymneilltuaeth wedi cael buddugoliaeth fawr dros yr eglwys sefydledig pan ddatgysylltwyd yr Eglwys Anglicanaidd yng Nghymru mor ddiweddar â 1920. Ond – ac mae'n 'ond' go fawr – roedd digon o dystiolaeth fod yr Eglwys Gyffesiadol yn ymladd brwydr a oedd yn ehangach ei harwyddocâd na gwleidydda mewnol crefyddwyr yr Almaen, a bod gwirionedd yr efengyl ei hun yn y fantol ar y pryd. Yr hyn a oedd ei angen oedd diwinyddiaeth amgenach na diwinyddiaeth 'rhyddid cydwybod', 'rhyddid i addoli' a 'rhyddid yr unigolyn'. Roedd egwyddor rhyddid yr unigolyn yn gadael y gyfundrefn yn ei lle, a'i hideoleg wrth-Gristionogol ac wrth-ddyneiddiol yn gyfan. Roedd y gwendid i'w weld yn amlwg yn sylwadau Gwili yng ngolygyddol *Seren Cymru* ar 24 Awst 1934:

Rhaghysbyswyd y cynrychiolwyr na byddai iddynt unrhyw berygl wrth anturio croesi ffiniau'r Almaen, ac na fyddai llyffetheirio o gwbl ar eu rhyddid i ddatgan eu barn ar faterion cyfamserol, a gwelwn i amryw o'r llefarwyr, yn ysbryd y

Bedyddwyr gynt, draethu eu meddwl ar ryddid cydwybod, ac ar bwnc helaeth rhyddid gwleidyddol, heb flewyn ar eu tafod.[21]

Chwedl y Bedyddiwr cyfoes Keith Clements: 'In itself the ideology of religious liberty proved too naive for both the brutal power and the subtleties of the totalitarian state, which could manipulate that ideology for its own ends. The regime could safely grant a measure of such liberty to a Baptist community which, because of its small size and other-worldly outlook, posed no threat to the state's existence'.[22]

Yr Eglwys Gyffesiadol

Yr un dosbarth o Gristionogion a oedd yn meddu ar ddiwinyddiaeth amgenach oedd aelodau'r Eglwys Gyffesiadol. Iddyn nhw yr unig ateb i dotalitariaeth wleidyddol oedd y broffes fod Iesu Grist yn Arglwydd ar *bob* rhan o'i greadigaeth, y tymhorol yn ogystal â'r ysbrydol, neu yng ngeiriau Datganiad Barmen: 'Iesu Grist, fel y'i datguddir yn yr Ysgrythurau Sanctaidd, yw *unig* Air Duw, yr hwn y mae'n rhaid i ni ei glywed, ymddiried ynddo ac ymostwng iddo mewn bywyd ac mewn angau'. Er gwaethaf yr edmygedd o'i thystiolaeth, roedd Bedyddwyr Cymru mewn dygn anwybodaeth ynghylch gwir ystyr ei safiad. I Ymneilltuwyr radicalaidd, tystio o blaid rhyddid cydwybod a rhyddid i addoli oedd y glewion Lutheraidd a Chalfinaidd hyn. Yr unig dro i Ddatganiad Barmen gael ei grybwyll o lwyfan Cynhadledd Berlin oedd yn anerchiad M. E. Aubrey, ysgrifennydd cyffredinol Undeb Bedyddwyr Prydain Fawr ac Iwerddon. 'A church that is not free to go as God directs cannot carry out its task of saving humanity', meddai. 'To bind the church is to tie the hands of God. We stand by the noble declaration of the Synod of Barmen which ended on June 1'.[23] Ond i Aubrey, cyfeirio at ryddid cydwybod a wnaeth y Datganiad yn hytrach nac at awdurdod absoliwt Crist ym mhob maes gan gynnwys y maes gwladwriaethol: 'We stand for liberty of conscience in all matters of faith, liberty to speak, think and worship as the Spirit of God directs us, and we stand for a free, unfettered church'.[24] Yn ystod Cynhadledd Berlin, talodd rhai o'r arweinwyr ymweliad â phrif swyddfa y *Reichskirche*, sef yr eglwys Brotestannaidd unedig newydd, a chawsant groeso gan Ludwig Müller, yr *apparatchik* Natsïaidd a benodwyd yn *Reichsbishof*, neu bennaeth y gyfundrefn newydd hon. Roedd o leaif un Cymro yn eu plith, sef Benjamin Grey Griffith, brodor o Dre-boeth, Abertawe, cyn-weinidog eglwys Tredegarville, Caerdydd, ac ysgrifennydd diwyd Cymdeithas Genhadol y Bedyddwyr yn Llundain. Cawsant sicrwydd gan Müller na fyddai'n ymyrryd dim â chenhadaeth Bedyddwyr yr Almaen; gwyddai eu bod yr Almaenwyr gwlatgar ac oedd yn cydymddwyn â'u hunig ddiben, sef achub eneidiau eu cyd-ddyn.[25]

Roedd ceisio cysoni hyn â pholisi'r *Reichsbishof* o garcharu'r gweinidogion Lutheraidd a Chalfinaidd yn creu cryn ddryswch i sylwebyddion yng Nghymru. 'Cyhoeddwyd protest gan y gweinidogion efengylaidd', meddai 'Berwyn' ar 28 Medi 1934, 'yn erbyn plygu'r efengyl i gefnogi dibenion gwleidyddol a galwant bolisi'r prif esgob [sef Ludwig Müller] fel brad i'r achos Protestannaidd. Gwnânt Gyffes Augsburg yn allwedd y gwir bythol a galwant ar weinidogion Lutheraidd y wlad i sefyll i fyny dros hawliau ysbrydol yr efengyl, sef yw rheini, hawl i wneud y Beibl yn rheol ffydd a buchedd'.[26] Wele'r dryswch yn ymgymhlethu'n fwy! I Müller ac i'r mwyaf pietistaidd o blith Bedyddwyr yr Almaen, yr Eglwys Gyffesiadol oedd yn ymyrryd â gwleidyddiaeth trwy beidio ag ymostwng i'r awdurdodau gwladol. Yr unig hawl ysbrydol a fynnai'r Bedyddwyr oedd yr hawl i gynnal eu tystiolaeth heb ofn cael eu cosbi gan y llywodraeth, ac yn wir dan fendith y llywodraeth. Iddyn nhw, am y tro cyntaf, roeddent yn gwbl rydd! I'r Eglwys Gyffesiadol ar y llaw arall, a oedd yn edrych tuag at Gyffes Augsburg a chyffesion mawr eraill y Diwygiad Protestannaidd, doedd dim modd gwahanu tystiolaeth achubol yr Eglwys oddi wrth ei thystiolaeth wladwriaethol. Gan gyfeirio at y pregethu achubol, anwleidyddol, arallfydol a oedd yn ffynnu yn yr Almaen ar y pryd, meddai Eberhard Bethge, cofiannydd Dietrich Bonhoeffer:

> Hitler never forbade the preaching of *that* kind of gospel. Why should he? It didn't matter to him whether that was proclaimed or not. Forgiveness of sins was preached in such a way that the whole thing petered out to nothingness. The word about God's justice over against man was not taken in its very literal sense, and thus the original words lost their power to upset people ... The continual preaching of individualistic salvation became a robbery in our country.[27]

Dyma wraidd diwinyddol y tensiwn rhwng Bedyddwyr yr Almaen a'r Eglwys Gyffesiadol ar y pryd.

Y Cyffesion Ffydd

Cymysgedd o annealltwriaeth ac edmygedd a oedd yn tarddu o ddiffyg adnabyddiaeth o gefndir crefydd yr Almaen ac yn ffrwyth cymhwyso ati gategorïau a oedd yn gweddu i Ymneilltuaeth Cymru yn hytrach na Phrotestaniaeth sefydledig Ewrop, oedd agwedd Bedyddwyr Cymru tuag at yr Eglwys Gyffesiadol. Roedd hyn yn arbennig wir wrth drafod natur y cyffesion ffydd. 'Nid yw safbwynt yr eglwysi efengylaidd [sef yr eglwysi Protestannaidd tiriogaethol] yn rhyw apelio'n gryf atom ni fel Bedyddwyr', meddai 'Berwyn' ar 23 Tachwedd 1934, 'am eu bod yn sefydledig ac ynghlwm wrth gredo yn hytrach nag wrth ffydd [ond] y maent yn nes at galon Cristionogaeth, ni a gredwn, na'r archesgob, ac yn sicr y maent yn llai milwrol eu hysbryd a'u ffordd'.[28] Byddai John Myles o'r cyfnod Piwritanaidd, Enoch Francis a Joshua Thomas o'r ddeunawfed ganrif, a Titus Lewis, Christmas Evans a John Jenkins Hengoed o ddechrau'r bedwaredd ganrif ar bymtheg, yn gegrwth o feddwl y gallai Bedyddiwr awgrymu fod credo, yn ei hanfod, yn groes i ffydd. Roedd Cyffes Ffydd 1689 a'i Chalfiniaeth gyhyrog yn sylfaen i bopeth a wnaeth Bedyddwyr Cymru o'r dechrau, a'i llythyren wedi ei hargraffu ar bob llythyr cymanfa hyd at ddiwedd Oes Fictoria o leiaf.[29]

Peth diweddar iawn, ac yn ffrwyth rhyddfrydiaeth lac a'r ysbryd anniwinyddol, oedd y syniad y gellid cadw purdeb athrawiaethol heb ganllaw credo a chyffes ffydd. A dyna oedd safbwynt Protestaniaeth Ewrop o hyd. I Karl Barth, y Calfinydd o'r Swistir, a Dietrich Bonhoeffer, y Lutherydd o'r Almaen, nid eglwys mo eglwys heb gyffes ffydd. Nid casgliad o unigolion crefyddol yn ceisio byw eu bywydau yng ngoleuni dysgeidiaeth Iesu o Nasareth oedd eglwys, ond corff rheolaidd a wyddai'r hyn yr oedd yn ei gredu ac yn medru esbonio'r gred honno gydag eglurder i'r byd. Roedd i eglwys ei therfynau; roedd cynnwys deallusol pendant i'r hyn yr oedd yn ei harddel, ac yn yr argyfwng presennol roedd hi'n bwysicach nac erioed i dynnu'r gwahaniaeth rhwng gwirionedd a heresi yn ddi-ofn. Ond oherwydd unigolyddiaeth grefyddol, goddrychedd athrawiaethol a buddugoliaeth yr ysbryd di-ddogma, dyma rywbeth na allai Bedyddwyr y cyfnod ddim mo'i ddirnad mwyach. Ond eto roedd eu greddf yn dweud fod yr Eglwys Gyffesiadol yn ymladd o blaid egwyddorion a oedd o dragwyddol bwys. 'Nid disglair rhagolygon crefydd efengylaidd yn Germani', meddai 'Berwyn' ar 22 Chwefror 1935, 'am fod gwenwyn ffydd mewn hawlfreintiau hil yn hytrach na rhagoriaethau moesol wedi suddo i waed yr oes newydd yno'.[30] Ymhen chwech wythnos roedd degau o weinidogion cyffesiadol yn y carchar. 'Pery'r frwydr rhwng ffyddloniaid i'r grefydd Lutheraidd a chefnogwyr y grefydd wleidyddol newydd yn dra danbaid', meddai ar 12 Ebrill. 'Carcherir pedwar o wroniaid Lutheraidd mewn gwersyll yn Dachau ar hyn o bryd, sy'n brysur ddod yn ferthyron yng ngolwg eu brodyr ac adroddwyd gweddi ar eu rhan mewn 20,000 o eglwysi efengylaidd y Sul diwethaf drwy Germani'.[31] Ni charcharwyd yr un gweinidog Bedyddiedig am nad oedd eu neges nhw yn fygythiad gwladol o fath yn y byd.

Erbyn diwedd 1935 a dechrau 1936 roedd diddordeb yn helynt yr Almaen yn pallu. Roedd pethau eraill yn digwydd ar y cyfandir: Mussolini wedi ymosod ar Abyssinia, rhyfel cartref yn Sbaen, tra bod y dirwasgiad yn dal i beri dioddefaint gartref, yng nghymoedd Morgannwg yn arbennig, ac roedd y Blaid Genedlaethol yn protestio'n groch ynghylch bwriad llywodraeth Llundain i sefydlu ysgol fomio ym Mhenybeth ar benrhyn Llŷn. Roedd 'Berwyn', fodd bynnag, yn dal i gadw ei lygad ar ddatblygiadau'r Eglwys Gyffesiadol a'i gelynion, sef 'Y Cristionogion Almeinig'. 'Daw gwybodaeth i law eu bod yn darparu argraffiad o gyfieithiad newydd o'r Beibl a'i ferwi i lawr nes ei wneud i gyhoeddi efengyl Hitler', meddai ar 21 Chwefror 1936. 'Atgoffir ni o safbwynt y llongwr esgob Marcion yn yr ail ganrif a'i argraffiad cwta o'r Beibl am ei fod yn casáu'r Iddewon fel Hitler. Ni fu Beibl Marcion fyw yn hir, na'i blaid ... a dichon mai tebyg fydd ffawd Beibl a chrefydd y Nasïaid'.[32] Prin yw'r cyfeiriadau at y frwydr eglwysig wedi hynny. Ar 20 Mawrth lluniodd Gwili erthygl olygyddol brudd o dan y teitl 'Ar Fin y Dibyn' a oedd yn pryderu ynghylch y posibilrwydd arswydus bod rhyfel arall ar y gorwel, ond y sefyllfa gydwladol yn hytrach na'r helynt eglwysig oedd uchaf ar restr y blaenoriaethau.

Bu farw Gwili yn 64 oed ym mis Mai a mawr oedd y galar,[33] ac o Orffennaf ymlaen llanwyd cadair olygyddol *Seren Cymru* gan R. S. Rogers, gweinidog dysgedig Capel Gomer Abertawe a oedd, fel Gwili ac

M. B. Owen o'i flaen, yn ddiwinydd tra ryddfrydol.[34] Ychydig sy ganddo i'w ddweud am yr helynt eglwysig, a dim – er syndod – am 'y Tân yn Llŷn' pan gafodd un o'r disgleiriaf o'i gydweinidogion, Lewis Edward Valentine, ei gyhuddo, ar 7 Medi 1936, o greu difrod yn erbyn eiddo Ei Fawrhydi, a'i garcharu, ynghyd â Saunders Lewis a D. J. Williams, Abergwaun, am naw mis.[35] Yr unig sylw a roddwyd iddo oedd ymweliad Valentine â chymanfa ddirwest ym Môn ar 2 Hydref pan gyrhaeddodd yng nghwmni pump o blismyn.[36] Rhoddwyd y gorau i golofn 'Y Byd a'i Helynt' pan ddaeth Rogers yn olygydd (os Cernyw Williams oedd 'Berwyn', bu ef farw ym Mai 1937),[37] ac o hynny ymlaen ef ei hun, fe dybiwn, a fyddai'n ysgrifennu colofn 'Yr Wythnos'. Wrth grybwyll 'Y Bugail Niemöller' ar 19 Chwefror 1937, mae'n dweud: 'Efe yw arweinydd yr Eglwys Lutheraidd filwriaethus yn Germani, hynny yw, gwrthyd yn bendant â phlygu i Hitler ar faterion ysbrydol, a myn hawl i gredu yn, a phregethu athrawiaeth Cyffes Augsburg yn Germani. Hyd yn hyn llwyddodd i gadw ei bulpud er gwaethaf pob awdurdod gwladol am fod y gefnogaeth iddo gan y bobl mor aruthrol'.[38] A dyna hi.

Karl Barth

Daeth y sylw terfynol ar 2 Ebrill 1937, nid gan R. S. Rogers ond gan y colofnydd 'T.W.' yn ei 'Epistol o Lundain'. Gweinidog o Gymro ar un o eglwysi'r Bedyddwyr Saesneg oedd 'T.W.' a fyddai'n cyfleu yn wythnosol fwrlwm bywyd Eglwysi Rhyddion y brifddinas gan sôn yn aml am y cysylltiadau Cymraeg. 'Ymweliad Karl Barth' oedd y pennawd, yn nodi achlysur nodedig pan oedd Barth yn Llundain ar wahoddiad y Cynghrair Efengylaidd. Nid Almaenwr ond brodor o'r Swistir oedd Barth, a gafodd wahoddiad i ddychwelyd i Brifysgol Basle wedi iddo gael ei ystraddodi o'r Almaen gan Hitler yn 1935.[39] Bu'n allweddol yng ngweithgareddau'r Eglwys Gyffesiadol o'r dechrau, a'i gynnyrch ef oedd cyffes ffydd neu Ddatganiad Barmen. Bu'n ymweld â'r Alban yng ngwanwyn 1937 i draddodi darlithoedd enwog Gifford yn Glasgow ac Aberdeen, a threfnodd y Cynghrair Efengylaidd ginio arbennig iddo yn Llundain ar y ffordd adref i'r Swistir a'i wahodd i annerch ar sefyllfa Protestaniaeth yr Almaen. 'The struggle in Germany is a fight between the Church and a new religion', meddai. 'This new religion is represented by the state and by persons like Hitler and his friends. Never since the time of Mohammed has Christianity been so threatened as it is now in Germany'.[40] Yn ôl 'T.W.', a ddyfynodd o anerchiad Barth: 'Proffwyd i'w oes, fel Ioan Fedyddiwr o'i flaen, yn sicr yw Dr Barth'.[41] Ymhlith y gwahoddedigion oedd y Canon Talbot Rice yn cynrychioli'r Cynghrair Efengylaidd, W. R. Matthews, deon Eglwys Sant Paul, yr Athro Carnegie Simpson o Goleg Westminster, Caer-grawnt, R. H. Rushbrooke o Gynghrair Bedyddiwr y Byd, a John Hutton, golygydd y *British Weekly*. Mewn erthygl yn y *British Weekly* yn sgil yr ymweliad, aeth Barth at graidd y mater:

> The fact that 'freedom of conscience' and 'freedom of the Church' are approved in Britain and that all atrocities are detested and that these views find ready expression is well known in Germany, but it makes not the slightest impression on the National Socialists ... And the Confessional Church is not thereby helped because the fight is not about freedom but about the necessary bondage of the conscience, and not about the *freedom* but about the *substance* of the Church. It is about the preservation, rediscovery and authentication of the true Christian faith. It is not waiting to hear the voice of the British citizen saying once again what every stout Briton has been saying for many centuries, but ... the voice of the Church in Britain saying now what can only be said in the Holy Spirit, only in recollection of what the Holy Scriptures say.[42]

I Barth nid rhyddid oedd yn y fantol ond natur unigryw y datguddiad yng Nghrist. Nid oedd gair ynghylch rhyddid cydwybod na rhyddid i addoli yn Natganiad Barmen ond roedd ynddo apêl aruthrol at ufudd-dod costus i ddatguddiad sofran Duw yn ei Air. Brwydr ynghylch credu oedd yr ymgiprys eglwysig, brwydr o blaid diwinyddiaeth gadarn a chredo bur, nid brwydr ynghylch rhyddid. 'Dear brothers and friends in the Church in Great Britain', parhaodd:

> The only real help, apart from your prayers, which you can render the German Church would consist in this: in declaring with as much publicity and solemnity as was done in Barmen itself that in your conviction also, a conviction arising from Holy Scripture, [that] this statement ... is the right and necessary expression of the Christian faith for our day and therefore also *your* confession of faith.[43]

Yn ôl diwinyddiaeth y 'Cristionogion Almeinig', roedd iachawdwriaeth ar gael nid yng Nghrist ond yng ngwaed a phridd a hanes y genedl Almaeneg a'i *Führer* sef ei 'Harglwydd', Adolf Hitler. Yn ôl diwinyddiaeth bietistig, arallfydol a hanerog Bedyddwyr yr Almaen, roedd yr iachawdwriaeth yng Nghrist i'w chyfyngu i fywyd yr enaid unigol heb fod iddi oblygiadau radical i strwythurau'r gymdeithas seciwlar a gwleidyddol. Ond i'r Eglwys Gyffesiadol yr unig ddiwinyddiaeth iach oedd honno a oedd yn datgan sofraniaeth absoliwt Crist y Gair dros ei greadigaeth i gyd.

Y cymhwysiad cyfoes

Beth sydd a wnelo hyn â ni, Fedyddwyr Cymru yn 2008? Yn un peth, plant yr Eglwysi Rhyddion ydym ni, nid plant yr Eglwys Gyffesiadol. Mae'r syniad o gyffesu'n ffydd, heb sôn am gyffesion ffydd, wedi mynd yn ddieithr iawn yn ein plith. Ond y gwir yw nid Cristionogaeth mo Cristionogaeth heb gyffes. Cyffes sylfaenol yr eglwys yw 'Iesu yw'r Arglwydd,' dyma gyffes ein bedydd, ac ni fedr neb fod yn Gristion ar wahân i'r gyffes hon: 'Ni all neb ddweud "Iesu yw'r Arglwydd!" ond trwy'r Ysbryd Glân' (1 Cor. 12:3). Ac mae'r un peth yn wir am yr eglwys. Nid eglwys mo eglwys heb y gyffes hon. A does dim byd pietistig neu unigolyddol neu arallfydol amdani hi. Nid Iesu Grist yw *fy* Arglwydd ond Iesu Grist *yw'r* Arglwydd. Nid Iesu Grist yw'r hwn sydd wedi achub fy enaid allan o'r byd ond Iesu Grist yw Arglwydd y byd sy'n cynnwys fy enaid i ac eneidiau pawb arall a holl strwythurau seciwlaraidd y byd hwnnw yn ogystal. Oherwydd 'trwyddo Ef [sef Iesu Grist] y gwnaethpwyd pob peth ac hebddo Ef ni wnaethpwyd dim ar a wnaethpwyd' (Ioan 1:3); 'yr hwn [sef Iesu Grist] a wnaeth Efe [sef y Tad] yn etifedd pob peth, trwy yr hwn hefyd y gwnaeth Efe y bydoedd' (Heb. 1:2); 'canys trwyddo Ef [sef Iesu Grist] y crëwyd pob dim ar sydd yn y nefoedd ac ar y ddaear, yn weledig ac yn anweledig, pa un bynnag ai thronau, ai arglwyddiaethau, ai tywysogaethau, pob dim a grëwyd trwyddo Ef [sef Iesu Grist] ac ynddo Ef mae pob peth yn cyd-sefyll' (Col. 1:16-17). Arglwyddiaeth absoliwt yw hon p'un ai bod yn byd yn ei dderbyn neu beidio. Y gwir yw 'bod Duw yng Nghrist wedi cymodi'r byd – *y byd* – ag Ef ei hun, heb gyfrif iddynt eu pechodau', ac wedi ymddiried i ni, Gristionogion Cymru, air y cymod. Tasg efengylaidd yr eglwys yw rhannu'r newyddion da â phobl Cymru yn eu hanghrediniaeth ddigrefydd gyfoes: 'Cymoder chwi â Duw' (2 Cor. 5:19-21). Mae'n hen bryd i'r Eglwysi Rhyddion droi yn Eglwysi Cyffesiadol unwaith eto.

Ond beth am fusnes y gyffes yma? Gwrandewch ar Dietrich Bonhoeffer, yn siarad Saesneg oherwydd yn Saesneg yn dilyn ei ail ymweliad â'r Unol Daleithiau yn 1939 cyn dychwelyd i'r Almaen a'i garcharu a'i ddienyddio gan Adolf Hitler, y dywedodd y peth:

There can only be a church as a Confessing Church, that is as a church which confesses itself to be for its Lord and against his enemies. A church without a confession or free from one is not a church but a sect, and makes itself master of the Bible and Word of God. A confession is the church's formulated answer to the Word of God in Holy Scripture, expressed in its own words.[44]

Mae canrif a chwarter o ryddfrydiaeth ddiwinyddol wedi tueddu i'n gwneud ni yn feistri ar y Beibl ac yn farnwyr ar Air Duw yn lle bod Gair Duw yn feistr ac yn farnwr trugarog arnom ni. Ac mae sectyddiaeth bietistig sydd, ysywaeth, yn fwy amlwg yn y genhedlaeth hon nac yn y genhedlaeth a'm magodd i ac eraill, o dan y Prifathro D. Eirwyn Morgan, ym Mangor yn saith degau'r ganrif o'r blaen, yn gwanychu'r dystiolaeth broffwydol onid ei llwyr ddileu. Mae'r wir gyffes yn mynd i danseilio'r *status quo* a phob grymuster gwladwriaethol sy'n groes i fwriad creadigol Duw.

Dau ddyfyniad i orffen, nid gan Karl Barth na Dietrich Bonhoeffer ond gan ddau Fedyddiwr a roes fri ac urddas ar y weinidogaeth Gristionogol yn eu dydd. Martin Luther King yw'r cyntaf, a wyddai beth oedd ystyr cyffes gostus a thystio hyd yr eithaf: 'I am many things to many people; civil rights leader, trouble maker and orator, but in the quiet recesses of my heart, I am fundamentally a clergyman, a Baptist preacher'.[45] Ac yna, yn nes gartref, Lewis Edward Valentine, tywysog pregethwyr Cymru:

Does gennyf fi ddim diddordeb o gwbl mewn Cymru nad yw hi yn Gymru Gristnogol: Cymru baganaidd, Cymru rydd baganaidd, does gen i ddim diddordeb ynddi o gwbl. Yr unig Gymru yr wyf fi wedi ei hadnabod, a'r unig Gymru sydd wedi bod i'm tyb i, yw'r Gymru Gristnogol. Onid y genhadaeth Gristnogol a wnaeth Cymru yn genedl ar y cychwyn? A'r genhadaeth Gristnogol sy'n mynd i'w chadw hi yn genedl hyd byth, gobeithio.[46]

Tri Diwinydd
1. G. C. Berkouwer[1]

(2001)

Gan Alwyn Charles y daeth yr ysbrydiaeth. Roeddwn newydd gwblhau fy ngradd BA yn y Brifysgol ym Mangor a'r haf o fy mlaen cyn dychwelyd i'r Coleg Gwyn er mwyn dechrau ar gwrs y BD. Gwyddwn mai'r 'Athrawiaeth Gristionogol am Ddyn' fyddai'r maes ym mlwyddyn gyntaf y cwrs diwinyddol - 1976 oedd hi, ymhell cyn sôn am 'iaith gynhwysol' ac ymgyrchoedd y mudiad ffeministaidd - ac roeddwn yn awyddus iawn i wybod rhywbeth am y pwnc cyn dechrau ei drin yn swyddogol ym mis Medi. 'Darllenwch Berkouwer', meddai Alwyn Charles, athro Athrawiaeth Gristionogol ym Mala-Bangor (ac un o gymeriadau mawr ei genhedlaeth), pan ofynnais iddo sut y dylwn baratoi yn ystod misoedd yr haf. Ychwanegodd: 'Bydd y cwbl sydd arnoch ei angen yn ei gyfrol e'. Felly dyma fi'n gafael yn y gyfrol drwchus *Man: the Image of God* yn y llyfrgell, ei rhoi o dan fy nghesail ac adref â mi i Dreforus er mwyn ei darllen. Haf hirfelyn, tesog oedd yr haf hwnnw - haf godidog Eisteddfod Aberteifi - a dyna pryd y deuthum i yn un o edmygwyr mawr y diwinydd Berkouwer.

Gyrfa

Ganed Gerrit Cornelis Berkouwer yn yr Hâg, yr Iseldiroedd, yn 1903, i deulu â'i wreiddiau'n solet ym nhraddodiad eglwysig Diwygiedig ei wlad. Athro ysgol oedd ei dad, a maged y mab i fawrygu dysg *a* duwioldeb, a chredu, fel Calfin da, bod a wnelo sofraniaeth Duw â chynnal gwareiddiad yn ogystal ag achub yr enaid unigol. Astudiodd y clasuron, ieithoedd modern, hanes a mathemateg - y 'gymnasium' fel y'i gelwid - cyn cychwyn ar gwrs diwinyddol ym Mhrifysgol Rydd Amsterdam, y brifysgol Galfinaidd a sefydlodd y gwladweinydd Abraham Kuyper a fu'n cymaint ysbrydiaeth i wŷr fel Bobi Jones ac R.Tudur Jones yn ein gwlad ni. Yn ei gyfrol gyfareddol a gyfieithiwyd o dan y teitl *A Half Century of Theology: Movements and Motives* (1977), mae Berkouwer yn dwyn ar gof y trafodaethau bywiog a fu ymhlith ei gyfoeswyr ifainc yn y 1920au ar gymaint o faterion yn ymwneud â'r ffydd. Gŵr o'r enw Valentinus Hepp oedd ei athro diwinyddiaeth, Calfin caeth ei syniadau a rhesymoliaethol ei bwyslais, ond gan mai dyna etifeddiaeth Berkouwer yntau, ni welai ddim o'i le arno ar y pryd. Dim ond yn ddiweddarach y sylweddolodd fod gan ffydd ei rhesymeg ei hun ac nad oes rhaid iddi gydymffurfio ag unrhyw gyfundrefn athronyddol gaeth er mwyn bod yn ddilys. Perthynai'r athro a'r disgybl i'r *Gereformeerde Kerk*, sef y gangen Ddiwygiedig a ymneilltuodd oddi wrth yr *Hervormd Kerk*, neu Eglwys Galfinaidd sefydledig yr Iseldiroedd yn y bedwaredd ganrif ar bymtheg er mwyn gwarchod purdeb y ffydd. Ordeiniwyd Berkouwer yn weinidog pentref yn Ffrislan yng ngogledd y wlad yn 1927 cyn symud yn ôl i fugeilio eglwys yn y brifddinas a'i benodi yn olynydd i Hepp yng nghadair Athrawiaeth Gristionogol y Brifysgol Rydd yn 1945. Ac yno yr arhosodd, yn chwarae rhan flaenllaw ym mywyd ei enwad, ei brifysgol a'r eglwys ehangach - cynrychiolodd y *Gereformeerde Kerk* fel ei sylwebydd swyddogol yn Rhufain yn ystod sesiynau Ail Gyngor y Fatican yn 1962-5 - gan ymddeol o'i gadair yn 1970. Roedd y Cristion mawr hwn yn llenor toreithiog ac yn ddiwinydd gyda'r praffaf, a bu farw, yn hen ŵr 92 oed, yn 1996.

Torri ei lwybr ei hun

Fel dehonglwr o waith Karl Barth y daeth ei enw i sylw rhyngwladol gyntaf. Pan ddilynais ddarlithoedd R.Tudur Jones ar syniadaeth Gristionogol gyfoes yn 1973, cynghorodd ni i ddarllen cyfrol Berkouwer *The Triumph of Grace in the Theology of Karl Barth* (1956), fel yr arweiniad gorau a oedd ar gael y pryd hynny i feddwl y diwinydd enwog o'r Swistir. Roedd gwaith Barth yn cael ei fawr amau yn y cylchoedd efengylaidd a'i ystyried yn rhyw fath o ryddfrydiaeth gudd a pheryglus, ond roedd hi'n amlwg fod Berkouwer yn ystyried Barth yn gyd-Galfinydd diledryw er gwaethaf y beirniadaethau miniog a wnaeth arno yn ei lyfr o dro i dro. Dim ond yn ddiweddarach y deuthum i wybod fod yr Iseldirwr dysgedig hwn yn torri llwybr croes i duedd sgolastig ei eglwys ei hun, gan fynnu dod â'r Galfiniaeth glasurol i ganol y trafodaethau ecwmenaidd gyfoes. Bu'n feirniadol o'r rhesymoliaeth grefyddol a bwysleisiai rheswm ar draul ffydd, y ddeddf ar draul gras, a theorïau ynghylch diwallusrwydd geiriol yr Ysgrythur ar draul tystioleth fewnol yr Ysbryd Glân. Nid mater o dynnu casgliadau gwrthrychol ar sail ffeithiau a ddatgelwyd oddi fry oedd diwinyddiaeth iddo, ond yn hytrach mater o ymateb mewn ffydd i'r datguddiad yng Nghrist a hynny yn neinamig yr Ysbryd. 'He has released theology from the tyranny of logic', meddai rhywun, 'and set it within the freedom of faith'.

Geirwiredd y Gair

Gwelir hynny'n amlwg yn y gyfres hir a chyfoethog o astudiaethau ar themâu diwinyddol a gyhoeddodd o'r 1940au ymlaen. Ymddangosodd gyfrolau ar Gyfiawnhad (1949), Sancteiddhad (1949), Rhagluniaeth (1950),

Datguddiad (1951), Person Crist a'i Waith (1952 a 1953), y Sacramentau (1954), astudiaeth eithriadol ffres ar Etholedigaeth (1955), y Ddynolryw (1957), Pechod (1959-60), a'r Eglwys (1961-3). 'Studies in Dogmatics' yw'r teitl Saesneg, ac o'u cyfrif gwelaf fod pedair ar ddeg ohonynt ar fy silffoedd heb sôn am hanner dwsin o gyfrolau eraill o'i eiddo. Yr un gyfrol a fu'n fwyaf o gymorth i mi oedd *Holy Scripture* (1975). Trwy feistroli'i gynnwys - ac mae fy nghopi'n frith o danlinellu a nodiadau ymyl y ddalen - dysgais nad oedd dim rhaid cadw at y ffwndamentaliaeth feiblaidd a oedd *de rigeur* yn y cylchoedd y trown ynddynt ar y pryd, ond bod Duw wedi'i ddatguddio ei hun yn gwbl ddibynadwy trwy ddogfen gwbl ddynol ei gwead. 'Byddwn yn euog o gymylu dirgelwch yr Ysgrythur os anghofiwn mai trwy gyfrwng y dynol y daeth Gair cadarn Duw atom', meddai. 'Ni raid tynnu casgliadau ar dir rhesymeg cyn mentro cyffesu "Gair ein Duw ni a saif byth"'. Ffydd sydd ar waith yma, gyda rheswm yn ei hategu ond nid yn ei rheoli.

Ceisio a Chael

Yn 1990 pan oedd yn 86 oed, cyhoeddodd Berkouwer hunangofiant sylweddol o'r enw *Zoeken en Vinden* ('Chwilio a Chael'). Ni chafwyd cyfieithiad Saesneg hyd yn hyn. Mae'n gyfrol bwysig i'r sawl a fyn ddeall hanes Calfiniaeth yr Iseldiroedd yn ystod y ganrif sydd bellach wedi dod i ben. Ynddo mae'n crybwyll ei ofidiau yn ogystal â'i lwyddiannau, a fel y sylweddolodd fod y syniadaeth sy'n tarddu'n uniongyrchol o waith John Calvin lawer yn fwy agored, goddefgar a chreadigol na'r teip sy'n deillio o waith ei ddilynwyr ac a amlygwyd yn synod enwog yr Eglwys Ddiwygiedig a gynhaliwyd yn Dordtrecht yn 1618-9, sef y synod a roes i ni'r 'Bum Pwynt'. Treuliodd ei yrfa, yn enwedig o'r 1950au ymlaen, i ddadlau o blaid y cymesuredd a'r ysbryd catholig hwn, a defnyddiodd ei feistrolaeth ddigymar o holl fanylion y traddodiad Calfinaidd, i brofi'i bwynt.

Bellach mae'n fud, ond bydd ei weithiau cyfoethog yn golofn iddo o hyd a chadernid ei bwyslais yn ysbrydiaeth i'r genhedlaeth sy'n codi fel y bu i ŵr ifanc delfrydgar ar hyd yr haf tesog cofiadwy hwnnw gymaint o flynyddoedd yn ôl.

2. Franz Hildebrandt[2]

(2001)

Cof gennyf adeg y rhyfel glywed pregeth daer gan Franz Hildebrandt ar fudandod sofran Iesu gerbron Pilat, y distawrwydd a synnai'r rhaglaw yn fawr. Mae distawrwydd hwn yn codi cywilydd ar holl huodledd ein pregethwyr ac ar holl gywreinrwydd ein diwinyddion.

Pennar Davies biau'r atgof, ac roedd rhyw swyn yn yr enw'r pregethwr pan ddarllenais y paragraff hwn gyntaf flynyddoedd yn ôl, a phan afaelais mewn copi o esboniad Luther ar y Galatiaid mewn siop aillaw ym Mae Colwyn ychydig wedyn a'i agor, syndod oedd darganfod ffotograff o bregethwr clerigol yr olwg wedi'i gludo ar y wynebddalen a'r enw 'Franz Hildebrandt' wedi'i ysgrifennu'n daclus arno mewn inc glas. Ni wn sut gyrhaeddodd y llyfr na'r llofnod Fae Colwyn, ond mae ymhlith fy nhrysorau erbyn hyn! Roedd y darganfyddiad yn hynod, oherwydd trwy ddarllen cyflwyniad Luther i'w esboniad nid ar y Galatiaid ond ar y

Rhufeiniaid mewn seiat yn Aldersgate Street, Llundain, yn 1738, profodd John Wesley 'ei galon yn ymgynhesu'n rhyfedd', ac os bu i rywun gyfuno athrawiaeth Brotestannaidd Diwygiwr Wittenberg ag efengyleiddiaeth eirias John a Charles Wesley, Franz Hildebrandt oedd hwnnw. Po fwyaf y deuthum i wybod amdano, mwyaf y gyfaredd a'r rhin.

Ebargofiant

Erbyn hyn ychydig a glywodd sôn amdano. Gŵr a syrthiodd i ebargofiant yw Franz Hildebrandt, ond yn ei genhedlaeth bu ef, fel ei gyfaill Dietrich Bonhoeffer, ymhlith tystion mwyaf di-ildio i awdurdod Gair Duw yn wyneb pob gormes a thrais. Cyfoethogodd Gristionogaeth y pedair gwlad y bu'n byw ynddynt: Yr Almaen, lle'i ganed; Lloegr, lle bu rhaid iddo ddianc rhag y Natsïaid am fod ynddo waed Iddewig; Yr Alban, lle bu'n gweinidogaethu fel 'un o bregethwyr Mr Wesley'; a'r Unol Daleithiau, lle bu'n athro mewn coleg diwinyddol. Ac yna, mewn amgylchiadau digon chwithig, dychwelodd i'r Alban lle bu 'fel fy nghydymaith yr Apostol Paul, yn rhydd oddi wrth bob cyswllt enwadol a heb fod dan iau yr un awdurdod canonaidd'. Mae yna bathos yn y stori, a dewrder a phenderfyniad mawr, sy'n glod i unplygrwydd cymeriad gŵr na fynnai gyfaddawdu â'r hyn a ystyriai ef yn egwyddor bwysig. Ac fel y sylwodd Pennar Davies, roedd yr Almaenwr alltud hwn ymhlith pregethwyr Saesneg mwyaf trawiadol ei genhedlaeth.

Ganed Franz Hildebrandt yn Berlin yn 1909 a'i dad yn athro prifysgol. Iddewes oedd ei fam-gu, ac er iddo gael ei fedyddio'n blentyn, nid tan ei fod yn ddeuddeg oed y mynychodd oedfa Gristionogol drosto'i hun. Aed ag ef i'r eglwys gan ddwy fodryb oedd yn annwyl ganddo, a chyfareddwyd ef gan y leitwrgi Lwtheraidd a'r adrodd a fu yno ar stori'r efengyl. Ymdeimlodd yn reddfol mai yno yr oedd ei le, ac o hynny ymlaen bwriodd ei goelbren gyda'r Cristionogion. Bu'n athro ysgol Sul cyn cyrraedd pymtheg oed, ac adeg ei gonffyrmasiwn gwyddai ei Feibl ac emynau Paul Gerhardt yn drylwyr. Profiad eglwysig oedd profiad yr Hildebrandt ifanc, sef dod o hyd i'r ffydd trwy gyfrwng addoliad rheolaidd yr eglwys. Mae'n werth cofio hynny pan fo cynifer yn dibrisio'r ddisgyblaeth honno yn enw'r ymchwil am dröedigaeth gynhyrfus, unigolyddol. Fel ei gyfoeswr Bonhoeffer, troi am y weinidogaeth a wnaeth a'i hyfforddi ym Mhrifysgol Berlin. Ordeiniwyd ef ar 18 Mehefin 1933. Roedd Adolf Hitler eisoes wedi meddiannu grym.

Perygl

Mae hanes gwrthwynebiad Eglwys Gyffesiadol yr Almaen i unbennaeth y Natsïaid yn bennod arwrol yn actau apostolion yr ugeinfed ganrif. Testun ymffrost i Hildebrandt oedd iddo gael ei ordeinio ar y Sul olaf cyn i'r 'Cristionogion Almeinig' Natsïedig feddiannu'r eglwys Lwtheraidd i'w pwrpas nhw eu hunain. Un o'u hystrywiau oedd gwahardd pawb o waed Iddewig rhag cymryd unrhyw swydd eglwysig. Wythnos yn ddiweddarach ac y byddai Hildebrandt wedi'i rwystro rhag cael ei ordeinio. Roedd Bonhoeffer erbyn hyn yn gwasanaethu cynulleidfa o Lwtheriaid alltud yn Sydenham, Swydd Gaint, ac yn Nhachwedd 1933 ymunodd Hildebrandt ag ef. Ond ymhen tri mis fe'i galwyd yn ôl i fod yn gurad i Martin Niemöller ym mhlwyf Dahlen, Berlin, lle roedd y frwydr yn erbyn gormes y wladwriaeth yn poethi. (Daeth i'w ran ysgrifennu'r llyfr cynharaf ar Niemöller a gyfieithiwyd i'r Saesneg yn 1939 dan y teitl *Pastor Niemöller and his Creed*). O hynny ymlaen cymerodd ran flaenllaw yn 'Yr Ymgiprys Eglwysig' a holl weithgareddau'r Eglwys Gyffesiadol.

Bu'n bresennol yn synod Barmen ym Mai 1934 pan gyhoeddwyd y gyffes enwog 'Iesu Grist, fel y tystir iddo yn yr Ysgrythur Sanctaidd, yw'r unig un sy'n hawlio'n teyrngarwch mewn bywyd ac mewn angau', ac yn Nhachwedd 1936, wedi pasio Deddfau Nuremberg a oedd yn cyhoeddi erledigaeth gyhoeddus ar yr Iddewon, arestiwyd ef dros dro. Gan wybod fod ei fywyd mewn perygl, ymadawodd am Loegr gan ddod yn weinidog ar gynulleidfa yn Eglwys Lwtheraidd S.George yn nwyrain Llundain. Cyn hir symudodd i Gaer-grawnt ac yno y bu yn 1939 pan gyhoeddodd Brydain ryfel ar wlad ei enedigaeth.

Caer-grawnt

Ac yntau'n preswylio yng Nghaer-grawnt (ar wahân i'r adeg pan garcharwyd ef eilwaith, gan y Saeson y tro hwn, am ei fod, fel Almaenwr, yn fygythiad i ddiogelwch y Deyrnas Gyfunol), daeth i adnabod rhai o flaenwyr Eglwys Loegr: George Bell o Chichester, sef prif ladmerydd yr Eglwys Gyffesiadol ar fainc yr esgobion; William Temple a ddaeth yn 1942 yn Archesgob Caergaint; Max Warren, ficer Eglwys y Drindod Sanctaidd yn y dre; a'r heddychwr a'r gwyddonydd amlwg, y Canon Charles Raven a oedd yn Feistr Coleg Crist. Er i Raven ac yntau ddod yn gyfeillion, o ran safbwyntiau yr oeddent am y pegwn â'i gilydd. Roedd Duw Raven yn un mewnfodol, yn trigo oddi mewn i'r greadigaeth ac yn ei ddatguddio'i hun ym mhlygion y bersonoliaeth ddynol ac yn y darganfyddiadau gwyddonol diweddaraf. Nid pechadur, yn gymaint, oedd dyn ond cydweithiwr â Duw yn y dasg o fynegi rhinwedd cynhenid y natur ddynol. Roedd uniongrededd Gair-ganolog disgyblion Karl Barth yn wrthun ganddo, fel y mynegodd yn ei gyfrol finiog *Good News of God* (1943). Ond os oedd Raven wedi dod o hyd i Dduw *oddi mewn* i'r byd, roedd Hildebrandt wedi dod o hyd i Dduw *trwy herio'r* byd. Roedd ei ymateb i'w gyfaill, mewn perl o gyfrol sy'n dwyn y teitl *This Is The Message* (1944), yn ysgubol. Mewn deg llythyr yn seiliedig ar Epistol Cyntaf Ioan, mae'n herio naturiolaeth or-optimistig Raven yn finiog. 'My Dear Charles', meddai, gan ddadlau'n deg, yn ddiwenwyn ond yn ddi-feth ei ergyd, cyn terfynu, 'Yours ever, Franz'. Y sawl, meddai, yn eglwysi'r Almaen a groesawodd Hitler oedd y rhyddfrydwyr diwinyddol a fynnent ymddihatru oddi wrth y Gair am ei fod mor amrwd, anwyddonol a hen ffasiwn. Yr unig bobl a safodd yn ddigyfaddawd yn erbyn melltith y Drydedd Reich oedd yr obsciwrantiaid hynny - Niemöller, Bonhoeffer a Barth! - a fynnent arddel Gair Duw yn ei noethni cyntefig. Nid myth oedd yr Anghrist iddynt hwy ond realaeth, ac nid chwedl oedd yr atgyfodiad corfforol ond tystiolaeth unigryw i'r ffaith fod Duw ar waith yn creu o'r newydd – *de novo* – a thrwy hynny'n chwalu grym angau: 'The Continent has encountered the enemy in such a form that the experience inevitably expressed itself in apocalyptic terms and coloured our whole theological language ... You have your scientists, I have my Nazis to consider'. Heresi'r Natsïaid oedd chwilio am ddatguddiad mewn natur, ar wahân i'r datguddiad unigryw yng Nghrist, gan anghofio nad oes enw arall wedi'i roddi dan y nef. Onid Luther a ddywedodd, meddai, 'We know not God except through Christ, and we know not Christ except through the Holy Spirit'.

Ailordeinio?

Tramgwyddwyd Raven yn enbyd gan y llyfr digymrodedd hwn, ac oerodd y cyfeillgarwch rhyngddynt nes iddo ddiffodd. Erbyn hynny roedd Hildebrant yn briod â merch o'r Alban ac wedi penderfynu mai ym Mhrydain y dymunai aros. Roedd yn weinidog yr efengyl ac yn dymuno parhau i weinidogaethu. Ar un wedd byddai wedi bod yn naturiol iddo wneud hynny fel clerigwr Anglicanaidd ond golygai hynny'r rheidrwydd o gael ei ordeinio drachefn am nad oedd Eglwys Loegr yn cydnabod dilysrwydd urddau Lwtheraidd (fwy nag yr oedd yn cydnabod dilysrwydd ordeinio gweinidogion Anghydffurfiol). I Hildebrandt, roedd egwyddor bwysig yn y fantol. Onid ordeiniwyd ef yn weinidog cyflawn i Iesu Grist ar y Sul olaf cyn i'r Natsïaid feddiannu ei fam eglwys? Os nad oedd yr ordeiniad hwnnw yn ddilys, annilys hefyd oedd ordeiniad Bonhoeffer a Niemöller a Paul Schneider, a ferthyrwyd yn Buchenwald yn 1939, a lluoedd o rai eraill. Sectyddiaeth oedd hyn ar ran yr Anglicaniaid ac nid catholigiaeth Eglwys Dduw, sef yr egwyddor y safodd y Diwygwyr Protestannaidd mor eofn drosti. Ond erbyn hynny roedd ffactor arall ar waith. Roedd Hildebrandt wedi dod dan gyfaredd y ddau frawd Wesley, John a Charles. 'Of the Cambridge fathers whose names I ought to invoke, I can only feel at home with P. T. Forsyth a Bernard Lord Manning (dau Anghydffurfiwr)', meddai wrth Raven, 'and the only English poet I can quote is Charles Wesley'. Yn unol ag 'ysbryd catholig' John Wesley a oedd yn cydnabod dilysrwydd urddau'r Eglwys Lwtheraidd a phob cangen Brotestannaidd arall o Eglwys Crist, trosglwyddodd yr Almenwr ei deyrngarwch i'r Eglwys Fethodistaidd, ac yn 1946 dechreuodd ar gyfnod nesaf ei weinidogaeth fel 'un o bregethwyr Mr Wesley' ar Gylchdaith Caer-grawnt.

Symud

Os nad oedd y blynyddoedd nesaf mor gynhyrfus iddo, roeddent yn adeiladol iawn. Fel pregethwr y gwnaeth ei enw, un urddasol a mawreddog dros ben, a'i bregeth yn drwyadl ysgrythurol. Os oedd y ddiwinyddiaeth Brotestannaidd erbyn ail draean yr ugeinfed ganrif wedi ail-ddarganfod undod ac awdurdod y Gair, cafodd bregethwyr o galibr Franz Hildebrandt i'w drosglwyddo i'w cynulleidfaoedd. Er gwaethaf ei ymlyniad wrth ei enwad newydd a'i adnabyddiaeth drwyadl o'i athrawiaeth (fel sy'n hysbys o'i gyfrol ardderchog *From Luther to Wesley* (1951)), nid oedd mor gysurus gyda rhai o arferion ei deulu ysbrydol newydd. Nid da ganddo'r rheidrwydd ar i weinidogion symud bob tair blynedd ac roedd hi'n gas ganddo bregethu fwy nag unwaith bob Sul. Unwaith, ar fore Sul, y cyfarfu Cristionogion y Testament Newydd a dyna arfer Lwtheriaid y Cyfandir hefyd. Ni ellid disgwyl i bregethwr roi o'i orau petai'n gorfod paratoi am fwy na hynny. Ac un a fynnai roi o'i orau bob amser ydoedd. Symudodd ef a'i deulu o Gaer-grawnt i Gaeredin yn 1951 i ofalu am un gynulleidfa, sef Nicolson Square - yn lle oedfa'r nos ei arfer yno oedd cynnal dosbarth beiblaidd neu ysgol gân er mwyn trwytho'i bobl yn emynau Charles Wesley - a dwy flynedd yn ddiweddarach symudodd eto, i'r Unol Daleithiau y tro hwn, i fod yn athro diwinyddiaeth ym Mhrifysgol Drew, yn Madison, New Jersey.

Dadleuol

Pedair blynedd ar ddeg oedd hyd ei arhosiad yn Drew. Aeth i'r Amerig pan oedd crefydd yn ffynniannus, yr eglwysi'n llawn a muriau'r colegau diwinyddol yn bochio dan bwysau cynifer yr ymgeiswyr am y weinidogaeth. Ond os oedd y niferoedd yn fawr, bach oedd y sylwedd. Gwaith anodd oedd arddel safonau'r brodyr Wesley mewn diwylliant crefyddol bywiog ond bas. Anodd hefyd oedd dygymod â phragmatiaeth yn hytrach na glynu wrth egwyddor. Aeth pethau'n ddrwg yn y coleg yn sgil rhyw wleidydda mewnol, ac yn 1967 ymddiswyddodd Hildebrandt a dychwelyd i Gaeredin. Ond os oedd hi'n ddrwg yn New Jersey, byddai'n waeth ym Mhrydain Fawr. Erbyn hynny roedd y trafodaethau uno rhwng y Methodistiaid a'r Anglicaniaid yn mynd rhag blaen, a'r argoelion am undeb rhwng y ddau gorff yn debygol iawn. Ond ar delerau pwy? Ar delerau Anglicanaidd yn ôl Hildebrandt, ac fel un a ddewisodd Fethodistiaeth yn hytrach na gwadu dilysrwydd ei ordeiniad Lwtheraidd, ymrestrodd gyda gwrthwynebwyr y cynllun uno. Yr un ysbryd digyfaddawd a ddangosodd yn Berlin, yng Nghaer-grawnt ac yn Drew oedd ar waith drachefn. Nid gwrth-ecwmenydd oedd Franz Hildebrandt ac nid un a oedd yn amddifad o'r 'ysbryd catholig', chwedl John Wesley, ychwaith - sut allai rhywun o'i gefndir ef a ddewiswyd gan ei enwad yn gynrychiolydd yn Ail Gyngor y Fatican fod felly? - ond dyn a fynnai sefyll dros egwyddor ac yn erbyn cynllun meidrol. Ond oherwydd hynny troes yn *persona non grata* ymhlith hierarchiaeth ei eglwys ei hun, a phan wrthodwyd yr hawl iddo weithredu fel gweinidog dros dro ar gynulleidfa Bresbyteraidd Eglwys yr Alban, ymddiswyddodd o'r weinidogaeth Fethodistaidd. Ac o hynny ymlaen, hyd ei farw yn 1985, addoli fel un o blwyfolion di-sôn-amdano Eglwys yr Alban a wnaeth. Roedd hi'n sefyllfa anfoddhaol i un o bregethwyr a diwinyddion mwyaf ymroddedig yr Eglwys Fethodistaidd, a dweud y lleiaf.

Diau bod mwy i'r stori na hynny, ac i styfnigrwydd Hildebrandt a'i ddelfrydiaeth beri iddo weld pethau mewn termau rhy ddigymrodedd. Ond nid hynny sy'n bwysig bellach. O fwrw golwg dros ei fywyd ni fedrwn lai na rhyfeddu at ei ddisgleirdeb, ei ymroddiad a'i ffydd. Cafodd weld pethau mawr a bod yn rhan o symudiadau gyda'r mwyaf arwrol yn hanes Cristionogaeth yr ugeinfed ganrif. Ni chafodd Luther well disgybl - darllenner ei ymdriniaeth â'r Diwygiwr yn *From Luther to Wesley* ac yn y gyfrol bwysfawr os anhylaw *I Offered Christ: A Protestant Study of the Mass* (1967) - ac arhosodd cyfaredd John a Charles Wesley gydag ef hyd y diwedd. (Ailgyhoeddwyd ei *Christianity According to the Wesleys* (1956) yn 1996). O ran ei burdeb athrawiaethol, ei olygon eang, ei gydymdeimlad helaeth, ei syniad mawreddog am yr eglwys, a'i ymlyniad wrth sylwedd y ffydd, roedd yn ymgorffori yr hyn y mae rhai wedi'i alw yn 'gatholigiaeth efengylaidd'. Gresyn nad oes yna fwy yng Nghymru a fyddai'n arddel safbwynt tebyg i'w eiddo ef.

3. Geoffrey F. Nuttall [3]

(2008)

Ymhen wythnos o glywed am farw'r Parchg Brifathro E.Stanley John yn yr haf, daeth y newyddion am farw ysgolhaig arall o Annibynnwr, sef yr hanesydd sylweddol Geoffrey Fillingham Nuttall. Er mai Sais oedd Nuttall, serch iddo gael ei eni ym Mae Colwyn yn 1911, yr un flwyddyn â'i gyfaill clós Pennar Davies, bu'n gymwynaswr mawr i'r Cymry ac yn ffrind ffyddlon i ni ar hyd ei yrfa. Cyfrifai ymhlith ei gyfeillion Gymry amlwg, ac Annibynwyr fel Dafydd Ap-Thomas, R.Tudur Jones, W.T.Owen ac eraill, yn Fedyddwyr fel y Prifathro D.Hugh Matthews, a Methodistiaid fel y diweddar R.T.Jenkins (ysgrifennodd yn graff iawn ar ei waith) ac Eifion Evans, a fu'n fyfyriwr iddo, ac aeth ati nid yn unig i ddysgu'r Gymraeg ond i gyfrannu'n sylweddol at swm y wybodaeth am hanes ein gwlad. Roedd ei wreiddiau'n ddwfn yn nhraddodiadau gorau Ymneilltuaeth Lloegr, a phenderfynodd yn gynnar iawn mai i'r weinidogaeth y byddai'n mynd. Yn ysgol Bootham, Caerefrog, y cafodd ei addysg gynnar, sefydliad a gafodd ei redeg gan y Crynwyr, a byth ar ôl hynny, tuag at y Crynwyr a'r carfannau mwyaf radical o blith y Piwritaniaid y byddai ei ogwydd o ran crefydd yn tueddu. Yn Rhydychen, yng Ngholegau Balliol a Mansfield

– fel Pennar Davies yntau – y cafodd ei addysg uwch, a hynny o 1931 ymlaen, ac ar ôl cyfnod yn yr Almaen, ym Marburg, lle roedd yr ysgolhaig Testament Newydd Rudolf Bultmann yn teyrnasu, a chysgodion yr Ail Ryfel Byd eisoes yn tywyllu'r wybren, dychwelodd i Loegr a'i ordeinio'n weinidog yn Warminster yn 1938. Oherwydd ei bwyslais ar yr ysbrydol a'r mewnol, a chrefydd fel profiad yn hytrach na dogma, ni bu'n gwbl esmwyth ym Mansfield pan oedd Nathaniel Micklem yn brifathro yno, a phan gyhoeddodd ei waith mawr cyntaf, *The Holy Spirit in Puritan Faith and Practice* (1946), roedd hi'n amlwg ble roedd ei gydymdeimlad yn gorwedd. Un o'r pethau trawiadol ynghylch y gyfrol hon – a enillodd iddo radd DD gan Brifysgol Rhydychen ac yntau ond yn 34 oed – oedd y sylw ar roes i'r Piwritaniaid Cymreig (a Chymraeg), Walter Cradoc a Morgan Llwyd yn arbennig, yn ogystal ag i rai fel John Owen a John Howe. Hi yw'r arweiniad goleuaf a mwyaf diogel i waith y Piwritaniaid o hyd, a phan ailgyhoeddwyd hi yn 1992, roedd hi'n dal yn safadwy, clod anarferol i unrhyw waith ysgolheigaidd o'r fath.

Symudodd o Warminster i Selly Oak, Birmingham yn 1943, ac yno y cyfarfu â Mary, ei wraig, a oedd y Grynwraig selog, a dwy flynedd yn ddiweddarach aethant i Lundain pan benodwyd Nuttall yn ddarlithydd Hanes yr Eglwys yng Ngholeg Newydd yr Annibynwyr yno. Fel Pennar Davies a Tudur Jones, hyfforddi darpar weinidogion Annibynnol a wnaeth am weddill ei yrfa, ond fel hwythau cyfrannodd yn anhygoel at ysgolheictod ar yr un pryd. Daeth toreth o weithiau o'i law, gan fwyaf ar y traddodiad Piwritanaidd ac Ymneilltuol, cyfrolau ar Richard Baxter a Phillip Doddridge, heb sôn am ysgrifau di-rif a grynhowyd yn ei gyfrol gyfansawdd *The Puritan Spirit* (1967) a *Studies in English Dissent* (2001) ac, wrth gwrs, ei astudiaeth odidog ar eglwysyddiaeth Annibynnol, *Visible Saints: the Congregational Way, 1640-60* (1957). Roedd hanes crefydd yng Nghymru yn bwysig ganddo. Ysgrif ar Walter Cradoc oedd un o'i weithiau cynharaf, ac yn *The Welsh Saints* (1958), sef ymdriniaeth â'r Piwritaniaid Cymreig sy'n allweddol bwysig o hyd, ysgrifennodd yn helaethach ar Cradoc, Llwyd a Vavasor Powell. Ni chyfyngodd ei hun i'r ail ganrif ar bymtheg, nac i'r Piwritaniaid na'r Ymneilltuwyr chwaith, ac mae ei gyfrol *Howel Harris: the Last Enthusiast* (1974) yn astudiaeth dreiddgar, a dweud y lleiaf, ac yn un y mae'r Dr Geraint Tudur wedi talu clod haeddiannol iddi.

Ni fyddai rhestru ei weithiau yn awgrymu natur na maint ei gyfraniad i Gristionogaeth Ymneilltuol Lloegr a Chymru am oddeutu saith degawd. Yn ogystal â meddu athrylith fel hanesydd, roedd ganddo bersonoliaeth gref ac fel y Piwritaniaid gynt, credai mewn bod yn onest hyd at blaendra. Ond meddai athrylith at wneud cyfeillion hefyd, ac at eu cadw, a hynny am iddo fynnu eu cymryd nhw o ddifrif. Mae'r casgliad o'i lythyrau at Pennar Davies sydd bellach ynghadw yn y Llyfrgell Genedlaethol yn dangos ehanger ei gydymdeimlad yn ogystal â diffuantrwydd ei gyfeillgarwch, ac y maent yn ddogfennau pwysig nid yn unig at ddeall ei gymeriad yntau ond at ddirnad troeon Ymneilltuaeth yn y cyfnod anodd er yr Ail Ryfel Byd. Fel y bu'n anesmwyth yng Ngholeg Mansfield pan oedd Nathaniel Micklem yn dysgu Annibynwyr Lloegr i'w hystyried eu hunain yn blant Diwygiad Genefa ac yn ceisio ganddynt arfer ffurf-weddïau gosodedig a litwrgïau catholig, roedd yr un mor anesmwyth gyda'r symudiadau a esgorodd yn 1972 ar yr United Reformed Church ac at lawer o'r ecwmeniaeth a oedd yn ffasiynol ar y pryd. Nid heb betruster yr ymunodd â'r eglwys newydd, yn bennaf am iddi fawrygu ffurf ar draul mewnolrwydd yn ei dyb, a thueddu i fygu'r amrywiaeth a oedd, iddo ef, yn un o ffrwythau pennaf yr Ysbryd. Er nad oedd yn sectarydd o ran ei ysbryd, roedd ei gydymdeimlad â radicaliaeth Piwritaniaid yr ail ganrif ar bymtheg yn ei wneud yn amheus o bob tuedd at ganoli grym a diystyru'r elfen bersonol mewn crefydd. Perlau yw ei gyfrolau defosiynol: *The Holy*

Spirit and Ourselves (1947), *The Reality of Heaven* (1951), a *Better than Life: the Lovingkindness of God* (1962). Yma y gwelir naws ei dduwioldeb ar ei orau.

Er na chyrhaeddodd binacl yn y byd academaidd, sef cadair sefydlog yn un o'r hen brifysgolion, fel yr haeddai, roedd yn gyfysgwydd bob modfedd â haneswyr eglwysig cawraidd megis Owen Chadwick a Gordon Rupp. Mae'n dda cofnodi i Brifysgol Cymru ddyfarnu DD iddo yn 1969, a bu'n Is-Lywydd Anrhydeddus Gymdeithas y Cymmrodorion, ac, er 1991, yn Gymrawd yr Academi Brydeinig. Mae cof byw gen i amdano yn dod i annerch yng Ngholeg Bangor yng nghanol y 1970au, a rhyddiaith Gymraeg R.T.Jenkins yn destun ei sgwrs, ac eto, yn Rhydychen oddeutu 1980, pan ddaeth atom i Goleg Regent's Park ar wahoddiad ein prifathro, ei gyd-hanesydd y Dr B.R.White. Ac yna, tua phum mlynedd yn ôl wrth lunio bywgraffiad Pennar Davies, yr agosaf, bid siŵr, o'i gyfeillion Gymraeg, cefais ddiwrnod cyfan o'i gwmni yn y cartref hen bobl yn Bromsgrove lle roedd erbyn hynny yn byw, a'r atgofion y diwrnod hwnnw yn rhaeadru'n befriog ohono. Diwrnod bythgofiadwy i mi oedd hwnnw.

Bu farw Geoffrey Nuttall, yn 95 oed, yn Bromsgrove, ar 24 Gorffennaf 2007, a chynhaliwyd oedfa goffa iddo yn Nhabernacl Whitefield, Tottenham Court Road, Llundain, ar 16 Tachwedd 2007. Llywyddwyd gan y Dr Stephen Orchard, cymedrolwr yr United Reformed Church, a chymerwyd rhan gan y Dr Alan Argent, yn cynrychioli'r Ffederasiwn Gynulleidfaol, a Dr David Wykes ar ran Llyfrgell Dr Williams, sefydliad y bu Nuttall yn gysylltiedig ag ef ar hyd ei yrfa. Talwyd teyrngedau iddo fel academydd gan yr Athro Neil Keeble o Brifysgol Stirling, ac fel gŵr o grefydd gan yr Athro Clyde Binfield. Mae'n dda nodi bod cynrychiolaeth yno o Gymru i un a unodd, mewn modd hynod, Ymneilltuaeth Lloegr a Chymru, ac a bersonolodd bopeth a oedd yn nodweddiadol o ysbryd gorau'r Piwritaniaid gynt.

Pennod 7

Deugain Mlynedd o Ddiwinydda

(2015)

Rhoes crynhoi rhai o fy ysgrifau gwasgaredig ynghyd yn un gyfrol gyfansawdd gyfle i mi adolygu rhai o brif ddigwyddiadau fy mywyd hyd yma, a thafoli rhai o'r dylanwadau a fu arnaf. Mae'n syndod meddwl bod dwy flynedd a deugain (a mwy) wedi mynd heibio oddi ar i mi fentro'n fyfyriwr deunaw oed o Dreforus, Cwm Tawe, i Goleg Prifysgol Gogledd Cymru (fel yr oedd y pryd hwnnw) ym Mangor i ymbaratoi ar gyfer y weinidogaeth Gristionogol. Ni honnaf unrhyw arbenigrwydd i'r sylwadau hyn nac i'r ysgrifau blaenorol, ond eu bod yn ddiddorol i mi ac efallai i eraill, ac yn gofnod o gyfnod digon difyr, mi dybiaf, yn hanes diweddar Cymru. Wrth gyd-destunoli'r ysgrifau hyn galwaf i gof rhai o'r bobl a'r symudiadau a fu'n flaenllaw yn hanes crefydd Cymru yn ail hanner yr ugeinfed ganrif a llawer o'r awduron a'r meddylwyr a fu'n allweddol i foldio rhagdybiaethau fy nghenhedlaeth. Nid yr un byd yw byd 2015 â hwnnw oedd yn bod yn 1972, ond gall tremio'n ôl i'r Gymru fodernaidd, grefyddol, cyn bod sôn am globaleiddio, ôl-foderniaeth a datganoli, fodloni chwilfrydedd rhai a bod o fudd i chwilotwyr y dyfodol. Deallusol a syniadaethol fydd natur y sylwadau hyn. Ofer disgwyl am unrhyw ddadansoddi seicolegol treiddgar ar fy rhan. Maent yn dyst, fodd bynnag, i'r ffaith fod diwinydda wedi digwydd yng Nghymru yn ystod traean olaf yr ugeinfed ganrif ac yn parhau, mewn rhyw fodd neu'i gilydd, i mewn i'r ganrif hon.

Bwrlwm Bangor

Roeddwn yn gwybod cyn bod yn ddwy ar bymtheg oed mai gweinidog yr efengyl y mynnwn fod. Gan mai Bedyddiwr Cymraeg oeddwn, dim ond dau ddewis ydoedd: naill ai Coleg y Bedyddwyr yng Nghaerdydd neu'r Coleg Gwyn ym Mangor. Un o Ynys Môn oedd fy ngweinidog, y Parchg R. G. Roberts, ac yn gyn-fyfyriwr yn y Coleg Gwyn, a hynny, ynghyd â'r ffaith mod i'n gyfeillgar ag Eirian Wyn o Frynaman ac eraill, hwythau'n fyfyrwyr yno eisoes, a benderfynodd y dewis. A minnau wedi fy nerbyn yn ymgeisydd gan Gymanfa Bedyddwyr Gorllewin Morgannwg, cefais gyfweliad ar gyfer y coleg yn y caffé ar blatfform gorsaf Abertawe. Trefnwyd i mi gyfarfod yno, yng nghwmi R. G. Roberts, â'r Prifathro D. Eirwyn Morgan, a oedd newydd fod yn ymweld ag un o'r myfyrwyr, Tecwyn Ifan, yng ngharchar Caerdydd. Fel cynifer o'r myfyrwyr diwinyddol eraill, roedd 'Tecs' wedi treulio amser dan glo yn dilyn un o ymgyrchoedd Cymdeithas yr Iaith. Byddai brwydr yr iaith a bwrlwm y ffydd ynghlwm wrth ei gilydd trwy gydol y 1970au, ym Mangor o leiaf.

Iaith a llên Cymru oedd fy mhwnc gradd, gydag Astudiaethau Beiblaidd yn bwnc atodol yn y flwyddyn gyntaf a'r ail. Golygai hynny i mi gael mynychu cwrs yr Athro Bleddyn Jones Roberts, yntau ar ei flwyddyn olaf cyn ymddeol, ar yr Hen Destament, ac eiddo'r Parchg (nid oedd eto'n Ddoethor) Isaac Thomas ar 'Fywyd a Dysgeidiaeth Iesu'. Roedd Bleddyn Roberts yn ysgolhaig o fri rhyngwladol ac Isaac Thomas yn ddiwyd yn paratoi ei gyfrolau ysblennydd ar hanes y Beibl Cymraeg a enillodd iddo radd DD maes o law. Roedd y ddau ohonynt yn arddel traddodiad cyfoethog 'y Ddiwinyddiaeth Feiblaidd' a oedd mewn bri oddi ar y toriad â'r Ddiwinyddiaeth Ryddfrydol a ddigwyddodd yn y cylchoedd academaidd o'r 1930au ymlaen. Ond Cymraeg oedd fy mhwnc gradd, a hynny'n baratoad trwyadl ar gyfer fy astudiaethau diweddarach mewn

Diwinyddiaeth. Roedd cael fy nhrwytho yn y traddodiad llenyddol gan y Dr Gwyn Thomas (yr Hengerdd a Dafydd ap Gwilym), Mr (y pryd hynny) Gruffydd Aled Williams ar feirdd y Canol Oesoedd a llenorion y Dadeni Dysg, yr Athro (yn ddiweddarach) Bedwyr Lewis Jones ar emynwyr y ddeunawfed ganrif a beirdd fy nghanrif fy hun, a'r anghymharol Dafydd Glyn Jones ar ddramâu Saunders Lewis a rhyddiaith yr ugeinfed ganrif, yn wefr. Daeth Derec Llwyd Morgan atom o Aberystwyth yn 1974, a dysgu, ymhlith pethau eraill, gwrs ar lên y Methodistiaid a ddaeth yn sail ar gyfer ei gyfrol odidog *Y Diwygiad Mawr* (1981).

Fy nghwrs atodol yn yr ail flwyddyn, 1973-4, oedd 'Hanes y Meddwl Cristionogol' gan R. Tudur Jones, gŵr a gyfunodd ei waith fel Prifathro Coleg Bala-Bangor â darlithyddiaeth yn yr Adran Astudiaethau Beiblaidd. Rhwng popeth ni allai cyw hanesydd eglwysig – er na wyddwn ar y pryd mai dyna fyddai fy ngalwedigaeth academaidd – gael dechreuad gwell. Teimlwn yn feunyddiol mod i'n darganfod planedau newydd, ac ar ôl blynyddoedd digon llwm yn yr ysgol uwchradd – Ysgol Gyfun Pen-lan, Abertawe – roedd y cynnwrf hwn yn syfrdanol. Cydgerddodd y deffroad deallusol â deffroad ysbrydol a oedd yn digwydd ym Mangor (ac Aberystwyth) ar y pryd, ond gan mai cofnodi syniadau yw amcan y nodiadau hyn, ni ddywedaf nemor ddim am y gweithgareddau cenhadol tanbaid a oedd yn digwydd yn feunyddiol. Ar wahân i'r cyfarfodydd gweddi a'r astudiaethau beiblaidd a oedd yn cael eu mynychu (mae'n syndod meddwl erbyn hyn) gan ugeiniau lawer ohonom, y prif symbyliad i mi oedd cyfarfodydd nos Sul Coleg Bala-Bangor pan wahoddwyd siaradwr a ninnau'n trafod rhyw agwedd ar y ffydd. Yr un a adawodd ei ôl drymaf arnaf oedd gweinidog Eglwys Tŵr Gwyn yn y ddinas, y Parchg (Dr yn ddiweddarach) Elfed ap Nefydd Roberts. Trwyddo ef y sylweddolais am y tro cyntaf urddas y pulpud a chyfoeth defosiwn, ac mae ei gyfrolau ef ar y bywyd ysbrydol wedi bod yn gynhysgaeth i mi byth oddi ar hynny.

Pedair blynedd yn hytrach na'r tair blynedd arferol oedd hyd fy nghwrs gradd. Y rheswm am hynny oedd i mi, yn fy arddegau, orfod adfeddiannu'r Gymraeg a gollaswn yn blentyn wedi i mi ddychwelyd o'r Unol Daleithiau ddiwedd y 1950au. (Rwyn adrodd peth o'r stori yn *Dyddiadur America a Phethau Eraill* (2009)). I'r ysgol gynradd Saesneg y'm danfonwyd, a thrwy gydol fy mhlentyndod phrin iawn oedd fy Nghymraeg er mai Cymraeg oedd iaith y capel ac iaith ymddiddan mam-gu a nhad-cu ar yr aelwyd bob amser. Erbyn i mi droi'n bymtheg oed penderfynais nid oedd y sefyllfa hon yn foddhaol, ac er mai disgybl 'ail iaith' oeddwn yn yr ysgol uwchradd, ymhen fawr o amser deuthum yn weddol rugl. Ni chofiaf i mi siarad gair o Saesneg gyda fy mam o hynny ymlaen. Fodd bynnag, wedi cyrraedd Bangor roedd yr Athro Melville Richards, pennaeth yr Adran Gymraeg (a fu farw'n drasig yn 1973), yn gwbl bendant mai myfyriwr ail iaith oeddwn a bod rhaid treulio'r ail flwyddyn yn ymberffeithio mewn iaith roeddwn eisoes wedi'i meistroli'n weddol drwyadl yn barod. Roedd tri mis ar aelwyd groesawgar Bryn a Sulwen Davies ym Mharc, y Bala, yn hynod bleserus ond heb fod yn gwbl fuddiol, er iddo roi cyfle i mi brofi cyfoeth bywyd Penllyn, rhywbeth na fyddai wedi digwydd onibai am ofynion y cwrs ail iaith. Ailymunais â'r dosbarth anrhydedd yn 1974 ac erbyn i mi raddio yng Ngorffennaf 1976 roeddwn yn awchu i symud ymlaen at gwrs y BD.

Y myfyriwr diwinyddol

Fel paratoad dros yr haf, gofynnais i Alwyn Charles, athro Athrawiaeth Gristionogol yng Ngholeg Bala-Bangor, beth a ddylwn ei ddarllen er mwyn ymarfogi ar gyfer fy mlwyddyn gyntaf yn astudio Diwinyddiaeth ac awgrymodd un o gyfrolau Berkouwer, y Calfinydd o'r Iseldiroedd. Roeddwn eisoes wedi mynychu seiat wythnosol Charles yn ei gartref pan oedd ef yn tywys rhai ohonom trwy lyfr cyntaf *Institutio* John Calvin, a chael blas arno. Roedd y cwrs cyfan, pan ddechreuais arno ym mis Medi, yn llwyr wrth fy modd er gwaethaf fy anallu cywilyddus mewn Hebraeg a'm gwendid cynhenid mewn Groeg y Testament Newydd. Byddaf yn fythol ddiolchgar am amynedd dibendraw Gwilym H. Jones ac Owen E. Evans wrth fy nhywys ar hyd llwybrau dreiniog yr iethoedd hynny. Cyfran o Lyfr Genesis oedd y maes gosod mewn Hebraeg ac Epistolau Ioan – ganwaith yn haws! – mewn Groeg, gyda'r Epistol at y Philipiaid yn yr ail flwyddyn a rhannau o Efengyl Ioan yn y drydedd. Parch at y testun ac esboniadaeth fanwl oedd nod amgen llafur y ddau ysgolhaig gloyw hwn, a braint oedd cael fy nysgu ganddynt. Athrawiaeth Gristionogol, fel y dywedwyd, oedd pwnc Alwyn Charles, gŵr ffraeth a disglair a chanddo gariad dwfn at draddodiad Diwygiedig Genefa. Roedd ei farw annhymyg, yn hanner cant oed, chwap wedi'r Pasg yn 1977, yn ergyd i ni ei fyfyrwyr ac yn golled greulon i Pegi ei wraig a Dafydd ei fab. Un o Lanelli oedd Charles, yn gynnyrch Prifysgol Caerdydd ac, fel ei dri chyfoeswr nodedig Dewi Eirug Davies, E. Stanley John a John Heywood Thomas, wedi graddio'n BD yng Ngholeg 'y Presby' yng Nghaerfyrddin. 'Yr Athrawiaeth Gristionogol o Ddyn' oedd teitl gwleidyddol anghywir ei gwrs, er nad anghysurwyd neb gan y teitl ar y pryd, ond ei wir ddiddordeb oedd athrylith Diwygiwr Genefa. Er gwaethaf ei ymchwiliadau manwl yn y *Bibliotheque Publique* yng Ngenefa, ni chafodd gwblhau'r PhD ar John Calvin y cychwynnodd ei baratoi flynyddoedd ynghynt, ond roedd ei ymdriniaeth â'r diwinyddion 'Marwolaeth Duw' yng ngoleuni'r athrawiaeth Galfinaidd, yn arwydd o'r hyn a allai fod wedi deillio o'i ymchwil petai ef wedi cael byw.[1]

Er i mi gael budd o'm hastudiaethau beiblaidd, yn enwedig wedi dyfodiad Gareth Lloyd Jones atom yn 1977 yn olynydd i Dafydd Ap-Thomas (roedd Gareth wedi bod am amryw flynyddoedd yn dysgu'r

Hen Destament a Hebraeg yn Neuadd Ripon a Choleg Lincoln yn Rhydychen cyn dychwelyd i'w hen adran ym Mangor), Hanes yr Eglwys ac Athrawiaeth oedd fy ngwir ddileit. Yr un y cefais fy nghyfareddu fwyaf ganddo ar y pryd oedd R. Tudur Jones, Prifathro Bala-Bangor, ac un o'r haneswyr eglwysig gorau i Gymru ei chynhyrchu erioed. Gan i mi drafod ei gyfraniad yn *Cedyrn Canrif: Crefydd a Chymdeithas yng Nghymru'r Ugeinfed Ganrif* (2002), ni raid i mi nodi fawr fwy yn y fan hyn. Dilynais gymaint ag y gallwn o'i gyrsiau: y Diwygiad Protestannaidd, Piwritaniaeth yn Lloegr a Chymru, a Diwygiad Efengylaidd y ddeunawfed ganrif. Gan fod y cyrsiau hyn yn ymestyn dros dri thymor yr un, cawswn lawer iawn o'i gwmni ar hyd y tair blynedd. Meddai Dr Tudur allu cyfriniol i wneud i'r cyfan ddod yn fyw, hynny am fod y deunydd yn fwy na phwnc academaidd iddo ac yn destun argyhoeddiad ac angerdd. Roedd ef hefyd yn ffodus yn y ffaith fod ganddo ddosbarth helaeth o Gymry cenedlaetholgar a oedd mewn llwyr gydymdeimlad â'i syniadau. Er gwaethaf ein hedmygedd eithafol – rhy eithafol – ohono, oherwydd grym ei bersonoliaeth ni allai neb fod yn hyf yn ei gwmni.

Gwahanol iawn oedd E. Stanley John (neu 'Stan', fel roedd pawb yn ei alw). Ef a ddewiswyd yn olynydd i'w gyfaill agos Alwyn Charles. Yn frodor o Wdig, Abergwaun, bu'n weinidog ymroddgar yn Nhrimsaran, Clydach, Harrow yn Llundain, ac yn Llambed. Roedd ar fin symud i eglwys Bethlehem, Pwll-trap, yn ymyl Sanclêr, pan y bu farw ei ragflaenydd, ac fe'i rhyddhawyd fel y gallai lenwi'r gadair Athrawiaeth yng Ngholeg Bala-Bangor. Fel Charles roedd yn ysgolhaig gwybodus ac yn ddiwinydd wrth reddf, ac fel Gareth Lloyd Jones roedd wedi graddio yn Ysgol Diwinyddiaeth Iâl yn yr Unol Daleithiau yn ogystal â Phrifysgol Cymru. Fe'i taflwyd ef i mewn i'r bywyd academaidd heb gael fawr ddim amser i baratoi. Fel yn achos Dr Tudur, dilynais gymaint â phosibl o gyrsiau Stan: y cwrs gorfodol a oedd yn ein trwytho yn yr Athrawiaeth o Dduw, Person Crist a'r Drindod ym mlwyddyn dau, ac Athrawiaeth Iachawdwriaeth a'r Ysbryd Glân ym mlwyddyn tri, yn ogystal â'r ddau gwrs dewis, sef Diwinyddiaeth Calvin (a etifeddodd oddi wrth Charles) yn 1977-8, a Diwinyddiaeth Fodern yn 1978-9.

Stan, heb amheuaeth, oedd yr athro mwyaf cyfeillgar a fu gennyf erioed a'r un y cefais fwyaf o fudd o'i lafur ac o foddhad o fod yn ei gwmni. Ni bu ei fywyd yn esmwyth: collodd Laura, ei wraig, yn fuan wedi iddynt ymgartrefu ym Mangor, a gorfu iddo wynebu sawl gofid dwys. Barth a'r Brotestaniaeth glasurol oedd ei bethau, gyda diddordeb arbennig mewn diwinyddiaeth addoli. Cyhoeddodd ar y pwnc, er enghraifft ei ysgrif 'Y Mudiad Litwrgaidd' yn *Y Dysgedydd*, Mehefin 1965, a'i lyfryn *Beth yw Addoli?* yng nghyfres Cymru i Grist. Un cam o flaen ei fyfyrwyr ydoedd wrth ddysgu'r cwrs ar Calvin, ond o ran y cwrs gorfodol, a'r cwrs ar Ddiwinyddiaeth Fodern, dangosodd feistrolaeth ddigymar. Dull y seminar y byddai'n ei ddefnyddio, gan dynnu pawb i mewn i'r drafodaeth. Roedd hi'n ffordd ragorol o ddysgu, a dangosodd barch eithriadol at ein barn amrwd a gorgeidwadol ninnau. Y geidwadaeth honno a barodd i ni feddwl y gallai ef fod yn feiddgar iawn ar brydiau. Byddai'n ddi-ildio ar y dybiaeth o bosibilrwydd adferiad cyffredinol i bawb, nid am iddo ddibrisio realiti pechod ac anghrediniaeth, ond ar sail y ffaith fod aberth Calfaria yn rymusach o lawer nac unrhyw wrthwynebiad o du dyn. Gan Karl Barth y dysgodd hyn (er nad *universalist* oedd Barth ychwaith). Traethawd iddo ar Athrawiaeth y Drindod a enynnodd fy nghariad cyntaf at waith y diwinydd mawr o'r Swistir. Roedd darllen cyfrol gyntaf *Y Ddogmateg Eglwysig* yng nghyfieithiad clogyrnaidd G. T. Thomson, *The Doctrine of the Word of God*, yn f'ystafell dywyll yng nghefn hostel Bala-Bangor yng ngwanwyn 1977 yn ddigon i gipio fy anadl. Roedd fy nghalon yn cyflymu a'r adrenalin yn pwmpio wrth ymgodymu am y tro cyntaf ag ystyr ac arwyddocâd natur Duw fel trindod sanctaidd. Ni wyddwn y gallai tasg academaidd fod mor gyffrous. Cyflwynodd Stan fi unwaith i ddiwinydd o Sais fel 'my best ever student'! Gormodiaeth oedd hynny, ond yn arwydd o gynhesrwydd y cyfeillgarwch a ffynnodd rhyngom. Wedi i Bala-Bangor uno gyda Choleg Coffa Aberystwyth yn niwedd y 1980au i greu Coleg yr Annibynwyr Cymraeg, daeth yn brifathro arno, ond ym Mangor, rwy'n credu, y'i gwelwyd ar ei orau. Cedwais gyswllt ag ef ar hyd y blynyddoedd, ac mewn llythyr ataf yn Chwefror 1994 dygodd ar gof ddedwyddwch ein dosbarth gynt: 'Nid oes amheuaeth nad y dosbarth hwnnw oedd y gorau o ddigon a gefais fel darlithydd. Ni ellid wedi dymuno un gwell'.

Y Coleg Gwyn

Yn ogystal â dysgu Diwinyddiaeth fel gwyddor academaidd, yr oeddwn ym Mangor er mwyn hyfforddi ar gyfer y weinidogaeth. Y ddau a fu'n gyfrifol am yr hyfforddiant bugeiliol ac am ein gwreiddio ni yn y traddodiad Bedyddiedig oedd George John, athro Testament Newydd yng Ngholeg y Bedyddwyr, a'r Prifathro D. Eirwyn Morgan. Pregethwr yn anad dim oedd George, a'r pulpud oedd ei deyrnas. Gŵr bonheddig, diymhongar a swil, ond yn anghysurus tost wrth gyflawni ei ddyletswyddau academaidd. Er bod ei ysgolheictod yn ddi-fai, ni allai gelu'r ffaith iddo deimlo fel pysgodyn allan o ddŵr yn y byd academaidd. Poendod oedd bod yn athro coleg, a'i wir ddyhead oedd dychwelyd i'r weinidogaeth fugeiliol ond nid oedd ganddo'r ehofndra i wneud hynny. Hanes ac Egwyddorion y Bedyddwyr oedd ei bwnc swyddogol (er iddo ddysgu Testament Newydd trwy gyfrwng y Saesneg i fyfyrwyr y Gyfadran Ddiwinyddol), ond ni roes erioed mo'r argraff iddo fod yn gartrefol gyda'r gwaith. Gan mai'r Prifathro a fyddai'n dysgu Diwinyddiaeth Fugeiliol, ni chafodd rannu ffrwyth ei brofiad yn y maes hwnnw ychwaith. Er fy mod yn barchus ohono, ac yn edmygu coethder a diffuantrwydd ei bregethu, ni allaf honni iddo adael fawr o'i ôl arnaf mewn gwirionedd, ac mae hynny'n drueni am ei fod yn Gristion gloyw ac yn ddyn trwyadl dda. 'Yn ddiwinyddol', meddai Desmond Davies, 'safai'n ddigymrodedd yn y traddodiad Protestannaidd-efengylaidd, ac nid byth y gwyrai oddi ar ganol llwybr uniongrededd'.[2] Ond oherwydd ei swildod, ni chafodd fawr neb ohonom fudd o'i ymlyniad wrth y safbwynt hwn.

Nid dyn swil ond dyn afiach, ysywaeth, oedd y prifathro, D. Eirwyn Morgan. Rhedai anhwylder nerfol yn ei deulu, ac roedd ei afiechyd yn gysgod du dros fywyd y Coleg Gwyn bron trwy gydol fy nghyfnod i yno. Brodor o Saron, Llandybïe, ydoedd, ac yn un hynod o ran ei bersonoliaeth a'i ddoniau. Roedd yn ŵr gradd o Brifysgol Abertawe, Coleg 'y Presby' yng Nghaerfyrddin a Choleg Regent's Park, Rhydychen, a threuliodd dymor fel Cymrawd Ymchwil yn Union Seminary, Efrog Newydd. Bu'n weinidog tra diwyd ym Mancffosfelen lle cyfarfu â Mair, ei wraig landeg a hawddgar, ac yna yn y Tabernacl, Llandudno, cyn ei benodi'n athro yn y Coleg Gwyn yn 1967, ac yn brifathro flwyddyn cyn i mi gyrraedd. Athroniaeth Crefydd oedd ei bwnc er nad athronydd mohono. Doedd dim amheuaeth am ehangder ei wybodaeth nac ychwaith am rychwant ei ddiwylliant, ond oherwydd anian yr *activist* oedd ynddo – ymladdodd deirgwaith yn enw Plaid Cymru yn erbyn Jim Griffiths yn etholaeth Llanelli – a'i ddiddordeb ysol mewn newyddiaduraeth a materion cyfoes, nid ysgolheictod ffurfiol oedd ei *forté*. Mae arddull herciog, dyfyngar a *staccato Bedydd Cred ac Arfer* (1971), ei unig gyfrol academaidd, yn nodweddiadol ohono. Er yn gyforiog o wybodaeth werthfawr, nid yw'n llifo'n esmwyth na'i resymeg yn hawdd, bob amser, i'w dilyn. Fflachiadau a gaem yn ei ddarlithiau yn hytrach na naratif datblygedig ond mae'n bur debyg mai ei anhwylder oedd yn gyfrifol am hynny hefyd. Ymhyfrydai yn y Ddiwinyddiaeth

Ryddfrydol ac yn ehangder athrawiaethol traddodiad 'y Presby', ac er i hyn ennyn f'anghymeradwyaeth ar y pryd (ond nid eiddo fy nghydymgeiswyr yn y Coleg Gwyn), gwelaf erbyn hyn pa mor ddiffuant feiblaidd oedd ei gredo mewn gwirionedd. Er yn frodor o Saron, ym mhentref Pen-y-groes y'i maged, ac roedd yn drwyadl gyfarwydd ag efengyleiddiaeth boeth cylchoedd Rhydaman a'r Mynydd Mawr. Gwyddai fwy am y ffydd ddiwygiadol nag y gallwn innau wybod byth – mynych y soniai am D. P. Williams, 'Pastor Dan', sylfaenydd carismatig yr Eglwys Apostolaidd – ac roedd yn brofiadol o gryfderau yn ogystal â gwendidau y math yna o grefydd. Nid da ganddo mo'i philistiaeth na'i chulni, ond ni wadodd erioed wirionedd y ffydd efengylaidd. Mae'n arwyddocaol mai Ernest A. Payne, ei fentor yng Ngholeg Regent's Park, a'r hanesydd eglwysig Kenneth Scott Latourette, un o'i athrawon yn Union Seminary, oedd ei batrwm; dau Fedyddiwr eciwmenaidd, eangfrydig, a gyfunent ffydd syml yn y gwirioneddau beiblaidd ag optimistiaeth heulog y genhadaeth fyd-eang. Optimist oedd Eirwyn, yn ddiwinyddol ac yn wleidyddol, ac yn ymladdwr glew – 'Mae Eirwyn yn joio ffeit' meddai Mair unwaith! – ac enbyd oedd yr afiechyd tywyll a gymylodd a flynyddoedd olaf. Rwy'n fythol edifar na wnes ei adnabod ym mlynyddoedd ei anterth – ac mae'n debyg mai blynyddoedd ei weinidogaeth ym Mancffosfelen ('ar y Banc') ac yn Llandudno oedd hynny – na chael cyfle, wedi i minnau aeddfedu, i werthfawrogi cyflawnder gloyw ei dystiolaeth. Cyflwynais fy nghyfrol *Wales and the World: Historical Perspectives on Welsh Identity and Religion* (2008) er cof amdano.

Y gwmnïaeth

Pa mor ffurfiannol bynnag yw cyfraniad athrawon i ddatblygiad deallusol eu disgyblion, mae angen cyfoedion i sicrhau fod dysg yn cael ei threulio a'i chymhathu. Gogoniant Bangor yn y 1970au oedd bod yno gymuned fywiog o fyfyrwyr a oedd wrth eu bodd yn trafod pethau canolog y ffydd. Roeddwn yn ddwbl freiniol trwy berthyn i ddau do: cenhedlaeth 1972-6 pan oeddwn yn fyfyriwr yn yr Adran Gymraeg, a chenhedlaeth 1976-9 pan oeddwn yn astudio at y BD. Fel mae'n digwydd, elwais fwyaf o hyfforddiant y Coleg Gwyn yn ystod y cyfnod cyntaf. Er yn fyfyriwr yn y Brifysgol, byddwn yn mynychu'r dosbarth bugeiliol ar bnawn Gwener, y dosbarth pregethu ar noson waith, a'r cwrdd gweddi wythnosol ar fore Mawrth. Achlysuron pwysig oedd cyfarfodydd ordeinio fy nghyfeillion: Olaf Davies (a ddaeth yn weinidog arnaf flynyddoedd wedyn pan oeddwn yn aelod ym Mhenuel, Bangor) ym Mynachlogddu yng Ngorffennaf 1974; Eirian Wyn yn Hermon a'r Star yng Ngorffennaf 1975; Huw Tudur Jones (a gollwyd yn rhy gynnar o lawer yng Nghanada bell) yng Nghaersalem, Dyfed, yn yr un mis; ac Alwyn Daniels yn Llambed ym mis Hydref 1976. Ni chyfyngwyd y gymdeithas i Fedyddwyr yn unig. Ymhlith fy ffrindiau ym Mala-Bangor oedd Geraint Tudur, Robin Samuel, Euros Wyn Jones, Trefor Jones-Morris (y doniolaf o blant dynion), a Siôn Alun a gyrhaeddodd o Bont-lliw, heb fod ymhell o'm cartref yn Nhreforus, yn 1975.[3] Ymhlith ymgeiswyr am y weinidogaeth gyda'r Hen Gorff oedd Dafydd Job a Dei Rees Roberts. Cefais fudd deallusol aruthrol heb sôn am chwerthin llond fy mol o fod yng nghwmni Gareth H. Watts, a gyfunodd ei weinidogaeth yn Llanberis â'i yrfa fel ymchwilydd mewn Hebraeg o dan Gwilym H. Jones yn Adran Astudiaethau Beiblaidd y Brifysgol. Symudodd i'r Barri yn 1974 ac yn y 1990au i staff Coleg yr Annibynwyr Cymraeg. Bu farw yn 2011 ac mae hiraeth mawr ar ei ôl.

Ymhlith cyfoedion yr ail gyfnod yn nosbarth y BD oedd John Pritchard o Lanberis, y ddau frawd o Langian, Llŷn, sef John a Robert Roberts, Ifan Roberts (a ddaeth yn ysgrifennydd cyffredinol Eglwys Bresbyteraidd Cymru), Aneurin Owen o Abergele, John Glyn o Fangor, ac eraill. Erbyn hynny daethai Dewi Tudur, Eirian Wyn Lewis ac Emlyn Dole yn gyd-ymgeiswyr am y weinidogaeth yn Y Coleg Gwyn. Gallai'r dadlau rhyngom fod yn ffyrnig ar brydiau, ond yn ddigon cyfeillgar yn y bôn. Creodd asbri ac angerdd y blynyddoedd hynny gryn gwlwm rhyngom. Ar wahân i'r stafell ddosbarth, a chegin Bala-Bangor gyda'r nos, prif fforwm diwinydda oedd y Gymdeithas Gristionogol a ffurfiwyd yn 1974 (bydd gennyf fwy i ddweud amdani yn y man) a chyfarfodydd nos Sul Bala-Bangor. Gresyn i ni fynd yn gulach ein cydymdeimlad yn ystod y cyfnod, yn bennaf trwy ddylanwad caethiwus y Mudiad Efengylaidd ar raglen y cyfarfodydd nos Sul. Mae'n rhaid i mi gyfaddef fod yr un culni gormesol wedi andwyo fy nhystiolaeth innau tua'r adeg hon. Cymerodd flynyddoedd i mi ymryddhau oddi wrth yr agweddau negyddol a hunangyfiawn a dybiais oedd yn arwyddion gwir dduwioldeb a gras. Rwy'n gwrido o hyd wrth feddwl am hynny.

Rhag rhoi'r argraff mai crefydda a diwinydda oedd yr unig beth a wnawn, cymerodd y myfyrwyr diwinyddol eu rhan gyflawn ym mwrlwm cymdeithasol y Coleg ar y Bryn. I mi, yn sesiwn 1973-4, y daeth y cyfrifoldeb o olygu papur newydd y brifysgol, *Y Dyfodol*, a gwelaf o'r cofnod mai fi a gynhigiodd, gydag Edryd Gwyndaf o Landdarog yn eilio, y dylid diddymu Cymdeithas y Cymric (sef cymdeithas Gymraeg y brifysgol) a chreu yn ei lle undeb myfyrwyr Cymraeg a oedd yn annibynnol ar yr undeb Saesneg. Felly y crëwyd, yn 1976, Undeb Myfyrwyr Colegau Bangor, a minnau'n un o'i bwyllgor rheoli. Protestio a meddiannu adeiladau'r brifysgol a aeth â'n bryd, a hynny o'n canolfan mewn caffi – Caffi Deiniol – uwchben siop gwerthu bara ym Mangor Uchaf! Roedd y prifathro, Syr Charles Evans, yn benderfynol o barhau â'i bolisi o Seisnigo'r brifysgol a ninnau yr un mor benderfynol o'i Chymreigio, ac aeth y tensiwn yn annioddefol. Darllener y bennod ' "Ar anwadol donnau": Gwrthdaro ac Argyfwng, 1976-84' yng nghyfrol ardderchog David Roberts, *Prifysgol Bangor 1884-*

2009 (2009), i gael blas o'r cyfnod. Erbyn 1976 roedd Ann Bowen Harries, cyd-fyfyriwr â mi yn yr Adran Gymraeg, wedi dechrau ar ei gyrfa fel athrawes yn Ysgol Uwchradd Prestatyn, ac er nad oeddwn wedi cwblhau fy nghwrs Diwinyddiaeth, penderfynwyd y byddwn yn priodi. Cynhaliwyd y briodas yng nghapel Carmel, y Rhyl, ar 7 Ebrill 1977, gyda'r Parchg Ted Lewis Evans yn gweinyddu ac R. G. Roberts yn ei gynorthwyo. Fe'm derbyniwyd yn wresog i'r teulu gan ewythr Ann, sef Syr Ben Bowen Thomas, mewn araith ddifyr eithriadol yn y wledd briodas. Roedd Leslie Harries, tad Ann, awdur y gyfrol *Gwaith Huw Cae Llwyd ac Eraill* (1953), yn frodor o Ystalyfera, er ei fod yn byw yn Sir Fflint ers blynyddoedd gan ddilyn ei yrfa yno fel prif arolygydd ysgolion. Perthynai Enid, ei mam, i wehelyth Boweniaid Treorci. Y Parchg David Bowen, 'Myfyr Hefin', oedd ei thad. Roedd y prifeirdd Euros a Geraint Bowen, yn gefndryd iddi. Roedd Enid a'i chwiorydd felly, ac 'Wncwl Ben', yn Fedyddwyr o hil gerdd, felly dychwelyd at ei gwreiddiau enwadol a wnaeth Ann wrth ddewis fy mhriodi i. Roedd ein cartref cyntaf, 'Y Cilgwyn' ym mhentref Llysfaen, Bae Colwyn, ac yng nghapel bach Tabor y bedyddiwyd Ann, trwy drochiad, yn 1978.

Un o brif fendithion y cyfnod dedwydd a dreuliasom yn Llysfaen oedd cael dod i adnabod y Parchg Lewis Valentine. Byddai'n dod atom i bregethu yn y capel bach yn gyson. Oedfa bnawn Sul a gynhaliwyd yno, ac roedd y gymdeithas, er yn fach, yn hynod groesawus a chynnes. Pregethai Mr Valentine yn feiblaidd, yn goeth, ac yn aml iawn yn ysgubol, ac er ei fod ymhell yn ei bedwarugeiniau, roedd gwir eneiniad ar ei bregethau yn y cyfnod hwn. Cofiaf i mi ei holi yn gyson ynghylch Mr Saunders Lewis. 'Mae Saunders yn meddwl fod Cymru wedi'i wrthod', meddai, 'ond yr ydych chi a'ch cenhedlaeth yn dangos nad dyna sydd wir'. Roeddwn yn awyddus hefyd i wybod am ei ffurfiant athrawiaethol. 'Gwir wefr i mi fel gweinidog ifanc oedd dod o hyd i waith Brunner a

Barth', meddai. Mae'r bennod 'Y Proffwyd ymhlith y Praidd' yn *Cedyrn Canrif*, a'r cyfeiriadau ato yn *Barth Reception in Britain* (2010), yn seiliedig nid yn unig ar ymchwil yn y ffynonellau gwreiddiol, ond yn deyrnged i'r seiadau cyfoethog a gawsom ar brynhawniau Sul yn Llysfaen, a sgyrsiau yng Ngholwyn ar ddiwedd y 1970au.

Anelu am Rydychen

Am flwyddyn a hanner felly, tra âi Ann i'w gwaith ym Mhrestatyn, anelu nôl am Fangor a wnawn i yn feunyddiol er mwyn cwblhau gradd y BD. I'r weinidogaeth y mynnwn fynd ond roedd gen i awydd hefyd i wneud gwaith academaidd pellach. Cyn cwblhau'r BA roedd Derec Llwyd Morgan wedi pwyso arnaf i ddilyn cwrs gradd meistr yn Adran y Gymraeg. Aeth mor bell â chynnig testun i mi, sef y mythau crefyddol yng ngwaith y Methodist Robert Jones Rhos-lan. Tua'r un pryd cymhellodd Eirwyn Morgan fi i beidio ag aros ym Mangor i wneud y BD ond i fynd i'w hen goleg sef Regent's Park ac ymrestru ar gyfer gradd baglor yn ysgol anrhydedd Rhydychen (*Schools* fel y'i gelwid), a fyddai'n arwain yn awtomatig at radd MA. Nid oedd y naill awgrym na'r llall yn tycio. Roeddwn wedi rhoi fy mryd ar aros ym Mangor i gwblhau'r BD. Y gŵr a dorrodd y ddadl oedd Gareth Lloyd Jones. 'Bydd angen athrawon yng Ngholeg y Bedyddwyr ar ôl dyddiau George John ac Eirwyn Morgan', meddai, wrth dddychwelyd traethawd i mi ryw fore. 'Dylech fynd i Rydychen i astudio ar gyfer gradd uwch'. (Fel yr oedd yn digwydd, roedd fy nghyfaill Geraint Tudur wedi gwneud union yr un peth yn 1975.) Mentrais fynd at R. Tudur Jones – roedd Eirwyn Morgan yn yr ysbyty ar y pryd yn dioddef o un o'i byliau o iselder – ac agorodd ef y ffordd i mi yn ddiymdroi. Ysgrifennodd at B. R. White, prifathro Coleg Regent's Park (a oedd fel Dr Tudur yn hanesydd eglwysig yn arbenigo ar gyfnod y

Piwritaniaid), a threfnwyd i mi fynd ato am gyfweliad. Cofiaf hyd y dydd hwn yr olwg gyntaf a gefais ar y ddinas gyfareddol a'i thyrau mawreddog o'r ffordd sy'n arwain o Swindon, ac aeth ias trwof. Ni freuddwydiais fyth y cawn y fraint o fynd yno. Ond felly y bu. (Digwydd i mi gyfarfod y pnawn hwnnw, ar y brif ffordd, sef yr *High*, â'r Athro Idris Foster, yntau wedi ymdaclu yn holl ogoniant ei wisg academaidd – rhaid ei fod wedi bod yn cynnal arholiad yn yr *Examination Schools* – a mentrais ei gyfarch yn Gymraeg. Ymfywiogodd trwyddo, holodd pwy oeddwn ac o gael gwybod, cynghorodd fi i ddarllen *Hanes y Bedyddwyr yng Nghymru* (1778) gan Joshua Thomas, 'un o glasuron rhyddiaith Gymraeg'!) Erbyn Awst 1979, gydag ysgoloriaeth yr Academi Brydeinig yn nawdd, roedd Ann a minnau yn anelu o Lysfaen i deulio tair blynedd hynod ddifyr yng nghanol dinas a phrifysgol hynafol Rhydychen.

Angus House, sef llety myfyrwyr priod Coleg Regent's Park, oedd ein cartref. Mae'r coleg wedi'i leoli ar St Giles, drws nesaf i Pusey House, canolfan yr Eingl-Gatholigion, a chyferbyn â Choleg Sant Ioan. Mae cofgolofn y merthyron Protestannaidd yn ymyl – fe'i codwyd yn Oes Fictoria i brotestio yn erbyn dylanwad andwyol Newman, Pusey, Keble a'u cyfeillion ar y brifysgol – ac mae Coleg Balliol gerllaw. Braidd na allwn fod yn nes i'r canol. Ni fu diwrnod pan nad awn i ganol y ddinas, naill ai i weithio yn Llyfrgell Bodley, neu i'r Llyfrgell Geltaidd yng Ngholeg Iesu, neu i fodio cyfrolau newydd yn siop Blackwell, neu i ddod o hyd i fargeinion ail-law yn siop Thornton ar y *Broad*. Awn i wag-swmera gyda'r nos ar hyd llwybrau'r ddinas gan ddychwelyd bob tro heibio i Eglwys Fair, lle gwefreiddiodd John Henry Newman ei gynulleidfaoedd wrth bregethu yn yr 1830au a chreu chwyldro catholig yn Eglwys Loegr yr un pryd, a thrwy Sgwâr Radcliffe, a thyrau Coleg yr Holl Eneidiau ar y naill du a muriau castellog Llyfrgell Bodley ar y llall. Ni phallodd y gyfaredd fyth, ac af fi nôl i Rydychen ar yr esgus lleiaf o hyd. Tra wnawn i hyn, byddai Ann yn mynd yn feunyddiol i'w gwaith yn Woodstock, un o drefi bychan tlysaf y Cotswolds. Fe'i penodwyd yn syth o Brestatyn yn bennaeth cerdd yn Ysgol Uwchradd Marlborough, ac yno y bu, rhwng 1979 ac 1982, yn pwnio diwylliant i bennau gwerinol plant Woodstock, Bladon a'r pentrefi cyfagos. Cafodd y ddau ohonom, felly, brofiadau cyfoethog odiaeth trwy gydol y cyfnod hwnnw.

'Y Tyrau Breuddwydiol'

I lawer, y coleg yw canolbwynt y profiad Rhydychennaidd, ond i mi y brifysgol ei hun, a'r cyfleoedd a ddaeth yn ei sgil, oedd bwysicaf. Wedi saith mlynedd ym Mangor, nid oedd gan Regent's fawr ddim newydd i'w gynnig, ac er mor solet oedd ysgolheictod B. R. White, fy nghyfarwyddwr ymchwil, nid oedd ganddo na'r ehangder na'r dyfnder a gefais eisoes gan ei gyd-hanesydd eglwysig, R. Tudur Jones. A beth bynnag, roedd fy argyhoeddiadau craidd eisoes wedi'u ffurfio. Rwy'n gobeithio nad rhagfarn oedd yn gyfrifol am y ffaith imi ei chael hi'n anodd closio at Saeson y coleg; tynnwn yn hytrach at y tramorwyr, D.K.Sahu o'r India a Monju ei wraig, Phil Roberts o Louisville, Kentucky, a Karl Fech o Ganada, a Rita, ei briod. Pan gyrhaeddodd Iwan Russell-Jones yn 1980, bu rhaid i Goleg Regent's Park ddechrau arfer â chlywed Cymraeg! Cymro oedd Iwan, wedi graddio eisoes yn Llundain ac ym Mhrifysgol Aberdeen, ac wedi'i fagu ar aelwyd Gymraeg yn Rhisga, Gwent. (Roedd trydydd Cymro Cymraeg hefyd, Siôr Coleman - o Coventry o bob man - â'i wreiddiau ym Maldwyn ac yn perthyn i Ambrose Bebb). Yng Nghymdeithas Dafydd ap Gwilym y gwneuthum fy nghyfeillion gorau serch hynny, a Huw Pryce a Rhidian Griffiths, hwy'll dau o Goleg Iesu, yn bennaf yn eu plith. Penodwyd Huw i Adran Hanes Bangor, ac ef bellach yw'r Athro Hanes Cymru yno ac yn gwbl deilwng o fod yn olyniaeth Syr John Edward

Lloyd. Aeth Rhidian i swydd bwysig yn y Llyfrgell Genedlaethol ac mae wedi cyfrannu'n helaeth i fyd emynyddiaeth a hanes cerdd.

Er gwaethaf popeth a ddysgais ym Mangor, ni wyddwn fawr ddim am fanylion hanes yr eglwys rhwng diwedd yr Oes Apostolaidd a dechrau'r Diwygiad Protestannaidd. Roedd hi fel petai'r wir stori wedi dechrau gyda Martin Luther yn hoelio'r 95 thesis ar ddrws Eglwys y Castell yn Wittenberg yn 1517 – beier Dr Tudur ac Alwyn Charles am hyn! Roeddwn yn awchu am gael llenwi'r bwlch, a'r peth cyntaf a wneuthum oedd mynychu darlithoedd Maurice Wiles, yr Athro Brenhinol mewn Diwinyddiaeth, ar hanes y Tadau Eglwysig Cynnar. O ran ei safbwynt personol, rhyddfrydwr eithafol oedd Wiles – cyfrannodd bennod i'r gyfrol radicalaidd honno *The Myth of God Incarnate* (1977) – ond fel dehonglydd diwinyddiaeth y canrifoedd cynnar, roedd yn glir fel y grisial. Ni bu'n hir cyn i mi ddechrau pori yng ngweithiau Athanasiws, Irenaeus, Cyprian, Tertwlianos ac yn bennaf oll, Awstin Fawr, a chael fy llwyr swyno ganddynt. Roedd fy efengyleiddiaeth amrwd eisoes wedi troi'n Galfiniaeth ym Mangor; bellach troes yn Awstiniaeth glasurol. Dechreuais hefyd, o fy mhen a mhastwn fy hun, weithio fy ffordd trwy gyfrol gyntaf *Dogmateg Eglwysig* Barth. Roedd cyfieithiad Geoffrey Bromiley, *Church Dogmatics* 1/I (1975), bellach wedi disodli fersiwn clogyrnog G. T. Thomson, *The Doctrine of the Word of God*, y darllenaswn gyda chymaint o awch ychydig flynyddoedd ynghynt. Gwaith caled oedd – ac yw! – darllen Karl Barth, ond os oes un diwinydd sydd wedi fy ysgwyd i'r sail, Barth yw hwnnw. Bydd gen i fwy i'w ddweud amdano yn y man.

Ar wahân i Hanes yr Eglwys, fy mhrif ddiddordeb (fel sy'n amlwg) oedd natur a datblygiad yr athrawiaeth Gristionogol. Trwy hyfforddiant Stan John, roeddwn eisoes yn gyfarwydd â phrif rediad diwinyddiaeth yr ugeinfed ganrif, ac un o ddehonglwyr medrusaf y safbwynt cyfoes oedd John Macquarrie, yr Athro Lady Margaret mewn Diwinyddiaeth, ac fel Maurice Wiles, yn glerigwr Anglicanaidd ac yn ganon Coleg Eglwys Crist. Sgotyn oedd Macquarrie a dreuliasai rhai blynyddoedd yn Union Seminary, Efrog Newydd, felly roedd llediaith Americanaidd ar ei acen Albanaidd. Roeddwn yn gyfarwydd – trwy gymhelliad Alwyn Charles – â'i *Principles of Christian Theology* (1966) a ysgrifennwyd o safbwynt dirfodaeth Gristionogol Rudolf Bultmann. Bûm yn ddigon hyf i ofyn a gawn i ymuno â'i seminar ymchwil ar Gristoleg cyfoes. Cefais rwydd hynt ganddo, ac am dymor cyfan ymlafniodd tua dwsin ohonom trwy gyfrol drwchus y Pabydd Edward Schillebeeck *Jesus: an Experiment in Christology* a oedd newydd ei chyhoeddi ar y pryd. 'Is this a lasting contribution to the discipline?' gofynnodd ar ddiwedd y gyfres, a ninnau wedi ymroi am oriau bwy'i gilydd i'w feistroli: 'I think not!', meddai. *Minimalism* athrawiaethol oedd ffasiwn y 1970au, yn Rhydychen o leiaf. Roedd Cristoleg naturiolaidd, undodaidd *The Myth of God Incarnate* yn ddylanwadol o hyd. Ond erbyn y cyfnod hwn roedd Macquarrie, yn wahanol i Wiles, wedi adweithio'n bendant yn ei erbyn. Diddorol yw darllen ei sylwadau ei hun:

> In my earlier writings, I think I was usually on the side of the liberals. But now, it seemed to me, the faith was being so much reduced and humanized that it was necessary to take a stand on the central beliefs of traditional Christianity. The same spirit animated my *Paths in Spirituality* (1972). A reviewer in *The Scotsman*, welcoming the defence I offered of prayer and religious practices, said that it came from 'a man frightened by the emptiness he saw looming up in the "New Theology"'. I would not quarrel with that judgement.[4]

Un o uchafbwyntiau fy nghyfnod yn Rhydychen oedd cael perthyn i'r seminar ar Gristoleg, ac elwa o hynawsedd Macquarrie, ei gydymdeimlad eang a'i garedigrwydd mawr.

Diwinyddion Anglicanaidd oedd Wiles a Macquarrie a phrifysgol Anglicanaidd oedd Rhydychen, a thrwy gydol f'amser yno mewn eglwysi Anglicanaidd y byddwn yn addoli. F'unig gyswllt ag addoli Bedyddiedig oedd nid capel New Road, sef eglwys leol y Bedyddwyr, ond capel Coleg Regent's Park lle cynhelid oedfa gymun cyn *formal hall* bob nos Wener. I St Ebbe's yr awn yn rheolaidd, cynulleidfa isel-eglwysig, draddodiadol a'i phregethu yn efengylaidd ei bwyslais. Yno y dysgais werthfawrogi litwrgi fawreddog Cranmer yn y Llyfr Gweddi Gyffredin; y colectau ysblennydd, y Te Deum a'r Gloria, y Gyffes Gyffredin a'r Weddi o Ddiolch. Mentrais allan, fesul tipyn, i eglwysi mwy 'uchel': Eglwys Mair Fadlen a'i huchel offeren gyda chlychau ac arogldarth; capel Pusey House; Eglwys Mair Forwyn – hen eglwys Newman – ar Suliau yn y tymor i wrando ar bregeth y brifysgol. Yno y clywais am y tro cyntaf ddiwinydd ifanc o Gaer-grawnt o'r enw Rowan Williams; roeddwn wedi sylwi ar ei enw yn y cylchgronau diwinyddol Saesneg lle byddai'n dyfynnu Waldo Williams a Saunders Lewis. Un o bregethwyr cyson St Ebbe's oedd yr Esgob Stephen Neill, gŵr teimladwy a chanddo bersonoliaeth garismatig, na allai sôn am aberth y groes heb i ddagrau ddod i'w lygaid. Un o gewri'r Mudiad Eciwmenaidd ydoedd, ei brif hanesydd,[5] un a fu'n efengylydd, yn genhadwr ac yn un o esgobion cyntaf Eglwys De India. Yr hyn oedd yn destun syfrdandod i mi oedd bod y ffydd efengylaidd yn Rhydychen – oherwydd eglwys a gymeradwyid gan yr UCCF, sef cymdeithas efengylaidd y prifysgolion, oedd St Ebbe's – yn ddigon eang i gynnwys eciwmenydd mor ddiamwys â Stephen Neill heb fod *neb* yn breuddwydio bod dim byd o'i le ar hynny. Yn wir, un o ffefrynnau St Ebbe's oedd yr esgob, ac y byddai'r gynulleidfa geidwadol honno wrth ei bodd yn gwrando arno.

Adleoli fy hun

Dyna, mae'n debyg, oedd y peth mwyaf trawiadol o ran fy natblygiad diwinyddol (ac ysbrydol) yn Rhydychen. Trwy gydol blynyddoedd Bangor, er fy mod yn drwyadl ffyddlon i'r gwirioneddau efengylaidd, amheuid fod fy syniadau yn rhy eangfrydig, fy mod yn rhy oddefol o safbwyntiau pobl eraill a fy mod yn 'gyfaddawdwr' am nad oeddwn yn esmwyth gyda ffwndamentaliaeth feiblaidd, ar y naill law, nac â'r syniad y dylid cefnu ar yr enwadau traddodiadol er mwyn ffurfio eglwysi athrawiaethol 'bur' ar y llall. Daeth y ddeubeth hyn yn faterion llosg mewn trafodaethau eirias yn y Gymdeithas Gristionogol Gymraeg a ffurfiwyd gennym tua 1974. Yn anffodus roedd yr SCM, y *Student Christian Movement*, wedi darfod erbyn y 1970au, a'r unig fforwm ar gyfer Cristionogion (Protestannaidd) yn y colegau oedd yr IVF, yr *Inter Varsity Fellowship* a oedd yn drwm o dan ddylanwad Martyn Lloyd-Jones, ac yng Nghymru, y Mudiad Efengylaidd, ac felly yn filwriaethus wrth-eciwmenaidd. Gan na wyddwn ddim byd am feddylfryd eang a gwâr yr hen SCM ar ei gorau,[6] yr unig batrwm oedd gennym wrth ffurfio'r Gymdeithas Gristionogol (y deuthum i yn llywydd arni yn 1975) oedd yr IVF, neu'r UCCF (*Universities and Colleges Christian Union*) fel yr oedd erbyn hynny. Felly er fy mod 'ar y chwith' megis ym Mangor, roedd hyd yn oed fy ngoddefgarwch cymharol yn fy ngosod 'ar y dde' ymhlith myfyrwyr Rhydychen! Un o blant yr SCM oedd yr Esgob Stephen Neill, fel yr Esgob Lesslie Newbigin, yr elwais yn aruthrol ar ei weithiau ymhen blynyddoedd; roeddent yn ecwmenwyr brwd, yn gwbl uniongred eu hathrawiaeth *ac* yn efengylaidd eu hysbryd. Hynny yw, doedd y pegynnu eciwmenaidd/efengylaidd ddim yn bod yn fy nghylchoedd newydd yn Rhydychen. Credaf i'r pegynnu hwn andwyo'r dystiolaeth Gristionogol yng Nghymru yn enbyd, yn arbennig rhwng 1948, pan ffurfiwyd Mudiad Efengylaidd Cymru, a'r 1990au, a daeth hyn yn thema yn fy nghyfrol *The Span of the Cross: Religion and Society in Wales, 1914-2000* (1999). Ond roedd hynny eto i ddod. Erbyn i mi adael Rhydychen yn 1982 roedd y broses o herio fy hen ragdybiaethau eisoes ar waith.

Yn ogystal â magu'r hyder i adleoli fy hunan ar y sbectrwm diwinyddol, o'r pegwn ceidwadol i rywle yn nes i'r canol uniongred, yr hyn a roes y blynyddoedd hyn i mi oedd gwerthfawrogiad o ystyr y sacramentaidd mewn crefydd. Roedd Anglicaniaeth, hyd yn oed Anglicaniaeth isel-eglwysig St Ebbe's, yn rhoi mwy o bwyslais ar y sagrafennaidd nac oedd yn arferol yn fy nhraddodiad Gair-ganolog, capelyddol fy hun. Ar ben hynny, roedd Coleg Regent's Park, er dyddiau ei brifathro cyntaf, H. Wheeler Robinson,[7] wedi meithrin dehongliad sagrafennaidd o ystyr bedydd. Nid gweithred ddynol oedd bedydd, sef ymateb y credadun i ryw brofiad ysbrydol neu benderfyniad moesol roedd ef neu hi eisoes wedi'i gael neu'i wneud, ond roedd yr Ysbryd Glân ar waith *yn* y weithred fedyddiol ei hun. Deuthum i gredu fwyfwy mai dyma'r unig ffordd bosibl i ddeall athrawiaeth bedydd Paul yn Rhufeiniaid 6 a mannau eraill yn y Testament Newydd, a bod y syniad 'efengylaidd' o fedydd – mai tystiolaeth yr unigolyn i ryw brofiad ysgytwol (neu annelwig), mewnol a oedd eisoes wedi digwydd – yn gyfeiliornus. Mewn geiriau eraill, un cam mewn proses oedd bedydd y crediniwr, i Dduw ei hun fod yn weithredol ynddo, ac nid uchafbwynt ydoedd na diwedd y daith. Ac yn drydydd, darganfûm *Orthodox Dissent*, sef gwaith y dosbarth o ddiwinyddion Ymneilltuol Seisnig yn y 1930au a'r 1940au a oedd wedi cyfuno Calfiniaeth â sagrafennaeth uchel gan fynnu mai dyna briod bwyslais 'Hen Ymneilltuaeth' y ddeunawfed ganrif. Y gyfrol *Essays in Orthodox Dissent* gan yr hanesydd Bernard Lord Manning oedd y testun allweddol i mi, ac yn sgil hynny weithiau Nathaniel Micklem gan gynnwys y traethawd grymus 'The Genevan inheritance of Protestant Dissent'.[8]

Roedd llyfrau'r Cymro Daniel T. Jenkins, *The Nature of Catholicity* yn arbennig, wedi cadarnhau'r dehongliad hwn,[9] yn ogystal â gweithiau Bedyddiedig Ernest A. Payne, un o athrawon Coleg Regent's Park a mentor fy hen brifathro, D. Eirwyn Morgan. Ymgais oedd fy nhraethawd doethuriaeth i brofi, yn gam neu yn gymwys, mai dyna a nodweddodd dystiolaeth y Tadau Bedyddiedig Cymraeg rhwng ymadawiad John Myles am America yn 1663 a marw Joshua Thomas yn 1797. Unigolyddiaeth y bedwaredd ganrif ar bymtheg a'i hysbryd an-eglwysig a droes bedydd a Swper yr Arglwydd yn 'ordinhadau' ansagrafennaidd moel. Roedd tair blynedd yn Rhydychen wedi fy nhroi yn 'uchel eglwyswr' Calfinaidd, ac yn fath o gatholigwr efengylaidd. A dyna, yn y bôn, ydwyf o hyd.

Diwinydda ymarferol

Cydredodd fy nghyfnod yn Rhydychen â dechrau teyrnasiad Mrs Thatcher. Fel ym Mangor, aeth y diwinydda law yn llaw â gweithgareddau cymdeithasol a pholiticaidd. I ni yng Nghymru, blwyddyn yr alaeth oedd 1979: *débâcle* refferendwm cyntaf datganoli, dechrau ymosodiad y Torïaid ar sylfaen cymdeithasol cymunedau gweithfaol De Cymru, a lledaeniad y fateroliaeth ddifäol newydd. 'What happened, Wales?' oedd cwestiwn yr Athro Brian O'Cuiv, cymrawd Syr John Rhŷs yng Ngholeg Iesu y flwyddyn honno, mewn cyfarfod o gangen Rhydychen o'r Blaid. Mab-yng-nghyfraith i Eamon de Valera, arweinydd gwrthryfel y Pasg yn Nulyn 1916, oedd O'Cuiv, ac yn methu deall pam na fynnai'r Cymry gymryd y mesur pitw o ymreolaeth roedd y refferendwm yn ei gynnig. Ni theimlais gymaint o gywilydd erioed. Huw Pryce a minnau *oedd* y Blaid yno oherwydd bod cyn lleied ohonom; penodais i Huw yn ysgrifennydd a phenododd ef fi yn llywydd! Cawsom gyfres o gyfarfodydd ingol.

Daeth Aled Eirug, a oedd yn gweithio y pryd hynny yn Llundain yn ymchwilydd seneddol i Dafydd Elis Thomas, i ddatgan mai sosialaeth adain chwith oedd yr unig ffordd ymlaen. Roedd hyn ymhell cyn i Aled (a fagwyd fel finnau yn Nhreforus ac sy'n hen ffrind o ddyddiau Ysgol Pen-lan) gael ei lyncu gan y sefydliad darlledu cyfalafol a bras, a chyn i Dafydd Êl y Marcsydd gwrthfrenhingar droi yn Arglwydd Elis-Thomas, prif ladmerydd y *status quo* Prydeinig oddi mewn i rengoedd y Blaid. Ni wyddai neb a fyddai dyfodol politicaidd i'r genedl ai peidio. Daeth ymwared yn 1981 gyda bygythiad Gwynfor Evans i ymprydio hyd angau er mwyn gorfodi'r Torïaid i gadw eu haddewid i roi i ni sianel deledu. (Yn nyddiau Bangor roeddwn innau, fel ugeiniau o rai eraill, wedi treulio nosweithiau yng nghelloedd yr heddlu am beintio sloganau 'Sianel Gymraeg yn Awr' ar furiau Gwynedd). Troes bygythiad Gwynfor yn fuddugoliaeth ysgubol. O'r cyfarfodydd bach digalon a gawsom yn 1979, daeth ugeiniau i ymuno â'n cangen, a'r cyfarfod llawnaf erioed yn 1982 pan ddaeth Gwynfor ei hun atom i'n hannerch. Roedd ystafell gyffredin Coleg Iesu dan ei sang. Gyda hynny daeth neges annisgwyl oddi wrth y Prifathro: 'Give my warmest regards to my old friend Gwynfor!' Brodor o'r Barri oedd Syr John Habakkuk, y prifathro. Bu ef a Gwynfor yn yr un dosbarth yn yr ysgol uwchradd ddegawdau ynghynt.

Athro Celtaidd Coleg Iesu o 1979 ymlaen oedd D. Ellis Evans, cyn-ddeiliad cadair Gymraeg Abertawe, ac ysgolhaig o gryn sylwedd. Daethom i'w adnabod ef, a Sheila ei wraig (a oedd fel finnau yn frodor o Dreforus) yn dda iawn, yn un peth trwy weithgareddau Cymdeithas Dafydd ap Gwilym, a hefyd trwy eu ffyddlondeb i'r oedfeuon Cymraeg yng nghapel yr United Reformed Church yn Headington. Olynydd i Idris Foster oedd Ellis, ac o dan ei nenbren ef y cyfarfu'r Dafydd ar ddechrau pob sesiwn academaidd. Fel yr 'aelod hŷn', rhoes nawdd arbennig i'r Gymdeithas trwy gydol fy mlynyddoedd yno ac ef, ynghyd â'i gyfaill R.

Brinley Jones (llywydd Prifysgol Cymru y Drindod Dewi Sant erbyn hyn), a olygodd hanes y Dafydd yn 1987.[10] Yn ogystal â'i nodded i'r Dafydd, roedd yn gapelwr selog. Cyfarfu'r gynulleidfa Gymraeg yn Headington, un o faestrefi'r ddinas, bob pnawn Sul. Nid eglwys ffurfiedig ydoedd ond yn hytrach gynulleidfa, a'i haelodau yn weithwyr ffatri geir Cowley gan fwyaf, gydag ambell un o'r byd academaidd. Blaenor y gynulleidfa ac arweinydd y gân, oedd gwerinwr twymgalon o Gristion o'r enw Douglas Jones, brodor o Fryn-crug, Meirionnydd. Fel yng nghapel Tabor, Llysfaen, cawsom yng nghynulleidfa Headington gymdeithas eglwysig gynnes a chartrefol, ac ni bu'n hir cyn i mi ddod yn rhyw fath o weinidog answyddogol iddi. Yno y gweinyddais yn fy angladd cyntaf, a gododd o dŷ cyngor yn Cowley: 'It was so good hearing the old language again', meddid wrthyf gan un o'r teulu. Cefais ymhlith pobl gyffredin y capeli rai o'r eneidiau mwyaf dethol i mi eu hadnabod erioed: sut yn y byd y gallai neb gefnu ar y bobl hyn? 'Nac ofna braidd bychan, canys rhyngodd bodd i'ch Tad roddi i chwi y deyrnas' (Luc 12: 32) oedd testun fy mhregeth olaf iddynt ar bnawn Sul 5 Medi 1982, ac o'r cof sydd gen i, roedd cryn eneiniad ar yr oedfa. Wedi deng mlynedd ar hugain a mwy, mae'r atgofion o'r gwasanaethau yn Headington yn felys iawn.

Symud ymlaen

Erbyn y gwanwyn 1982 daeth yn bryd i mi symud ymlaen. Gwyddai'r eglwysi amdanaf, a chefais wahoddiad i bregethu mewn mwy nag un cylch gyda golwg ar fynd yn weinidog ynddynt. Bûm yn gwasanaethu yng nghylch Llambed heb freuddwydio y byddwn, ymhen deng mlynedd ar hugain, yn ymaelodi yno, yn eglwys Noddfa; yng Nghlydach-ar-Dawe; ac yng nghylch Pen-y-groes, Llanelli. Daeth galwad o'r tri lle, ond gwyddwn i sicrwydd wedi i mi bregethu yno mai i gylch Pen-y-groes yr awn. Felly, ar ddydd Iau 23 Medi, a minnau bellach yn 28 oed, yr ordeiniwyd fi, yng nghapel Calfaria Pen-y-groes, i bregethu'r Gair ac i weinyddu'r sacramentau. Roedd yr ordeinio yng ngofal y Prifathro (erbyn hynny) George John; fy ngweinidog, y Parchg R. G. Roberts, a roes y siars yn y pnawn, a phregethwyd (yn Saesneg) yn yr hwyr gan Dr B. R. White, prifathro Coleg Regent's Park. Bellach roeddwn yn weinidog ar eglwysi Calfaria Pen-y-groes, Tabor Crosshands, a Phenrhiwgoch. Roedd hi'n wefr cael bod yno a theimlwn fod yr anrhydedd, a'r cyfrifoldeb, yn gwasgu'n fawr.

Cylch o dair eglwys wahanol i'w gilydd oedd o dan fy ngofal: Calfaria wedi'i sefydlu ar droad y ganrif mewn pentref a fu'n drwm dan ddylanwad Diwygiad '04, Tabor yn fwy ffurfiol ei naws, rhychwant oedran ei haelodau yn hŷn ond fel Calfaria, y diwydiant glo a fu'n gynhaliaeth i'w theuluoedd, ac yna Penrhiwgoch, ym mhentref Maes-y-bont, yn fwy gwledig o lawer ac amaethyddiaeth yn brif gynhaliaeth yno. Ni fynnwn fanylu ar y chwe blynedd a dreuliais yno yn fwy nag i ddweud i mi fynd yn ddwfn i gyfrinach y bobl a'u cael, at ei gilydd, yn drwyadl ardderchog. Roedd diaconiaid y tair eglwys yn gefnogol ac yn dra amyneddgar o wybod pa mor ddibrofiad oedd eu gweinidog ifanc. Rhoddodd pawb wrandawiad astud i'm pregethau, a phrofiad cyfoethog oedd bugeilio'r aelodau gan rannu yn eu gofidiau a'u gorfoledd. Roedd Ann yn weithgar gyda phlant Calfaria ac roedd gennym ddosbarth bywiog o bobl ifanc a gyfarfu bob nos Fercher yn y mans. Daeth 'noson y mans' yn achlysur pwysig, a chawsom y boddhad dwfn o weld llawer o'r ieuenctid yn ymateb i ofynion y ffydd ac yn ymgeisio am fedydd.

Diwinyddiaeth fugeiliol a diwinyddiaeth cenhadu a aeth â'm bryd rhwng 1982 a 1988. Trwythais fy mhobl, a thrwytho fy hun, yn yr

Ysgrythurau. Pregethais ddegau o gyfresi ar lyfrau'r Beibl. Un o'r mwyaf difyr a phoblogaidd oedd yr un ar Lyfr Jona! Roedd y gwersi cenhadol yn y cartŵn bach hwnnw yn hynod berthnasol i'r bywyd eglwysig yng Nghymru'r 1980au. Cawsom fudd o'r ddysgeidiaeth systematig, nid lleiaf yn nosbarth beiblaidd Calfaria ar nos Iau. Y Beibl ei hun, fodd bynnag, sy'n dysgu fod y llythyren yn lladd tra bod yr Ysbryd yn bywhau (2 Cor 3:6), ac un o nodweddion y cyfnod oedd yr ymdeimlad o rwyddineb mewn gweddi ac adnewyddiad ysbrydol a gaed wrth i'r Ysgrythur gael ei chymhwyso at sefyllfaoedd bywyd pob dydd. Deilliodd fy 'nghyfrol' gyntaf, sef y llyfryn *Ar y Graig Hon*, darlleniadau beiblaidd ar 1 ac 2 Thesaloniaid a detholiad o Esra a Nehemeia yn y gyfres 'O Ddydd i Ddydd' (Hydref-Rhagfyr 1986), o'r cyfnod hwn.

Bûm yn hynod ffodus yn fy nghymdogion. Yn byw gyferbyn â ni oedd y Parchg J. D. Williams, cyn-weinidog eglwys Bethany, Rhydaman, ac Olwen ei wraig, hwythau wedi ymddeol i'r pentref. Dyma un o'r parau hyfrytaf i mi gael y pleser o'u hadnabod erioed. Brodor o Ben-uwch, Ceredigion, oedd 'J.D.', yn ŵr gradd o Goleg Aberystwyth ac yn ymfalchïo yn y ffaith iddo berthyn i ddosbarth olaf T. Gwynn Jones, yr Athro Cymraeg, cyn i'r bardd mawr hwnnw ymddeol. Wedi graddio eilwaith yn BD, fe'i sefydlwyd yn weinidog ar eglwys Bethel Llangyfelach (man claddu Daniel Jones, fy hen dad-cu), ac yna fe'i galwyd i ddilyn Nantlais yn Rhydaman. Treuliodd ddeugain mlynedd yn Bethany, un o ganolfannau efengylaidd yr Hen Gorff, a gadawodd ei raslonrwydd a'i Grist-debygrwydd ei ôl yn fawr ar ei gynulleidfa luosog ac ar bobl y dref. 'Who was that very gracious looking man who called earlier?', meddai cyfaill o Rydychen a ddigwyddai aros gyda ni ryw haf pan alwodd J.D. heibio. Bu'n dadol ryfeddol – ac Olwen yn famol – i ni trwy gydol ein blynyddoedd yno, gan rannu profiad oes o fod yn weinidog delfrydol i'r Arglwydd Iesu.

Os oedd J.D. yn ysgolheigaidd ac yn foneddigaidd, roedd ein cymydog drws nesaf, y Parchg Gwyn Eifion Rees, gweinidog gyda'r Annibynwyr yn Eglwys Pen-y-groes ('Capel y Sgwâr'), yn enghraifft odidog o'r 'efengyl yn ei ddillad gwaith'. Yn wahanol i J.D., ni ellid honni i Gwyn Eifion fod yn athrawiaethol gysáct nac yn ddiwinyddol gywir, ond roedd ei ymroddiad ymarferol yn deillio o ffydd bersonol ddiysgog a brofwyd trwy dân. Collodd ei wraig pan oedd yn weinidog ifanc ym Mhenmaenmawr, a magodd deulu o bump ar gyflog bychan. Roedd y plant, a oedd (ar wahân i Peris, y cyw melyn olaf) wedi gadael y nyth erbyn i ni gyrraedd Pen-y-groes, yn ofalus ohono ac yn glod ardderchog iddo. Magwyd Gwyn Eifion yn Rhosaman, yn yr un capel â Derec Llwyd Morgan, a'i fam, Mrs Rees - a oedd yn un o blant Diwygiad '04 - yn ddihareb am ei duwioldeb. Er nad oedd gan Gwyn ddiwinyddiaeth fel y cyfryw, roedd yn debyg i Timotheus yn y Testament Newydd: 'Daw i'm cof y ffydd ddiffuant sydd gennyt, ffydd a drigodd gynt yn Lois dy nain, ac yn Eunice dy fam, a gwn yn sicr ei bod ynot tithau hefyd' (2 Tim. 1:5). 'Mae Duw yn real iawn i mi', byddai'n ei ddweud. 'Petai pobl yn fy nghlywed yn y tŷ ar fy mhen fy hun yn siarad ag Ef yng nghanol fy ngorchwylion, byddent yn meddwl mod i'n ddwl!' Gyda doethineb beiblaidd ac efengylaidd J.D. ar y naill law a duwioldeb ymarferol Gwyn Eifion ar y llall, ni allai neb fod wedi cael gwell ddechreuad yn y weinidogaeth.

Diwinyddiaeth pentref

Ar wahân i ddarllen esboniadau at bwrpas y pulpud, roedd fy narllen diwinyddol yn troi o gwmpas eglwysyddiaeth a chenhadu. Roeddwn yn cael fy nhynnu i mewn fwyfwy i weithgareddau enwadol, a daeth yn fwy pwysig nag erioed i mi gyfuno yn fy meddwl fy hun ymlyniad wrth y traddodiad efengylaidd a Bedyddiedig ag aelodaeth yn yr Un Eglwys Lân, Gatholig ac Apostolaidd. Yn sgil darllen ei hunangofiant *Unfinished Agenda* (1985), daeth gweithiau Lesslie Newbigin yn allweddol yn hyn. Rwyf eisoes wedi crybwyll y cyfuniad o'r efengylaidd ac eciwmenaidd a gafwyd ym mywyd cydweithiwr Newbigin, yr Esgob Stephen Neill, a esgorodd ar Eglwys De India a bwrlwm Cyngor Eglwysi'r Byd pan oedd y weledigaeth eglwysig ar ei ddisgleiriaf. Rhoes *The Household of God* (1953) gan Newbigin a'i *The Reunion of the Church* (1960) fynegiant i eglwysyddiaeth feiblaidd ac eciwmenaidd y gallaswn ei chymhwyso at fy sefyllfa fy hun, tra dygodd *A South India Diary* (1951) dystiolaeth i'r math o genhadu y teimlwn fod rhaid wrtho yng Nghymru wythdegau'r ganrif o'r blaen. Ond ar ben hynny, roedd gweithiau mwy diweddar Newbigin, wedi iddo ddychwelyd o'r India, a'i waith yng Nghyngor Eglwysi'r Byd, yn hynod awgrymiadol. Er iddo gyrraedd oed ymddeol, fe'i sefydlwyd yn weinidog ar ddiadell yr United Reformed Church mewn man dirwasgedig yn Birmingham, a dechrau cenhadu o'r newydd:

> On 2 January 1980 I was duly installed and since then I have been struggling to fulfil the obligations of this ministry. It is much harder than anything I met in India. There is a cold contempt for the gospel which is harder to face than opposition ... England is a pagan society and the development of a truly missionary encounter with this very tough form of paganism is the greatest intellectual and practical task facing the church.[11]

Am 'Loegr' darllener 'Cymru', ac os oedd hynny'n wir yng nghanol y 1980au, cymaint gwaeth yw'r sefyllfa erbyn hyn. Roedd ail yrfa Newbigin – a fu farw yn 89 oed yn 1998 – os rhywbeth yn bwysicach na'i yrfa ddechreuol, tra chynigiodd *The Other Side of 1984* (1983), *Foolishness to the Greeks* (1986), *The Gospel in a Pluralist Society* (1989) a'r lleill, strategaeth genhadol mewn byd na honna fod yn barchus o hawliau Crist, ond sy'n agored elyniaethus tuag atynt. Byddai'r syniadaeth hon, ynghyd â gwaith y diwinydd Albanaidd T. F. Torrance, yn allweddol ym mharhad fy natblygiad i yn ystod y degawd a mwy nesaf.

Am chwe blynedd, pentrefi Cross Hands a Phen-y-groes oedd canol fy myd. Euthum yn ôl i Rydychen am fis yn 1985 i gwblhau fy nhraethawd ymchwil a chael f'arholi; dyfarnwyd y radd ac euthum i'r 'capio' yn 1986. Cyrhaeddodd Angharad, ein merch, yr aelwyd yr un flwyddyn. (Y mae hi ac Iwan ei brawd, a aned yn 1990, wedi'u mabwysiadu; wythnosau oed oedd y ddau ohonynt pan ddaethant atom). Un o'r pethau sy'n sefyll allan o edrych yn ôl ar y cyfnod hwn oedd y gofid a achoswyd gan streic y glowyr pan fynnodd Mrs Thatcher ddileu yn gwbl ddidostur sylfaen economaidd a chymdeithasol De Cymru. Roedd cryn galedi yn yr ardal, yn enwedig erbyn Nadolig 1984 – roedd y bechgyn wedi bod allan ers y mis Mawrth cynt, a byddent yn para allan am flwyddyn gron – ond amlygent yn eu hunplygrwydd raslonrwydd, disgyblaeth ac arwriaeth, yn wir, trwy gydol yr amser. Roedd eu gwragedd yn gefn iddynt, a bu'r gymdogaeth yn gefn i'w teuluoedd a'u plant. Busnes yr eglwysi oedd cynnig bugeiliaeth, ymgeledd a chefnogaeth ymarferol, a dyna a wnaed. Fel Karl Barth, pan oedd yn weinidog ifanc ym mhentref Safenwil, teimlais fod gan Air Duw rywbeth perthnasol i'w ddweud yng nghanol y sefyllfa. (Darllener *The SPCK Introduction to Karl Barth* (2010), pennod 2, er mwyn deall y cyfeiriad hwn).

Y brawdoliaethau

Mynychwn yn ystod y blynyddoedd hyn ddwy frawdoliaeth, un o dan nawdd y Mudiad Efengylaidd a gyfarfu o dan arweiniad cymedrol a doeth J. D. Williams yn Bethany, Rhydaman, a brawdoliaeth gweinidogion y

Mynydd Mawr, a gyfarfu yn fisol yn Nhabor, Cross Hands. Er gwaethaf fy mharch at J. D., a'r budd a gefais o gwmni rhai fel Gareth H. Davies, ei olynydd fel gweinidog Bethany, T. Arthur Pritchard, Capel Hendre, a'm cyd-Fedyddwyr Cecil H. Jenkins, Llwynhendy, Evan John George, Dafen, ac eraill, roedd fy ymlyniad cynyddol wrth eciwmeniaeth Newbigin a Torrance yn fy anghymwyso i fod yn gysurus yno. Er bod y rhai a enwais yn gwbl frawdol tuag ataf, nid felly oedd agwedd rhai eraill. Gwyddwn fod rhai gweinidogion yn cadw draw am iddynt ystyried Watcyn James a minnau yn 'gyfaddawdwyr'. Pan fynegodd un o'r brodyr ei edmygedd o'r ffasgydd crefyddol Ian Paisley, roedd hi'n amlwg ei bod hi'n bryd i mi ymadael â'r gwmnïaeth. Roedd hi'n gyfnod anodd mewn gwirionedd. Arall oedd pethau ym mrawdoliaeth y Mynydd Mawr. Roedd y safbwyntiau diwinyddol yno yn amryliw fel yr enfys, gyda J. D. Williams (eto) ar un pen y sbectrwm, a'i gyd-Fethodist Alun Rhys, Llanlluan, ar y pen arall. ('Nage Cristnogaeth yw hwnna', meddai Gwyn Eifion Rees wrth Alun mewn anghytundeb ymfflamychol un tro, 'Nage Cristnogaeth ond Undodiaeth yw hwnna'!). Ni theimlais am eiliad, fodd bynnag, fod neb yn dymuno fy ngwasgu i mewn i focs a bod perffaith ryddid i mi arddel fy safbwynt fy hun. Ymhlith y ffyddloniaid oedd Eurfryn Morgan a Kenneth S. Morgan, Y Tymbl, Geraint Hughes ('Ger Bach'), R. Gwynedd Jones a D. Morlais Jones. Gadawodd graslonrwydd T. Elfyn Jones a Tudor Lloyd Jones, hwy'll dau o Dre-fach, argraff arhosol arnaf.

O ran gweithgareddau diwinyddol y tu allan i'r cylch cyfyng ond cyfoethog hwn, daliais i fynychu cynhadledd flynyddol Urdd Graddedigion Prifysgol Cymru yn Aberystwyth bob mis Medi. Dechreuais fynd yno, yn ddigon petrus, pan oeddwn yn fyfyriwr BD, a chael croeso cynnes gan rai fel O. G. Rees, cyn-Warden Coleg Mihangel, Llandâf, a golygydd *Diwinyddiaeth* ar y pryd; Saunders Davies, a oedd ar staff Eglwys Gadeiriol Bangor ond yn ddiweddarach yn ficer Gorseinon;

D. P. Davies o Goleg Llambed; Cledan Mears, yntau hefyd yn gyn-aelod o staff Coleg Mihangel ond ar y pryd yn ficer Gabalfa (ac esgob Bangor yn ddiweddarach); a John H. L. Rowlands, a ddaeth wedyn yn Warden Coleg Mihangel, y rhai hyn yn eglwyswyr oll. Roedd y Methodistiaid Cynwil Williams, Elfed ap Nefydd Roberts a John Tudno Williams ymhlith y ffyddloniaid, ynghyd â thad John, sef Arthur Tudno, a Harri Williams yntau. Er bod Arthur a Harri genhedlaeth a hanner (a mwy) yn hŷn na mi, buont yn hynod groesawus. Yr unig drueni oedd mai fi, braidd, oedd unig gynrychiolydd y to iau. Gan y byddai'r diwinyddion a'r athronwyr yn cyfarfod ar y cyd, deuthum i adnabod O. R. Jones, Meredydd Evans, John I. Daniel, y Tad John FitzGerald, Walford Gealy a'r mwyaf lliwgar ohonynt oll, sef Dewi Z. Phillips. Er na ddeuthum i'w adnabod fel y cyfryw, doedd dim modd osgoi presenoldeb yr Athro Hywel D. Lewis, cyn-athro Athroniaeth Crefydd yng Ngholeg y Brenin, Llundain, a roes *gravitas* neilltuol i'r achlysuron hyn. Gresyn meddwl mai (o blith yr athronwyr) dim ond Gealy sydd ar ôl. Teimlwn fy mod wedi cyrraedd go iawn pan ofynnwyd i mi draddodi papur yng nghynhadledd 1986. 'Y Beibl Heddiw' oedd pwnc y gynhadledd honno, a cyhoeddwyd fy nhruth, 'Defnyddio'r Beibl mewn Diwinyddiaeth Heddiw', yn *Diwinyddiaeth* (1987).

Yn ogystal â cheisio diwinydda'n 'swyddogol' megis, yn bennaf trwy fy ngholofn olygyddol yn *Seren Cymru*, papur wythnosol y Bedyddwyr Cymraeg, a thrwy fynychu gweithgareddau Urdd y Graddedigion, aeth John Roberts, a oedd ar y pryd yn weinidog yng Nglyn Ceiriog, a minnau ati i gynnull ynghyd yr hyn a alwyd gennym 'y Frodorfa'. Er dyddiau Bangor roedd y ddau ohonom yn awyddus i bontio'r agendor rhwng yr efengyleiddwyr cymedrol a'r elfennau hynny yn yr enwadau traddodiadol a oedd yn uniongred eu safbwynt ond yn agored i'r tueddiadau diwinyddol diweddaraf. Cofier fod y Mudiad Charismataidd yn ei anterth ar y pryd tra bo Diwinyddiaeth Gobaith Jürgen Moltmann a Diwinyddiaeth Rhyddhad rhai fel Segundo a Gutiérrez o Dde America yn ennyn diddordeb llawer. Anathema oedd hyn i ddynion caethaf y Mudiad Efengylaidd – a dynion oeddent i gyd – ond cynigiodd y Frodorfa lwyfan i'r gweddill ohonom ddiwinydda'n gyfrifol uniongred ond eto'n agored ac yn ffres. Yn ogystal â'n cyfoeswyr – Robin Samuel, Arfon Jones, Watcyn James, Siôn Aled (Owen), Trefor Jones-Morris, Euros Wyn Jones – denwyd Gwyndaf (sef brawd Euros), Dewi Arwel Hughes a Hefin Elias, hwy'll dau ar staff Polytechnig Cymru ym Mhontypridd, Stephen Nantlais Williams, a oedd newydd ei benodi o Gaer-grawnt a Phrifysgol Iâl yn athro yng Ngholeg Diwinyddol Aberystwyth, ynghyd â'r eglwyswyr Charismatig Saunders Davies, Bertie Lewis ac Enid Morgan – roedd hyn ymhell cyn i Enid gyfnewid Anglicaniaeth garismatig am radicaliaeth ffeministaidd. Roedd cyfraniad dau 'hynafgwr' yn amheuthun: Noel Evans, a fu'n weinidog gyda'r Annibynwyr ym Methlehem, Sblott, a Llewelyn Lloyd Jones, y gŵr a alwyd gan R. Tudur Jones 'y mwyaf cyson ... o ddisgyblion Barth ymhlith yr Annibynwyr Cymraeg'.[12] Ymgynnull a wnaem yn Nhrefeca ddwywaith y flwyddyn, ac yn ôl fy nghof i roedd y cyfarfodydd yn hynod ffrwythlon. Mynnwyd trafod pynciau canolog y ffydd: Cristoleg un sesiwn, athrawiaeth yr eglwys yn yr un nesaf, yr Ysbryd Glân, eschatoleg, natur awdurdod y Gair ac yn y blaen. Mewn un drafodaeth ar Gristoleg 'oddi uchod' o'i chymharu â Christoleg 'oddi isod', cymerodd Stephen Nantlais un ochr y ddadl a gafaelodd Dewi Arwel yn y pen arall, a'r hyn a gafwyd mewn gwirionedd oedd enghraifft glasurol o'r gwahaniaeth rhwng ysgol Antioch ac ysgol Alexandria yn y canrifoedd Cristionogol cynnar! Parhawyd i gyfarfod am sawl blwyddyn, a chefais i, beth bynnag, fudd aruthrol o gyfeillgarwch cynnes a chymdeithas iachus Brodorfa Trefeca.

Nôl i'r Coleg ar y Bryn

Ni bu neb yn fwy bodlon ei fyd mewn gofalaeth nag yr oeddwn i ac Ann ym Mhen-y-groes ond gwyddwn, serch hynny, na fyddwn yn weinidog pentref am byth. Tybiais mai tiwtor mewn coleg diwinyddol a fyddwn, naill ai yn y Coleg Gwyn ym Mangor neu yng Ngholeg y Bedyddwyr Caerdydd, ond yng ngwanwyn 1988, yn gwbl ddisymwth, hysbyswyd swydd, nid mewn coleg diwinyddol ond yn Adran Astudiaethau Crefyddol – yr Adran Astudiaethau Beiblaidd gynt – Prifysgol Bangor, y Coleg ar y Bryn. Gan Rex Mason, tiwtor Hen Destament Coleg Regent's Park, y daeth y wybodaeth. Bu'n siarad â Gwilym H. Jones, pennaeth newydd yr Adran, yn un o gyfarfodydd y Society for Old Testament Studies, a holodd y pennaeth a fyddai gen i ddiddordeb mewn ceisio amdani. Ffoniodd Rex fi yn ddiymdroi. Roedd hi tua chwarter i saith ar ryw nos Iau, a minnau'n ymbaratoi i fynd i'r dosbarth beiblaidd. Ofnaf nad oedd fy meddwl ar y testun yn y dosbarth y noswaith honno! Ymhen ychydig ddiwrnodau dyma Derec Llwyd Morgan yn cysylltu. Roedd yr hysbyseb erbyn hynny wedi ymddangos yn y *Times Higher Education Supplement*. Pwysodd Derec yn drwm arnaf i ymgeisio. Swydd mewn Cristionogaeth Gyfoes ydoedd, wedi'i chreu er mwyn ehangu portffolio'r Adran a lledu ei hapêl i ddarpar fyfyrwyr. Er nad oedd y Gymraeg yn angenrheidiol yn ôl yr hysbyseb, o nabod natur yr Adran gwyddwn y byddai'n fantais bendant. Byddai'r cyfle i fynd yn ôl i Fangor i ddatblygu pwnc newydd yn unol â'm gweledigaeth fy hun, tra ar yr un pryd gynorthwyo yn y gwaith o hyfforddi gweinidogion, yn gyfle na allwn ei wrthod. Doedd dim sicrwydd, wrth gwrs, y cawn y swydd, ond roedd yr apêl yn aruthrol. Fodd bynnag, i dorri'r stori'n fyr, llwyddais i gyrraedd rhestr fer o dri. Pabydd o dras Indiaidd o'r enw Gavin D'Costa oedd un o'm cyd-ymgeiswyr; offeiriad plwyf o Sais o'r enw George Pattison oedd y llall.

Er bod y ddau ohonynt lawer yn ddisgleiriach na mi – erbyn hyn athro mawr ei barch ym Mhrifysgol Bryste yw D'Costa a Pattison yn olynydd Rowan Williams a John Webster fel Athro Lady Margaret yn Rhydychen – fi a benodwyd. Mentraf ddweud fod y dewis yn un iawn! Yn ystod y broses daeth yn gwbl eglur fod Pattison heb sylweddoli nad yn Lloegr ond yng Nghymru roedd Bangor, a bod ganddi ei hiaith a'i diwylliant ei hun. (Roedd D'Costa, yr Indiad, lawer yn fwy sensitif i hyn). Pan ddaeth Bedwyr Lewis Jones heibio, yn sŵn ac yn stŵr i gyd, i ddymuno'n dda i mi, 'Who was that man?' gofynnodd Pattison mewn braw. 'That's the professor of Welsh', meddwn. 'Professor of Welsh!', meddai'r Sais gan welwi. 'Even if they offer me this job I don't think that I'll take it'. Fel y digwyddodd, cododd y mater ddim. Erbyn diwedd y pnawn galwodd yr Athro Eric Sunderland, yr Is-Ganghellor, fi nôl i Siambr y Cyngor lle bu'r cyfweliad awr yn ynghynt, a chynigiodd i mi'r swydd. Er byddai'r rhwyg rhyngof â ffyddloniaid Cross Hands, Pen-y-groes a Phenrhiwgoch yn un poenus (i fi os nad iddyn nhw), fe'i derbyniais yn y fan a'r lle.

Wedi ffarwelio â Sir Gâr, gwnaethom ein cartref newydd ym mhentref Llanddaniel-fab, Ynys Môn. 34 oed oedd Ann a minnau ar y pryd, ac Angharad heb fod yn ddwy. Deuai Iwan yn gwmni iddi ymhen dwy flynedd. Dechreusom addoli yng nghapel Moreia, y Gaerwen, ac ymhen fawr o dro galwyd fi yn weinidog cynorthwyol ar ofalaeth fechan Moreia a Phencarneddi, cylch a fu'n ddiweinidog oddi ar i'r Parchg John Rice Rowlands ymadael am Gaergybi flynyddoedd ynghynt. Er na allwn roi fawr mwy na phregethu am yn ail Sul a bugeilio'r cleifion yn ôl yr angen, roedd y trefniant er budd i bawb. Os gellais gynnig cymorth yn fy amser sbâr i ddau braidd bychan a fu'n ddiarweiniad ers sbel go hir, roedd cael cyfle i barhau i bregethu yn lleddfu peth o'r anesmwythyd a deimlais o fod wedi 'gadael y weinidogaeth', rhywbeth yr oedd stigma mawr yn ei gylch ar y pryd. Gwn i mi siomi rhai o'm cyd-weinidogion, yn arbennig am i dderbyn swydd mewn prifysgol; byddai llai wedi gweld bai arnaf petawn wedi cael fy ngalw i goleg diwinyddol. Fodd bynnag, roedd y cyfrifoldeb o fugeilio'r praidd pa mor ran-amser bynnag, yn sicrhau parhad rhwng un cyfnod pwysig yn fy mywyd a'r cyfnod nesaf. Roedd hi hefyd yn sicrhau y byddwn yn gorfod gwreiddio fy niwinydda ym mywyd beunyddiol eglwys leol. Fel Karl Barth yntau (os meiddiaf fod mor hyf), diwinydd *eglwysig* ydwyf. *Y Ddogmateg Eglwysig* oedd teitl ei *magnum opus*, er iddo symud o fod yn weinidog pentref yn Safenwil i gadair diwinyddiaeth yn Göttingen i ddechrau, yna yn Münster, yna yn Bonn, ac yn olaf yn Basel. Er mai'r brifysgol oedd yn ei gyflogi, gwasanaethu'r eglwysi oedd ei nod. Felly minnau, y pryd hwnnw a byth oddi ar hynny hefyd.

Gogoniant Adran Astudiaethau Crefyddol Bangor yn 1988 oedd y ffaith fod yr eglwys a'r academi wedi dod ynghyd ynddi. Roedd pob un o'm cydweithwyr naill ai wedi'i ordeinio neu'n lleygwr ffyddlon yn un o'r gwahanol enwadau. Gwilym H. Jones, fy mhennaeth, yn weinidog gyda'r Presbyteriaid ac yn ysgrifennydd diwyd Capel Mawr, y Borth; Gareth Lloyd Jones yn offeiriad Anglicanaidd ac yn ganon ganghellor yng Nghadeirlan Bangor; R. Tudur Jones, cyn-brifathro Bala-Bangor ac yn athro er anrhydedd yn yr Adran, yn Annibynnwr blaenllaw; Eryl Wynn Davies yn flaenor ymroddgar yng Nghapel y Gad, Llanfairpwll; a Catrin Haf Williams, a benodwyd ar yr un diwrnod â mi, yn blentyn y mans ac yn aelod yn Eglwys Bresbyteraidd Cymru. Er mai ysgolheigion 'gwrthrychol' oeddent, yn ymarfer eu crefft yn unol â chanonau manylaf y feirniadaeth wyddonol, gwyddent mai llyfr yr eglwys oedd yr Ysgrythur yn ogystal â'i bod yn ddogfen a berthynai i'r cyn-oesoedd, a bod modd cysoni ymroddiad crefyddol â'r safonau academaidd uchaf. Campwaith yr Adran oedd y Beibl Cymraeg Newydd a gyhoeddwyd fymryn cyn i mi gyrraedd, yn 1988, pedwar can mlynedd wedi ymddangosiad Beibl

William Morgan. Braint aruthrol oedd cael fy nerbyn i gymdeithas adran fel hon. Ar ben hynny, roedd y colegau diwinyddol yn dal i gyfrannu at ffyniant y cwbl. Perthynai'r Adran i Gyfadran Ddiwinyddol y Brifysgol a gynhwysodd Goleg y Bedyddwyr, Coleg Bala-Bangor (roedd hyn yn y cyfnod cyn iddo uno â'r Coleg Coffa a symud i Aberystwyth fel Coleg yr Annibynwyr Cymraeg) a Hostel yr Eglwys. Golygai hyn fod i mi ran yn y gwaith o hyfforddi gweinidogion ac offeiriaid. Deuthum yn gydweithwyr â John Rice Rowlands, fy rhagflaenydd yn y Gaerwen a Phencarneddi ac olynydd y Prifathro George John fel pennaeth y Coleg Gwyn, ac â Stanley John a fyddai'n gadael ymhen fawr o dro am Aberystwyth i fod yn brifathro cyntaf Coleg yr Annibynwyr Cymraeg. Mewn llythyr a ysgrifennodd ataf noswaith y penodi, meddai'r pennaeth: 'Rwy'n siŵr y cewch yr Adran yn un gyfeillgar a hawdd gweithio ynddi; yr ydym i gyd yn adnabod ein gilydd yn dda, ac y mae'r awyrgylch yn braf iawn'. Profais fod hynny'n gwbl wir. Ni allwn fod wedi dymuno gwell cwmni personol na phroffesiynol.

Cristionogaeth Gyfoes oedd y pwnc a ymddiriedwyd i mi, ac ar wahân i'r gorchymyn i baratoi cwrs ar foeseg, rhoes y pennaeth rwydd hynt i mi wneud fel y mynnwn. Penderfynais lunio cwrs ar ddatblygiad Cristionogaeth ym Mhrydain er 1900 ar gyfer y myfyrwyr a oedd yn dilyn rhaglen yn y Celfyddydau, a chwrs ar Ddiwinyddiaeth Fodern o Adolf Harnack hyd at y Diwinyddion Rhyddhad ar gyfer ymgeiswyr y BD. Yn ogystal â hyn paratois gwrs blwyddyn gyntaf ar hanfodion y Ffydd Gristionogol. Daeth yn sail ar gyfer y llyfryn (tra anfoddhaol) *Sylfaen a Gwraidd: Arweiniad i Ddysgeidiaeth Gristionogol* (1994) a'r fersiwn llawnach, aeddfetach a mwy gorffenedig *The Humble God: a Basic Course in Christian Doctrine* a gyhoeddwyd gan Wasg Caer-gaint yn 2005 ('A fresh, challenging look at the whole universe of Christian belief from a first class scholar' meddai Rowan Williams amdano: O diar!) Er bod cryn ddatblygu wedi digwydd rhwng y fersiynau, ffrwyth fy narlithiau amrwd i'r myfyrwyr blwyddyn gyntaf yn 1988-9, a'u caboli yn flynyddol o hynny ymlaen, oedd y ddau. O droi o'r ddeunawfed ganrif a phwnc fy noethuriaeth, at hanes y ffydd yn fy nghanrif fy hun, ni sylweddolais gymaint y byddai cynnwys fy arbenigedd academaidd yn newid. Trwy orfod paratoi'r cyrsiau ar Gristionogaeth ym Mhrydain o 1900 hyd y presennol, ynghyd â'r gyfres ar ddiwinyddion y ganrif, troes maes fy ymchwil o'r Hen Ymneilltuwyr a'r Diwygiad Efengylaidd at hanes y ffydd yn y Gymru gyfoes ac at ddiwinyddiaeth ryfeddol Karl Barth.

Roedd disgwyl, fodd bynnag, i mi gyhoeddi, a ffrwyth fy mlynyddoedd cyntaf ym Mangor oedd ysgrifau ar Fedyddwyr y ddeunawfed ganrif ynghyd â'm cyfrol gyntaf 'go iawn', sef *Christmas Evans a'r Ymneilltuaeth Newydd* (1991). Trwy drugaredd, roedd yr adolygwyr yn hael, yn eu plith R. Tudur Jones, Derec Llwyd Morgan a Glanmor Williams. Roeddwn yn neilltuol werthfawrogol o sylwadau Glanmor, yn un peth am nad oedd ef erioed wedi fy nysgu! A minnau'n weinidog ym Môn ac yn fugail ar eglwys Pencarneddi a oedd yn rhan o ofalaeth Christmas, teimlwn fod rhyw fath o gwlwm rhyngof â'r hen wron. Braint hefyd oedd cael fy ngwahodd i fod yn llywydd Cymanfa Bedyddwyr Môn am y flwyddyn honno. Blynyddoedd cyflawn, boddhaol, dymunol dros ben oedd blynyddoedd Bangor, a gellid eu hollti'n ddwy: o 1988 hyd at y mileniwm, ac o 2000 hyd at f'ymadawiad â'r gogledd yn 2010 am Brifysgol Cymru y Drindod Dewi Sant.

Hyd at y mileniwm

Fel yr aeth y 1990au yn eu blaen, cefais flas cynyddol ar ddysgu myfyrwyr, yn Gymry ac yn Saeson. Y galluocaf o'r to cyntaf hwnnw, ac o bob to mewn gwirionedd, oedd bachgen cwrtais, diymhongar o Abertawe, sef

Robert Pope, a gyrhaeddodd fel myfyriwr israddedig ar yr un adeg ag y cyrhaeddais innau'n ddarlithydd. Wedi ennill gradd dosbarth cyntaf disglair, dewisodd wneud gwaith ymchwil o dan fy nghyfarwyddyd. Diwinyddiaeth Rhyddhad De America oedd ei ddewis bwnc, ond gan fod ganddo fwy o Gymraeg nag o Sbaeneg, fe'i darbwyllais mai astudio efengyl gymdeithasol Anghydffurfwyr Cymru dechrau'r ugeinfed ganrif, pobl fel Miall Edwards, John Morgan Jones a Thomas Rees, y dylai wneud. Gwnaeth hynny, ac yn sgil traethawd PhD ardderchog a ganmolwyd yn uchel gan ei arholwyr, yr Athrawon Ieuan Gwynedd Jones ac R. Tudur Jones, cyhoeddodd dair cyfrol sydd bellach yn sail i bob astudiaeth yn y maes, sef *Building Jerusalem: Nonconformity, Labour and the Social Question in Wales, 1906-39* (1998 gydag ail fersiwn yn 2014), *Seeking God's Kingdom: the Nonconformist Social Gospel in Wales, 1906-39* (1999) a *Codi Muriau Dinas Duw: Anghydffurfiaeth ac Anghydffurfwyr Cymru'r Ugeinfed Ganrif* (2005). Daeth Robert yn gyfaill cywir a theyrngar, a gwych o beth fod yr Adran wedi'i benodi'n ddarlithydd mewn Diwinyddiaeth Gymhwysol yn 1997. Yn weinidog gyda'r United Reformed Church, mae'n un o ddiwinyddion pennaf yr eglwys honno erbyn hyn, ar lefel Brydeinig yn ogystal ag ar lefel Gymreig. Nid ef, fodd bynnag, oedd yr unig fyfyriwr a arhosodd ymlaen i wneud gwaith ymchwil ac ennill ei ddoethuriaeth. Gwnaeth Trystan Owain Hughes, mab i offeiriad Anglicanaidd Penmaenmawr, draethawd gwych ar hanes Pabyddion Cymru a gyhoeddwyd fel *Winds of Change: The Roman Catholic Church and Society in Wales, 1916-62* (1998), tra bod Dyfed Wyn Roberts wedi traethu'n olau ar hanes Diwygiad 1859, Huw Tegid Roberts ar fywyd a gwaith yr eglwyswr Elis Wyn o Wyrfai, a John Boneham, gŵr bonheddig ifanc o Rydaman, ar Isaac Williams, yr unig Gymro ymhlith arweinwyr 'Mudiad Rhydychen', sef y mudiad Eingl-Gatholig a gysylltwyd ag enw John Henry Newman yn y bedwaredd ganrif ar bymtheg.

Yn ogystal â'r boddhad o ddysgu myfyrwyr, yr hyn a wnaeth y degawd hwnnw yn un mor gyfoethog o ran fy ngwaith oedd cael dod i adnabod cydweithwyr mor ddifyr. Ymunodd fy hen gyfaill Geraint Tudur â'r Adran yn 1994, yn ddarlithydd yn Hanes yr Eglwys. Er i hyn roi cyfle i mi ganolbwyntio mwy ar athrawiaeth a hanes diwinyddiaeth fel y cyfryw, y prif beth oedd cael cydweithiwr egnïol a gyfrannodd yn helaeth at fywiogrwydd ein gweithgareddau. Y tu hwnt i gylch y diwinyddion, ymhlith selogion y bwrdd cinio oedd Branwen Jarvis, Gruffydd Aled Williams, William R. Lewis a Gwyn Thomas o'r Adran Gymraeg, Alwyn Roberts, pennaeth yr Adran Allanol, Deri Tomos y gwyddonydd, Nia Powell o blith yr haneswyr, yr athrylithgar Bruce Griffiths, y geiriadurwr, ac aelod o'r Adran Ieithoedd Modern, ac o bryd i'w gilydd W. Gareth Jones, yr athro Rwsieg. Gwych oedd y gwmnïaeth, ac yn llawn sbri. Gwych hefyd oedd yr Is-Ganghellor, Eric Sunderland, hyd at 1993, ac yna Roy Evans, a ddaeth atom o Brifysgol Caerdydd yn 1995. Cymry twymgalon oedd Eric a Roy fel ei gilydd, y naill o'r Betws, Rhydaman, ac yn anthropolegydd yn ôl ei broffes, a'r llall o Landysul ac yn athro peirianneg yn ei hen goleg. Roeddent hefyd yn arweinwyr craff a hirben ac yn weinyddwyr tan gamp. Cefais weithio'n agosach â Roy nac ag Eric, am i mi wasanaethu fel deon Cyfadran y Celfyddydau rhwng 1998 a 2000. Fe'm dyrchafwyd yn uwch-ddarlithydd yn 1994 ac yn Ddarllenydd yn 2001, ac roedd cyfarchiad Roy wrth fy hysbysu o'r llwyddiant hwnnw yn wresog ac yn ddiffuant iawn.

O sôn am gyfeillgarwch, ni fedrwn lai na chrybwyll enw'r Canon A. M. Allchin neu 'Donald' fel roedd pawb yn ei nabod. Sais breiniol o blith y Saeson oedd Donald, wedi'i addysgu yn Ysgol Westminster, yn ŵr gradd o Goleg Eglwys Crist, Rhydychen, yn arbenigwr mawr ar Uniongrededd Roegaidd ac yn ganon trigiannol yn Eglwys Gadeiriol Caer-gaint. Ond ers blynyddoedd roedd yn selog o blaid Cymru a'r Gymraeg ac wedi tyfu'n arbenigwr ar emynau Ann Griffiths. Cyfarfûm ag ef gyntaf yng nghyrddau blynyddol Undeb Bedyddwyr Cymru yng Nghrymych a Blaen-ffos yn 1993, ac yntau'n eu mynychu ar wahoddiad ei gyfaill James Nicholas, llywydd yr Undeb y flwyddyn honno. A ninnau ym mro Waldo, ni fu pall ar ein hymgomio ar nodweddion y traddodiad barddol ac â dylanwad Cristionogaeth ar ein llên. Yn fuan wedi'r haf hwnnw symudodd Donald o Rydychen, lle bu'n warden ar ganolfan S. Theosavia yn dilyn ei ymadawiad â Chaer-gaint, i Fangor a'i benodi yn athro er anrhydedd yn y brifysgol, ar y cyd rhwng yr Adran Gymraeg a'r Adran Ddiwinyddol. Aem yn gyson i fwyty'r *Fat Cat* i giniawa, a daethom yn bur hoff o gwmni'n gilydd. Uchel-eglwyswr Anglicanaidd oedd Donald, yn sagrafennwr greddfol, ac os oedd fy niwinyddiaeth i yn rhoi blaenoriaeth i'r groes ac Athrawiaeth yr Iawn, roedd ei ddiwinyddiaeth ef yn canoli ar yr ymgnawdoliad, atgyfodiad Iesu ac Athrawiaeth y Creu. Mater o bwyslais oedd hyn, y gorllewin Lladinaidd gen i a'r dwyrain Groegaidd ganddo ef. 'You know what we are, you and I?', meddai unwaith: 'We're just a pair of old-fashioned believers! We should write a book together.' Canlyniad yr her honno oedd y cywaith *Sensuous Glory: the Poetic Vision of D. Gwenallt Jones* (2000). Yng ngherddi Gwenallt ceid y gatholigiaeth efengylaidd a oedd i'r ddau ohonom yn cyfleu'r Gristionogaeth glasurol ar ei mwyaf eciwmenaidd.

Y Coleg Gwyn

Yn ogystal â'm cyfrifoldebau yn y brifysgol, cefais ryddid i gyfrannu'n weddol ddirwystr i'r bywyd eglwysig ac enwadol yn ystod y blynyddoedd hyn. Fe'm penodwyd yn olygydd *Cristion*, cylchgrawn deufisol yr eglwysi, rhwng 1995 a 1997, a gwasanaethais fel llywydd adran y gogledd o Gyngor Eglwysi Rhyddion Cymru yn 1997-8. Bûm yn llywydd Cymanfa Bedyddwyr Arfon yn 1999-2000. Roeddwn wedi torri fy nghysylltiad gweinidogaethol ag eglwysi Moreia a Phencarneddi yn 1994 pan symudasom fel teulu o Fôn i Fangor, ond parhaodd y ddolen enwadol trwy i mi gael fy ngwahodd i olynu fy nghyfaill John Rice Rowlands nid fel pennaeth fel y cyfryw, ond fel warden Coleg y Bedyddwyr. Gan fod ffrwd yr ymgeiswyr wedi lleihau os nad ei sychu, a chan fod Coleg Bala-Bangor erbyn hynny wedi darfod a'r Annibynwyr wedi symud eu hyfforddi i Aberystwyth, doedd dim cyfiawnhad dros benodi neb llawn amser yn bennaeth newydd y coleg. Fodd bynnag, byddai cau'r coleg a fu ym Mangor er 1891 yn ergyd enbyd i eglwysi bychain y gogledd ac i'r dystiolaeth Gymraeg oddi mewn i'r enwad, felly'r peth rhesymol oedd i mi gyfuno fy ngwaith yn y brifysgol gyda hyfforddi ymgeiswyr ar yr un pryd. Gallwn innau gyfrannu'r hyfforddiant bugeiliol a phenodol Fedyddiedig, gyda'r ymgeiswyr yn dilyn eu cyrsiau academaidd o dan nawdd Adran Diwinyddiaeth y brifysgol. Roeddwn yn berffaith fodlon gwneud hyn ar un amod: bod y sefydliad yn cael ei foderneiddio'n drwyadl.

Pan ddychwelais i Fangor yn 1988 roedd y coleg mewn *time warp*, heb newid dim er dyddiau J. T. Evans a Gwili yn y 1920au! Roedd graffiti ar y desgiau pren yn dyddio nôl i ddechrau'r ganrif, a'r harmoniwm yn y brif ddarlithfa yn destun gwawd i'r myfyrwyr cyfoes ac yn destun cywilydd i mi. Gan na fuddsoddwyd braidd dim yn y sefydliad ers degawdau lawer, aethom ati i wario arian a thrwsio o'r brig i'r bôn: cegin newydd eang, ffreutur olau, diweddaru'r llyfrgell yn drwyadl a chreu adeilad hardd, pwrpasol i ddiwedd yr ugeinfed ganrif. Trwy addasu hen dŷ'r prifathro yn fflatiau a rhentu dwy ystafell ar y llawr uchaf i swyddogion hyfforddi Undeb yr Annibynwyr ac Eglwys Bresbyteraidd Cymru, cafwyd ffynhonnell incwm yn ogystal â sail gref ar gyfer hyfforddi gweinidogaethol cyd-enwadol. Ymhlith ein hymgeiswyr cyntaf oedd Eleri Lloyd Jones o Benuel, Bangor, a sefydlwyd yn weinidog lleyg ym Methesda, Rhoshirwaun; Ieuan Elfryn Jones o Fethel Caergybi a ordeiniwyd ar eglwysi gogledd Môn; Jill Tomos, eto o Benuel Bangor, a ddaeth yn weinidog i gylchoedd Aberduar a Llambed; ac yn ddiweddarach fyfyriwr disglair arall, sef Judith Morris o Gaerfyrddin. Deuai Elfryn yn gydweithiwr gwerthfawr maes o law fel ysgrifennydd a swyddog hyfforddi'r Coleg Gwyn. Ni freuddwydiais y deuai Jill yn weinidog ar Ann a minnau yn dilyn ein symudiad i Geredigion yn 2010, tra bod Judith yn gwneud gwaith ardderchog nid yn unig fel gweinidog Bethel, Aberystwyth, ond fel ysgrifennydd ymroddgar Cymanfa Caerfyrddin a Cheredigion, a bellach fel ysgrifennydd cyffredinol Undeb Bedyddwyr Cymru.

Rhan o waith y Coleg Gwyn – hen enw anwes a ddaeth yn enw swyddogol ar y coleg ar ei newydd wedd yn 1996 – oedd hyfforddi lleygwyr trwy gynnal cyrsiau ac ysgolion Sadwrn. Mae dwy gyfres yn sefyll allan: cyfres ar weddi a gynhaliwyd yn 1996-7, a chyfres yn nodi'r mileniwm a gynhaliwyd yn 1999-2000. Cyhoeddwyd ffrwyth y gyfres gyntaf yn y gyfrol *Arglwydd Dysg i mi Weddïo* (1997), gyda phenodau gan John Rice Rowlands, Owen E. Evans, Gareth Lloyd Jones, John Gwilym Jones, John Treharne ac Elfed ap Nefydd Roberts. Rhyw fath o gymryd stôc a gaed adeg y mileniwm, gyda chynrhychiolwyr y gwahanol draddodiadau Cristionogol yn rhannu'u gweledigaeth ar gyfer y ganrif newydd. Ymhlith ein gwahoddedigion oedd Gethin Abraham-Williams, ysgrifennydd Cytûn yn sôn am y gweithgareddau eciwmenaidd; Arfon Jones, ysgrifennydd y Cynghrair Efenyglaidd; esgob Bangor, sef Saunders Davies, ar ran yr Eglwys yng Nghymru; Edwin Regan, esgob Wrecsam, yn cynrychioli Eglwys Rhufain; a Peter Dewi Richards, ysgrifennydd cyffedinol Undeb Bedyddwyr Cymru. Cyfoethog eithriadol oedd y gyfres honno, a'r un a doddodd galonnau pawb oedd yr Esgob Regan, gloyw ei Gymraeg, yntau'n gwbl gysurus ymhlith ei gyd-Gristnogion amhabyddol. Cyfraniad arall, nid at ddathlu'r mileniwm fel y cyfryw ond at ddathlu thri chanmlwyddiant a hanner y dystiolaeth Fedyddiedig yng Nghymru, oedd golygu'r gyfrol *Y Fywiol Ffrwd: Bywyd a Thystiolaeth Bedyddwyr Cymru, 1649-1999* (1999). Cafwyd penodau ar hanes yr enwad gan John Rice Rowlands, D. Hugh Matthews a Gareth O. Watts, a phennod gen i yn dwyn y teitl 'Bedyddwyr Cymru a'r mileniwm newydd'. Hanesydd ydwyf ac nid proffwyd, ond rhoes y bennod honno gyfle i wneud sylwadau ynghylch nodweddion addoli yn ein heglwysi, a gweld a oedd modd i ni feithrin diwinyddiaeth genhadol oedd yn bwrpasol i ddechrau'r unfed ganrif ar hugain.

Un peth arall sy'n destun balchder o hyd oedd sefydlu cronfa i noddi rhai o'n gweinidogion i ddilyn cyrsiau gradd uwch. Daeth arian i mewn yn rhodd oddi wrth eglwys Calfaria Ravenhill, Abertawe, wedi i'r achos yno gael ei ddirwyn i ben, ac er mor drist oedd hyn mewn un modd, rhoes gyfle i ni gynnig nawdd i bedwar o'n cyn-fyfyrwyr i hogi'u meddwl trwy gyfrwng cwrs gradd meistr. Breuddwyd llawer gweinidog ar ganol gyrfa yw ailafael yn y bywyd academaidd, rhywbeth a all fod yn ddrud eithriadol onid yn amhosibl oni bai am gymorth ariannol digonol. Roedd digon yn y gronfa i ni fedru noddi pedwar o'n cyn-fyfyrwyr: Desmond Davies, Denzil John, Ian Lewis a D. Carl Williams. Rhagorodd Ian fel Hebrëwr yn ei radd BD, felly canolbwyntiodd ar yr Hen Destament ar gyfer yr MTh. Roedd Denzil a Carl yn fwy cysurus yn dilyn pynciau hanesyddol, felly Hanes yr Eglwys oedd eu dewis lwybr nhw. Cofrestrodd Desmond ar gyfer gradd ymchwil, sef yr MPhil, ond buan y sylweddolwyd fod ansawdd ei waith cystal fel y gellid ei uwchraddio i lefel PhD. Trwy gymryd hanes ei eglwys ei hun, sef y Tabernacl, Caerfyrddin, yn enghraifft, gallodd olrhain twf, datblygiad ac, ysywaeth, ddirywiad Ymneilltuaeth Gymreig o gyfnod John Myles yn 1651, hyd at weinidogaeth James Thomas yng nghanol y ganrif o'r blaen. Roedd cael bod yn gefn ac yn gymorth i'r pedwar yn destun bodlonrwydd dwfn, ac amheuthun oedd medru elwa oddi ar y gwaith gwir ysgolheigaidd a ddaeth i mewn, gan Desmond yn neilltuol. Gwnaeth Cymanfa Caerfyrddin a Cheredigion yn ardderchog trwy gyhoeddi'r gwaith hwn yn gyfrol olygus o dan y teitl *Pobl y Porth Tywyll* (2012) sy'n brawf fod ysgolheictod Bedyddiedig yn dal i ffynnu yn wyneb pob her.

Wedi'r mileniwm

Ym mis Mawrth 2000 dethlais fy mhenblwydd yn 46 oed. Roeddwn wedi cael deuddeng mlynedd ardderchog ym Mangor, wedi cyhoeddi tair cyfrol yn cynnwys y llyfr bychan ar Karl Barth yng nghyfres 'Y Meddwl Modern' (1992), *Torri'r Seiliau Sicr* (1993), sef astudiaeth o fywyd a gwaith y diwinydd Barthaidd, J. E. Daniel, a'r ymdriniaeth â hanes crefydd yng Nghymru'r ugeinfed ganrif, *The Span of the Cross*, ac wedi cwblhau cyfnod fel deon cyfadran celfyddydau'r brifysgol. Roedd y plant yn tyfu, Angharad yn ddisgybl yn Ysgol Uwchradd Tryfan, Iwan yn Ysgol y Garnedd, ac Ann yn teithio bob dydd i Landudno lle roedd yn athrawes yn Ysgol Craig-y-don. Cefais wahoddiad pleserus o annisgwyl i bregethu yn oedfa Gŵyl Ddewi Eglwys Gymraeg Efrog Newydd y flwyddyn honno, trwy law gŵr o'r enw David Morgan (dim perthynas) a fu'n aelod yn fy mam eglwys, Calfaria, Treforus, ddegawdau ynghynt. Bûm yn ôl yn yr Unol Daleithiau yn yr haf, yng nghynhadledd The North American Association for the Study of Welsh Culture (*NAASWCH*) a gynhaliwyd ym Mryn Mawr, Philadephia, lle sy'n hysbys i lawer ar sail nofelau Marion Eames am Grynwyr Meirionnydd, *Rhandir Mwyn* a'r *Ystafell Ddirgel*. Bu'r atynfa i America yn un gref i mi erioed, gan i fy nhad-cu, Sam Morgan o'r Hendy, Pontarddulais, ymfudo yno yn y 1920au a galw fy mam-gu a'u plant, yn cynnwys fy nhad, i'w ddilyn. Yr ymweliad â Bryn Mawr oedd yr wythfed tro i mi fod yn y wlad fawr ryfeddol honno oddi ar fy mhlentyndod. Byddwn yn mynd eto i ddarlithio yng nghynhadledd Geltaidd Prifysgol Harvard yn 2003 ac i draddodi papur yng nghynhadledd flynyddol yr Evangelical Theological Society yn Philadelphia yn 2005. Ond yn goron ar y cwbl, hyd hynny beth bynnag, oedd cael fy mhenodi'n *visiting scholar* yn Athrofa Ddiwinyddol Princeton yn nghymor yr hydref 2001. A minnau'n barod i hedfan ar ddydd Sadwrn 15 Medi, rhoddwyd stop ar y cwbl gan yr ymosodiad dramatig ac erchyll ar Dyrau Marchnad Manhattan ar fore Mawrth yr unfed-ar-ddeg, sef '9/11'. Trwy ryfedd wyrth, caniatawyd i mi hedfan ar fore Sadwrn, yn ôl y cynllun gwreiddiol, ac roeddwn ymhlith y cyntaf i lanio ym maes awyr Efrog Newydd wedi'r alanas. Profiad rhyfedd oedd hedfan uwchben y tyllau rhwth myglyd ar fore braf o hydref. Gan i mi gofnodi llawer o'm profiadau yn ystod y tri mis canlynol yn *Dyddiadur America a Phethau Eraill*, af fi ddim i'w hailadrodd yn nawr.

O ran y prosiectau ymchwil a aeth â'm bryd, olrhain hanes y Cymry a astudiodd yng ngholegau diwinyddol yr Unol Daleithiau yn y bedwaredd ganrif ar bymtheg oedd un ohonynt. Am hynny yr euthum i Princeton yn y lle cyntaf a chael cyfle i chwilota cofnodion Cymanfa Dwyrain Pennsylvania y Methodistiaid Calfinaidd Cymraeg yng nghreirfa'r Presbyteriaid yn Philadelphia, a darganfod pethau anhysbys am ddiwinyddion coll fel R. S. Thomas, Abercynon, a Llywelyn Ioan Evans. Ffrwyth y gwaith hwnnw oedd y gyfrol *O'r Pwll Glo i Princeton: Bywyd a Gwaith R.S.Thomas (1844-1923)* (2005), a phennod yn *Wales and the Word: Historical Perspectives on Welsh Identity and Religion*. Llunio cofiant i'r ffigur unigryw hwnnw Pennar Davies, un o ddiwinyddion Cymreig pwysig fy nghanrif fy hun, oedd yr ail dasg, ac un bleserus odiaeth ydoedd. Roeddwn eisoes wedi ymddiddori ynddo gan lunio pennod arno yn *Cedyrn Canrif*, ond gwyddwn fod yno fwy i'w ddweud. Trwy gymorth caredig Owain Pennar, ei fab, cefais afael ar doreth o'i bapurau, ac yn eu plith gyfres o lythyrau amhrisiadwy yn ymestyn yn ôl i'r 1940au, y '50au a'r '60au gan gyfeillion agos fel Gwynfor Evans, a'r hanesydd o Annibynnwr, Geoffrey F. Nuttall. Cefais seiadau cofiadwy yng nghwmni'r ddau ohonynt, Gwynfor yn ei gartref yn Llanybydder, a Nuttall mewn llety hen bobl yn Bromsgrove, Swydd Gaerwrangon. Nid llai cyfareddol oedd y sgyrsiau gyda Mrs Rosemarie Davies, un o ffoedigion y Natsïaid, yng nghartref y teulu yn Abertawe. Ymddangosodd *Pennar Davies*, yn y gyfres 'Dawn Dweud', yn 2003. Mae unrhyw rinwedd yn y gyfrol yn deillio o'r ffaith nad diwinyddiaeth Pennar oedd fy niwinyddiaeth i - peth a roes bellter gwrthrychedd rhyngof ag ef - a bod mwy lawer o werthfawrogiad yn y portread hwnnw nac yr oedd amryw yn ei ddisgwyl.

I'r sawl sy'n gweithio mewn prifysgolion, roedd y blynyddoedd hynny yn arwyddo cryn newid. Er bod ysgolheictod o hyd yn bwysig, a'r angen i gyfrannu dysg i fyfyrwyr a gwarchod safonau academaidd yn dal i gael lle blaenllaw, roedd fwyfwy o sôn am dablau perfformio i aelodau'r staff, gyda dulliau rheoli o fyd busnes yn dechrau disodli'r hen arferion cyfarwydd. Fel pennaeth yr Adran Diwinyddiaeth, ac yna ddirprwy bennaeth ac yna bennaeth Ysgol y Dyniaethau rhwng 2000 a 2005, ac yna'n bennaeth cyntaf Coleg y Dyniaethau o 2005 hyd 2008, chwaraeais ran ddigon anfodlon yn rhai o'r newidiadau hyn. Ni allaf, fodd bynnag, gwyno. Cefais fy nghyd-benaethiaid yn bobl ardderchog, ac uchel reolwyr y brifysgol, gan gynnwys yr Is-Ganghellor newydd, y cyn-athro Hanes Cymru (a'm rhagflaenydd fel deon y celfyddydau), R. Merfyn Jones yn gyfeillgar, yn fonheddig ac yn deg. Dyfarnwyd i mi gadair bersonol yng Ngorffennaf 2004, a'r radd Doethur mewn Diwinyddiaeth ar sail fy ngweithiau cyhoeddedig yn Hydref 2005. Roedd y ddeubeth hyn yn tynhau'r cwlwm rhyngof â'r brifysgol, a ystyriwn yn *alma mater*, yn dynnach fyth. Er gwaethaf anffawd y digwyddiadau diweddarach, teimladau cynnes eithriadol sy gen i at Fangor o hyd.

Y perygl wrth ymroi fywfwy i ddyletswyddau gweinyddol ar y naill law a gorchwylion technegol academaidd ar y llall, oedd i'r weledigaeth ddiwinyddol bylu. Roedd fy ngwaith yn y Coleg Gwyn yn wrthglawdd effeithiol yn erbyn hyn, ond yn bwysicach lawer oedd y gymdeithas eglwysig yng nghapel Penuel. Bu Ann a minnau'n aelodau yno er symud o Ynys Môn dros ddegawd ynghynt, ac yn ogystal â'r arlwy iachus a gaem o'r pulpud trwy weinidogaeth ardderchog ein gweinidog Olaf Davies, cawsom fudd gyson o berthyn i'r dosbarth beiblaidd ar nos Iau (ac Ann yn nosbarth oedolion yr ysgol Sul). Nid eglwys berffaith oedd, nac ydyw, eglwys Penuel, ond mae'n eglwys yng ngwir ystyr y gair. Gan gymhwyso geiriau Lewis Valentine am eglwys ei fagwraeth yn Llanddulas: '[Mae] yno wir gymdeithas y saint, a phan fo diwinyddion yn traethu ar ystyr *koinonia* y Testament Newydd, yr wyf fi'n gwybod i mi brofi ei gyfrinach yno'.[13] Onid yw diwinyddiaeth yn tarddu o gymdeithas ysbrydol mewn eglwys leol, mae lle i amau ei dilysrwydd. Dyma gyfle i ddiolch yn ddiffuant i gyfeillion Penuel am bob nawdd ac achles ar hyd y blynyddoedd.

Erbyn 2008 roeddwn wedi treulio ugain mlynedd ar staff Prifysgol Bangor ac roedd y flwyddyn honno yn un bur arbennig. Gan nad oeddwn wedi cael tymor sabothol er y tri mis cofiadwy yn Princeton saith mlynedd ynghynt, caniataodd yr awdurdodau i mi flwyddyn o seibiant astudio. Y dasg y tro hwn oedd llunio dwy gyfrol, yn naill ar wahoddiad gwasg yr SPCK, yn crynhoi sylwedd diwinyddiaeth Karl Barth, a'r llall, ar gyfer gwasg T & T Clark, yn olrhain y derbyniad a roddwyd i'r ddiwinyddiaeth honno yng ngwledydd Prydain, yn Lloegr a'r Alban yn ogystal ag yng Nghymru. Er mwyn manteisio ar gasgliadau dihysbydd Llyfrgell Bodley euthum i Rydychen, a rhwng Ionawr a Mai fe'm croesawyd yn ôl i fy hen goleg yn Regent's Park, ond ar ben hynny pleser mawr oedd cael fy ethol yn gymrawd gwadd yn Princeton, nid yn yr athrofa y tro hwn ond yn y Ganolfan Uwchefrydiau Diwinyddol. Felly rhwng dechrau Awst a'r Nadolig, gydag Ann yn gwmni i mi y tro hwn, anelu nôl am New Jersey a wnaethom. Os '9/11' oedd cefndir prudd yr ymweliad cynharach, cynnwrf a drama etholiad arlywyddol Barack Obama a roes wefr i'r arhosiad y tro hwn. Am f'ymateb i'r cwbl, darllener y mannau priodol yn *Dyddiadur America a Phethau Eraill.* Unig ofid y pum mis godidog hwnnw oedd methu bod yn bresennol yng nghapel Y Wern, Ystalyfera, ar 5 Tachwedd i weld fy mam yn derbyn y Fedal Gee yn wobr am ffyddlondeb i'r ysgol Sul am hanner canrif a mwy.

Roedd f'ymchwiliadau i hanes crefydd Oes Fictoria, a ddechreuodd gyda'r gwaith ar y Cymry Americanaidd R. S. Thomas a Llywelyn Ioan Evans gan ymestyn at Fethodistiaid amlwg eraill fel Owen Thomas, Lerpwl, wedi fy ngyrru at yr un cawr diwinyddol a fagodd Cymru'r bedwaredd ganrif ar bymtheg, sef Lewis Edwards. Gŵr a fu dan gwmwl am yn hir oedd prifathro Coleg y Bala, gan genedlaetholwyr ac efengyleiddwyr fel ei gilydd, yn aml oherwydd rhagfarn noeth. Cafodd *Lewis Edwards* (2009), f'ail gyfrol yng nghyfres 'Dawn Dweud', beth sylw ar y pryd gan ennill Gwobr Ellis Jones Griffith fel llyfr ffeithiol gorau 2007-10 a chyrraedd rhestr hir Llyfr y Flwyddyn. Bu'n fodd i adfer enw da Lewis Edwards, druan, ac yn help i minnau ddysgu mwy am gyfoeth y traddodiad diwinyddol Cymraeg. Cefais gyfle i ddweud rhywbeth am y traddodiad hwnnw i gynulleidfa ryngwladol yn y gynhadledd yn dathlu pumcanmlwyddiant geni John Calvin ym Mhrifysgol Genefa ym Mai 2009.

Y symud i'r De

Ni ragwelais nad ym Mangor y byddwn am weddill fy ngyrfa, er bod gen i syniad mai dychwelyd i'r weinidogaeth fugeiliol a wnawn wedi i mi gyrraedd fy nhrigain oed. Ond yn ddirybudd, cafwyd cynllun academaidd newydd a ffafriai'r pynciau gwyddonol a thechnegol ar draul y dyniaethau, ac roedd pum adran, yn cynnwys fy adran fy hun, o dan fygythiad o gael eu cau. Siarad ydoedd ar y pryd yn hytrach na gweithredu, ac yn sicr yr oeddem yn barod i ymladd er mwyn sicrhau parhad pwnc oedd wedi bod yn greiddiol i'r brifysgol ym Mangor er y dechrau. Ond ar yr un pryd roedd prifysgol newydd y Drindod Dewi Sant, sef cyfuniad o Brifysgol Cymru Llanbedr Pont Steffan a sefydlwyd mor gynnar ag 1822, a Choleg y Drindod Caerfyrddin, wedi cael nawdd haelionus gan Lywodraeth Cymru, tra bod pwysau gan y gweinidog addysg ar i bynciau academaidd yn y prifysgolion gael eu canoli mewn mannau neilltuol. Y ganolfan arfaethedig ar gyfer Diwinyddiaeth ac Astudiaethau Crefyddol fyddai'r sefydliad newydd, Prifysgol Cymru y Drindod Dewi Sant. Gan dorri stori anodd a phoenus yn fyr, cafodd pedwar ohonom ein gwahodd i ymuno â'r brifysgol newydd, ac ym mis Medi 2010, ar ôl treulio dwy flynedd ar hugain hapus ryfeddol ym Mangor, dechreuais fy ngwaith newydd fel pennaeth Adran Diwinyddiaeth, Astudiaethau Crefyddol ac Astudiaethau Islamaidd yno. Ymhen y flwyddyn byddai Ann a minnau wedi ymgartrefu yn nhref ddymunol Llambed, gan ymaelodi yn eglwys Noddfa. Roedd hi'n gryn newid byd.

Nid yw'n fwriad gennyf ddweud nemor ddim am y pedair blynedd diwethaf hyn. Aeth y cyhoeddi ymlaen gyda'r ddwy gyfrol ar Barth, *The SPCK Introduction to Karl Barth* a *Barth Reception in Britain* yn ymddangos yn 2010 ynghyd a diweddariad o'r *Span of the Cross* (2011) a oedd yn cynnwys pennod ar ddatblygiad crefydd yn negawd cyntaf y mileniwm newydd. Yna, gan ymestyn fy niddordeb cynyddol ym

Methodistiaid y bedwaredd ganrif ar bymtheg, ymddangosodd *Edward Matthews Ewenni* (2012) yng nghyfres 'Llên y Llenor', a llynedd, bennod mewn cyfrol a olygais, sef *Thomas Charles o'r Bala*. Fe'm hetholwyd yn Gymrawd Cymdeithas Ddysgedig Cymru yn 2011 ac yna, yn annisgwyl iawn, yn aelod o Orsedd y Beirdd. Fe'm derbyniwyd i'r cylch cyfrin yn Eisteddfod Bro Morgannwg yn 2012 a'r enw a ddewisais oedd 'Myfyr Tawe'! Roedd rhyw rimyn o dristwch yn amgylchynu'r achlysur am nad oedd fy mam yno i dystio iddo. Bu hi farw, yn 82 oed, adeg Gŵyl Ddewi y flwyddyn gynt.

Beth fu nodweddion deugain mlynedd o ddiwinydda? Prin y gallwn honni fod diwinyddiaeth wedi bod yn ganolog i'r meddwl Cymreig, nac i'r meddwl crefyddol Gymreig, yn ystod y cyfnod, ond efallai bod hynny wedi bod yn wir erioed. Ond gallwn honni fod lleiafrif o Gymry meddylgar wedi ymddiddori yn y pwnc ac wedi ymateb yn ddeallus ac yn greadigol iddo ar hyd yr amser. A fydd diwinydda yn Gymraeg am y deugain mlynedd nesaf? O ran y ddau gorff sydd wedi sicrhau parhad yr etifeddiaeth hyd yma, sef yr eglwysi Cymraeg a'r colegau, y colegau diwinyddol a fu'n gysylltiedig â'r hen Brifysgol Cymru yn neilltuol, y maent o dan warchae terfynol i bob golwg. Gyda globaleiddio cynyddol yn bygwth crefydda trwy'r Gymraeg, a'r prifysgolion yn ymagweddu yn fwy fel busnesau rhyngwladol na gwarcheidwaid gwarineb, diwylliant a dysg, nid yw'r rhagolygon yn ddisglair. Ond mae pobl wedi darogan diwedd Cymru a chrefydd o'r blaen, ac yr ydym yma o hyd! O Dduw y daw'n digonedd, ac oherwydd hynny nid ydym yn digalonni. Sut felly mae terfynu'r atgofion hyn? Ni allaf wneud yn well na dyfynnu geiriau Joseph L. Hromadka, y diwinydd o Wlad Tsiec a ddioddefodd gyntaf dan y Natsïaid ac yna dan y Comiwnyddion ond a arhosodd yn ffyddlon i'w alwedigaeth hyd y diwedd: 'Wrth gloi, cyffesaf fod diwinyddiaeth wedi bod i mi yn wir destun gorfoledd, a phetawn yn gorfod dewis eto fe'i dewiswn yn waith oes drachefn'.[14]

Nodiadau

Pennod 1

1   Darlith flynyddol Cymdeithas Hanes y Bedyddwyr, Undeb Clydach 1985; cyhoeddwyd gyntaf yn *Nhrafodion* y Gymdeithas, 1986.

2   Joshua Thomas, *Hanes y Bedyddwyr yn Mhlith y Cymry*, arg. Benjamin Davies (Pontypridd: B. Davies, 1885), t. 125.

3   Gw. erthygl Thomas Richards yn J. E. Lloyd ac R. T. Jenkins (goln), *Y Bywgraffiadur Cymreig hyd 1940* (Llundain: Anrhydeddus Gymdeithas y Cymmrodorion, 1951); B. G. Owens, 'Joshua Thomas, hanesydd y Bedyddwyr', *Y Llenor* 27 (1948) 182-7; E. W. Hayden, 'Joshua Thomas, Welsh Baptist historian', *Baptist Quarterly* 23 (1969-70), 126-37; erbyn hyn, gw. Tanya Louise Jenkins, 'Bywyd a Gwaith Joshua Thomas (1719-97)', traethawd PhD anghyhoeddedig, Prifysgol Cymru Bangor, 1994.

4   Thomas Parry, *Hanes Llenyddiaeth Gymraeg hyd 1900* (Caerdydd: Gwasg Prifsygol Cymru, 1944), t. 226.

5   J. Gwili Jenkins, *Hanfod Duw a Pherson Crist* (Lerpwl: Hughes a'i Fab, 1931), tt. 39, 129, 248-9.

6   Joshua Thomas, *Hanes y Bedyddwyr Ymhlith y Cymry* (Caerfyrddin: John Ross, 1778), t. iii. O'r argraffiad hwn y daw'r holl ddyfyniadau oni nodir yn wahanol.

7   B. G. Owens, 'Llawysgrifau Joshua Thomas, Llanllieni', *Trafodion Cymdeithas Hanes Bedyddwyr Cymru* (1969), 5-20.

8   Gw. D. Densil Morgan, 'Smoke, fire and light": Baptists and the revitalization of Welsh Dissent', *Baptist Quarterly* 32 (1988), 224-32.

9   *Llythyr, Oddiwrth y Gymmanfa* (Caerfyrddin: John Ross, 1774), t. 8.

10   Benjamin Francis, *Aleluia ...* (Caerfyrddin: John Ross, 1774), rhagymadrodd.

11   *Llythyr, Oddiwrth y Gymmanfa* (Caerfyrddin: John Ross, 1779), t. 2.

12   Trafodwyd hyn yn helaethach yn D. Densil Morgan, *Christmas Evans a'r Ymneilltuaeth Newydd* (Llandysul: Gwasg Gomer, 1991) ac yn y bennod 'Christmas Evans and the birth of Nonconformist Wales (1766-1838)', idem, *Wales and the Word: Historical Perspectives on Welsh Identity and Religion* (Cardiff: University of Wales Press, 2008), tt. 17-30.

13   T. M. Bassett, *Bedyddwyr Cymru* (Abertawe: Gwasg Ilston, 1977), t. 93.

14   Dyddiadur Edmund Jones, NLW MS 7027.

15   Dyddiadur Edmund Jones, NLW MS 7029.

16   Am Crosby (fl. 1740), gw. B. R. White, 'Thomas Crosby, Baptist historian', *Baptist Quarterly* 21 (1965-6), 154-68.

17   Thomas Crosby, *The History of the English Baptists*, Vol. 2 (London: J.Robinson, 1739), tt. xxiii-xlvi.

18   Anthony Wood, *Athenae Oxoniensis* (1692), Vol. 2, Col. 39.

19   'The Baptists at Olchon ... were men whose beliefs could only be

explained by Joshua Thomas on autochthonous grounds, a theory which no Baptist historian from David Jones of Carmarthen to Mr Shankland has succeeded in disproving effectively; Thomas Richards, *Wales under the Penal Code* (London: National Eisteddfod Association, 1925), t. 107.

20 Thomas Crosby, *The History of the English Baptists*, Vol. 1 (London: J.Robinson, 1738), tt. 147-54.

21 *Y Bywgraffiadur Cymreig hyd 1940*; daw'r cymal Saesneg o'r erthgl gyfatebol, *The Dictionary of Welsh Biography* (London: Hon. Society of Cymmrodorion, 1959).

22 Cf. W. Morgan Patterson, *Baptist Successionism: A Critical View* (Valley Forge, Pa: Judson Press, 1969), t. 21.

23 R. T. Jenkins, *Hanes Cymru yn y Ddeunawfed Ganrif* (Caerdydd: Gwasg Prifysgol Cymru, 1931), t.1.

24 Prys Morgan, *The Eighteenth Century Renaissance* (Llandybïe: Christopher Davies, 1981).

25 Saunders Lewis, 'Drych y Prif Oesoedd', yn R. Geraint Gruffydd (gol.), *Meistri'r Canrifoedd* (Caerdydd: Gwasg Prifysgol Cymru, 1973), tt. 232-47.

26 'Damcaniaeth Eglwys Brotestannaidd', yn ibid, tt. 116-39, cf Glanmor Williams, 'Some Protestant Views of Early British Church History', *Welsh Reformation Essays* (Cardiff: University of Wales Press, 1967), tt.207-19.

Pennod 2

1 Darlith flynyddol Cymdeithas Hanes y Bedyddwyr, Undeb Caergybi 1989; cyhoeddwyd gyntaf yn *Nhrafodion* y Gymdeithas, 1990.

2 Joseph Ivimey, *History of the English Baptists*, Vol. 1 (London: Printed for the Author, 1811), t. 416.

3 Ivimey, *History*, Vol. 1, tt. 420-1.

4 Ivimey, *History of the English Baptists*, Vol. 3 (London: B.G.Holdsworth, 1823), t. 260, cf. t. 322.

5 W. J. McGlothlin, *Baptist Confessions of Faith* (Philadelphia: American Baptist Publication Society, 1908), t. 216

6 Am y gyffes hon gw. B. R. White, 'The doctrine of the church in the Particular Baptist Confession of 1644', *Journal of Theological Studies*, 19 (1968), 570-90.

7 Ceir adargraffiad o'r gyffes ar ei hyd gan W. L. Lumpkin, *Baptist Confessions of Faith* (Philadelphia: Judson Press, 1959), tt. 241-95.

8 Gw. D. Densil Morgan, 'Welsh Baptist Theology, c.1714-60', *The Journal of Welsh Ecclesiastical History* 7 (1990), 41-54.

9 Am y syniad cyfamodol, gw. R. Tudur Jones, 'Athrawiaeth y cyfamodau', *Y Traethodydd*, cyfres newydd 18 (1950), 118-26; cf. beirniadaeth Karl Barth ar y syniad, *Church Dogmatics* IV/1 (Edinburgh: T & T Clark, 1956), tt. 54-66.

10 Mae Timothy Thomas yn *Y Wisg Wen Ddisglair, Gymmhwys i fyned i Lys y Brenhin Nefol* (Caerfyrddin: E. Powell, 1758), a John Jenkins, Hengoed yn *Gwelediad y Palas Arian; neu Gorff o Dduweinyddiaeth*, ail argraffiad (Merthyr Tydfil: J. Jenkins,

1820), hwy'll dau yn diwinydda ar sail y syniad hwn.

11 Ivimey, *History*, Vol. 1, t. 479.

12 Ibid, tt. 502 (a gam-rifwyd yn 478), 505, 508, 509.

13 Ibid, t. 500.

14 Gw. Raymond Brown, *The English Baptists of the Eighteenth Century* (London: Baptist History Society, 1986), tt. 36, 52, 71; Roger Hayden, 'The Particular Baptist Confession 1689 and Baptists today', *Baptist Quarterly* 32 (1988), 403-17.

15 Joshua Thomas, *A History of the Baptist Association in Wales, from the year 1650, to the year 1790* (London: 1795), t. 47.

16 Timothy Thomas, *Y Wisg Wen Ddisglaer*, wynebddalen.

17 Llyfr Eglwys Caer-leon, NLW MS 11121B, t. 17.

18 Joshua Thomas, *History of the Baptist Association*, t. 57.

19 Ibid., t. 58.

20 Ibid., t. 69.

21 Ibid., t. 73.

22 Dyddir argraffiad yn fy meddiant, sef 'y pedwerydd argraffiad, a gyhoeddwyd yn ôl penderfyniad Cyfarfod Chwarterol Morganwg', yn 1845.

23 Joshua Thomas, *Hanes y Bedyddwyr yn Mhlith y Cymry*, arg. Benjamin Davies (Pontypridd: B. Davies, 1885), t. 386.

24 Joshua Thomas, *History of the Baptist Association*, t. 72.

25 J. Gwili Jenkins, *Hanfod Duw a Pherson Crist* (Lerpwl: Hughes a'i Fab, 1931), t. 247.

26 D. E. Jenkins, *The Life of the Rev. Thomas Charles of Bala*, Vol. 2 (Denbigh: the Author, 1910), tt. 70-1.

27 Joshua Thomas, *Cyffes Ffydd, wedi ei gosod allan gan Henuriaid a Brodyr Amryw Gynulleidfaoedd o Grist'nogion, wedi eu bedyddio ar Broffes o'u Ffydd, yn Llundain a'r Wlad* (Caerfyrddin: Ioan Daniel, 1791), t. 2.

28 Ibid., t. 4.

29 Ibid.

30 Ibid., t. 5.

31 Ibid.

32 Ibid.

33 *Llythyr y Gymmanfa, at yr Eglwysi* (Caerfyrddin: John Ross, 1798), t. 3.

34 Gw. R. T. Jenkins, 'William Richards o Lynn', *Trafodion Cymdeithas Hanes Bedyddwyr Cymru* (1930), 17-61.

35 British Library Additional MSS, 25386, gohebiaeth John Rippon.

36 D. Densil Morgan, 'The Development of the Baptist Movement in Wales between 1714 and 1815 with particular reference to the Evangelical Revival', traethawd anghyhoeddedig D Phil, Prifysgol Rhydychen, 1986, tt. 220-50.

37 British Library Additional MSS, 25386, gohebiaeth John Rippon.

38 R. T. Jenkins, 'Briwsion o hanes Bedyddwyr Cyffredinol Cymru', *Trafodion Cymdeithas Hanes Bedyddwyr Cymru* (1931), 61-8.

39 Gw. D. Densil Morgan, *Christmas Evans a'r Ymneilltuaeth Newydd* (Llandysul: Gwasg Gomer, 1991), *passim*.

Pennod 3

1   T.M.Bassett, *Bedyddwyr Cymru* (Abertawe: Gwasg Ilston, 1977), tt.110-114, ynghyd a'r bennod flaenorol.

2   D.Densil Morgan, *Christmas Evans a'r Ymneilltuaeth Newydd* (Llandysul: Gwasg Gomer, 1991), tt. 35-53.

3   Darlith flynyddol Cymdeithas Hanes y Bedyddwyr, Undeb Llanbedr Pont Steffan 2002; cyhoeddwyd gyntaf yn *Nhrafodion* y Gymdeithas, 2003.

4   David Bowen (gol.), *Cofiant a Barddoniaeth Ben Bowen* (Treorci: Cyhoeddwyd gan yr Awdur, 1904), t.xiv.

5   Ibid., t.x.

6   Ibid., t.xvi.

7   Ibid.

8   Ibid., t.78.

9   Ibid., t.78.

10 Ibid., t.2.

11 Ibid., t.3.

12 Ibid., t.3.

13 Ibid., t.3.

14 Ibid., t.4.

15 Ibid., t.5.

16 Ibid.

17 Ibid., t.7.

18 Ibid., t.xix.

19 David Bowen (gol), *Rhyddiaith Ben Bowen* (Caerdydd: Cyhoeddwyd gan yr Awdur, 1909), t.124.

20 Ibid., t.89.

21 Ibid., t.127.

22 Ibid., t.90.

23 Ibid., t.177.

24 Ibid., t.91.

25 David Bowen (gol.), *Ben Bowen yn Neheudir Affrica* (Llanelli: Cyhoeddwyd gan yr Awdur, 1928), t.55.

26 Ibid., t.38.

27 Ibid., t.133.

28 David Bowen (gol.), *Cofiant a Barddoniaeth*, t.cix.

29 Thomas Parry, *Hanes Llenyddiaeth Gymraeg hyd 1900* (Caerdydd: Gwasg Prifysgol Cymru, 1944), tt.283-4.

30 David Bowen (gol), *Cofiant a Barddoniaeth*, t.98.

31 Ibid., t.106.

32 Ibid., t.109.

33 Ibid., t.138.

34 Ibid., t. 95.

35 Ibid., t.cxli.

36 Ibid., t.xxvii.

37 Ibid., t.xxix.

38 Ibid., t.xxxii.

39 David Bowen (gol.), *Ben Bowen yn Neheudir Affrica*, t.9.

40 Ibid., t.39.

41 Ibid., t.41.

42 Ibid., t.42.

43 Ibid., tt.77, 81-2.

44 Ibid., t.134.

45 Ibid., t.cxli.

46 Ibid., t.cxlii.

47 Ibid., t.cxlvii.

48 David Bowen (gol.), *Ben Bowen yn Neheudir Affrica*, t.40.

49 David Bowen (gol.), *Cofiant a Barddoniaeth*, t.177.

50 Ibid., t.189.

51 David Bowen (gol.), *Ben Bowen yn Neheudir Affrica*, t.23.

52 David Bowen (gol.), *Cofiant a Barddoniaeth*, t.xlviii.

53 David Bowen (gol.), *Ben Bowen yn Neheudir Affrica*, t.56.

54 Ibid., t.27.

55 Ibid., t.76.

56 David Bowen (gol.), *Cofiant a Barddoniaeth*, t.xlviii.

57 David Bowen (gol.), *Ben Bowen yn Neheudir Affrica*, t.82.

58 Ibid., t.97.

59 Ben Bowen, 'Cymundeb rhydd', *Y Geninen* 20 (1901), tt.131-4; codwyd pob dyfyniad o David Bowen (gol.), *Rhyddiaith Ben Bowen*, tt.165-70 [166].

60 Ibid., t.167.

61 Ibid., t.166.

62 Ibid., t.167.

63 Ibid., t.169.

64 Ibid., t.170.

65 Ibid.

66 Ibid., t.167.

67 David Bowen (gol.), *Cofiant a Barddoniaeth*, t.xlviii.

68 John Morris-Jones, 'Swydd y Bardd', *Y Traethodydd* 62 (1902), 464-70.

69 David Bowen (gol.), *Ben Bowen yn Neheudir Affrica*, t.102.

70 T.Gwynn Jones, *Caniadau* (Wrecsam: Hughes a'i Fab, 1934), t.33.

71 David Bowen (gol.), *Cofiant a Barddoniaeth*, t.220.

72 'Chronos', 'Ben Bowen a'r Cymundeb', *Seren Cymru*, 13 Mehefin 1902, 1.

73 'Felix', *Seren Cymru*, 1 Awst 1902, 10-11.

74 David Bowen (gol.), *Ben Bowen yn Neheudir Affrica*, t.135.

75 David Bowen (gol.), *Rhyddiaith Ben Bowen*, t.178.

76 Ibid., t.181.

77 Ibid., t.192.

78 Ibid.

79 David Bowen (gol.), *Ben Bowen yn Neheudir Affrica*, t.136.

80 David Bowen (gol.), *Rhyddiaith Ben Bowen*, t.204.

81 Ibid.

82 Ibid., t.207.

83 Ibid., tt.209, 210.

84 Ibid., t.206.

85 David Bowen (gol.), *Cofiant a Barddoniaeth*, t.lxx.

86 *Seren Cymru*, 5 Medi 1902, 6.

87 David Bowen (gol.), *Cofiant a Barddoniaeth*, t.lxxii.

88 Ibid.

89 Ibid., t.clxxxiii.

90 Ibid., xlviii.

91 Ibid., tt.249-51.

92 Ibid., t.lxxiv.

93 Ibid., t.264.

94 Myfyr Hefin (gol.), *Blagur Awen Ben Bowen* (Caernarfon: Gwenlyn Evans, 1915), t.10.

95 Ibid., t.11.

96 Ibid., t.12.

97 Ibid., t.250.

98 Ibid., t.244.

99 Ibid., t.248.

100 Hedd Wyn, *Cerddi'r Bugail* (Wrecsam: Hughes a'i Fab, 1931), t.1.

101 Gw. D.Densil Morgan, *The Span of the Cross: Religion and Society in Wales, 1914-2000* (Cardiff: University of Wales Press, 1999), tt. 130-47; idem., *Cedyrn Canrif: Crefydd a Chymdeithas yng Nghymru'r Ugeinfed Ganrif* (Caerdydd: Gwasg Prifysgol Cymru, 2001), *passim*.

102 David Bowen (gol.), *Cofiant a Barddoniaeth*, t.177.

Pennod 4

1 Traddodwyd y papur hwn yng nghynhadledd Adran Diwinyddiaeth Urdd Graddedigion Prifysgol Cymru, Aberystwyth, ym Medi 1995 a'i chyhoeddi yn *Diwinyddiaeth* 57 (1996).

2 Dietrich Bonhoeffer, E. Bethge (gol.), *Sanctorum Communio* (London: Collins, 1963), tt. 20, 32, 32, 51, 55, 72, 85.

3 Ibid., tt. 99, 110, 113-4, 113, 111-2, 112-3.

4 Ibid., tt. 101, 101, 160, 115, 101, 195.

5 Ibid., tt. 100, 116, 127, 102.

6 Ibid., t.151; cf. tt. 144, 187.

7 Dietrich Bonhoeffer, ' Man in contemporary philosophy and theology', Edwin H. Robertson (gol.), *No Rusty Swords* (Glasgow: Collins, 1970), tt. 50-69 [64].

8 Dietrich Bonhoeffer, *Christology*, tt. 58, 59.

9 Ibid., t. 112.

10 Dietrich Bonhoeffer, 'The boundaries of the church', Edwin H. Robertson (gol.), *The Way to Freedom* (Glasgow: Collins, 1966), tt. 75-96 [93-4].

11 Dietrich Bonhoeffer, *The Cost of Discipleship* (London: SCM, 1959), t. 79

12 Dietrich Bonhoeffer, *Life Together* (London: SCM, 1954), t. 24.

13 Bonhoeffer, *The Way to Freedom*, t.246.

14 Dietrich Bonhoeffer, E. Bethge (gol.) *Ethics* (London: SCM, 1960), tt. 105, 111.

15 Ibid., tt. 296-7.

16 Ibid., tt. 70, 72, 79, 83, 84.

17 Ibid., tt. 197, 297

18 Ibid. t. 201.

19 Ibid., t. 299.

20 Dietrich Bonhoeffer, E. Bethge (gol.) *Letters and Papers from Prison* (London: SCM, 1976), t. 280.

21 Ibid., t. 300.

22 Ibid., tt. 53, 118, 174, 300.

23 Ibid., tt. 308-3.

24 Ibid., t. 387.

25 Er cyhoeddi'r papur hwn, mae cyfieithiad Saesneg newydd o holl weithiau Bonhoeffer yn y broses o ymddangos gan y Fortress Press, Minnesota. Dylid cyfeirio hefyd at y cofiant safonol, Eberhard Bethge, *Dietrich Bonhoeffer: A Biography*, fersiwn cyflawn diwygiedig (Minnesota: Fortress Press, 2000), ac am y cysylltiadau Prydeinig, gw. Keith Clements, *Bonhoeffer in Britain* (London: Churches Together in Britain and Ireland, 2006).

Pennod 5

1   Darlith y Gymdeithas Hanes, Undeb Caerdydd 2008; cyhoeddwyd yn *Nhrafodion* y Gymdeithas, 2009.

2   Am destun Datganiad Barmen, gw. H. G. Link, *Apostolic Faith Today* (Geneva: WCC, 1985), tt.147-50.

3   'Herr Hitler wrth y llyw', *Seren Cymru*, 3 Chwefror 1933, 1.

4   'O Ddydd i Ddydd', *Seren Cymru*, 10 Chwefror 1933, 6.

5   Am M. B. Owen (1875-1949) gw. *Y Bywgraffiadur Cymreig 1941-50* (Llundain: Anrhydeddus Gymdeithas y Cymmrodorion, 1970), t. 46; Dewi Eirug Davies, *Hoff Ddysgedig Nyth* (Abertawe: Gwasg John Penry, 1976), tt.210-11; Alun Page, *Arwyddion ac Amserau* (Llandysul: Gwasg Gomer, 1979), tt.96-9.

6   'Dadl Undeb Rhydychen', *Seren Cymru*, 3 Mawrth 1933, 1.

7   'Atgyfodi paganiaeth', *Seren Cymru*, 4 Awst 1933, 1.

8   'Y ddwy groes', *Seren Cymru*, 29 Medi 1933, 1.

9   'Dr Barth', *Seren Cymru*, 6 Hydref 1933, 1.

10 'Urdd Argyfwng y Gweinidogion', *Seren Cymru*, 8 Rhagfyr 1933, 1.

11 Gw. Alan Wilkinson, *Dissent or Conform? War, Peace and the English Churches, 1900-45* (London: SCM, 1986), tt.144-60; Keith Robbins, 'Martin Niemöller, the German Church Struggle and English public opinion', *History, Religion and Identity in Modern Britain* (London: The Hambleton Press, 1993), tt.161-82.

12 'Rhwygo'r eglwys', *Seren Cymru*, 6 Ionawr 1934, 1.

13 Am y cefndir gw Klaus Scholder, *The Churches and the Third Reich*, cyf. 2 *The Year of Disillusionment 1934, Barmen and Rome* (London: SCM, 1985); cf. A. S. Duncan-Jones, *The Struggle for Religious Freedom in Germany* (London: Hodder and Stoughton, 1938).

14 'Rhwygo'r eglwys', *Seren Cymru*, 6 Ionawr 1934, 1.

15 'Dr Barth', *Seren Cymru*, 19 Ionawr 1934, 1.

16 'Cynghrair Berlin', *Seren Cymru*, 10 Awst 1934, 1.

17 J. H. Rushbrooke (gol.), *Fifth Baptist World Congress, Berlin August 4-10 1934* (London: Baptist World Alliance, 1934), t.14.

18 Paul Schmidt, 'Nationalism', yn Rushbrooke (gol.), *Fifth Baptist World Congress, Berlin August 4-10*, tt. 63-5 [64].

19 Schmidt, 'Nationalism', t. 65.

20 Carl Schneider, 'The centenary of the German Baptist movement', yn Rushbrooke (gol.), *Fifth Baptist World Congress, Berlin August 4-10*, tt. 191-3 [192-3].

21 'Cynhadledd Bedyddwyr y Byd', *Seren Cymru*, 24 Awst 1934, 8.

22 Keith Clements' A Question of Freedom: British Baptists and the German Church Struggle' yn idem (gol.), *Baptists in the Twentieth Century* (London: Baptist Historical Society, 1983), tt.96-113 [106-7].

23 M. E. Aubrey, 'Young Baptists and their tradition', yn Rushbrooke (gol.), *Fifth Baptist World Congress,*

Berlin August 4-10, tt. 182-3 [182].

24 Aubrey, 'Young Baptists and their tradition', t. 182.

25 Gw. 'The declaration of the Reichsbishof' yn Rushbrooke (gol.), *Fifth Baptist World Congress, Berlin August 4-10*, tt. 228-9

26 'Gorseddu Prifesgob Müller', *Seren Cymru*, 24 Medi 1934, 1.

27 Eberhard Bethge, *Prayer and Righteous Action* (Belfast: Christian Focus, 1979), tt. 16-17.

28 'Esgob Müller', *Seren Cymru*, 23 Tachwedd 1934, 1.

29 Gw. D.Densil Morgan, 'Cefndir, Cymreigiad a Chynnwys Cyffes Ffydd 1689', *Trafodion Cymdeithas Hanes y Bedyddwyr* 1990, tt.19-34, a phennod 2 uchod.

30 'Gweld y golau', *Seren Cymru*, 22 Chwefror 1935, 1.

31 'Y saith mil', *Seren Cymru*, 12 Ebrill 1935, 1.

32 'Beibl y Nasïaid', *Seren Cymru*, 21 Chwefror 1936, 1.

33 Am Gwili (1872-1936) gw. E. Cefni Jones, *Cofiant Gwili* (Llandysul: Gwasg Gomer, 1937); J. Beverly Smith, 'John Gwili Jenkins', *Trafodion Anrhydeddus Gymdeithas y Cymmrodorion* (1974-5), 191-214.

34 Brodor o'r Pwll, Llanelli, oedd R. S. Rogers (1882-1950) yn awdur *Athrawiaeth y Diwedd* (1934) ac yn olygydd *Y Llawlyfr Moliant Newydd*; gw. *Y Bywgraffiadur Cymreig 1941-50* (Llundain: Anrhydeddus Gymdeithas y Cymmrodorion, 1970), t.52.

35 Gwler bellach gofiant safonol Arwel

Vittle, *Valentine* (Tal-y-bont: Gwasg y Lolfa, 2006).

36 J. H. H. 'Llith o'r Gogledd', *Seren Cymru*, 2 Hydref 1936, 7.

37 Am H. Cernyw Williams (1843-1937) gw. *Y Bywgraffiadur Cymreig hyd 1940* (Llundain: Annrhydeddus Gymdeithas y Cymmrodorion, 1953), t.980; erys y ffugur hynod a dylanwadol hwn heb ei astudio'n drwyadl.

38 'Y Bugail Niemöller', *Seren Cymru*, 19 Chwefror 1937, 1.

39 Gw. 'Y tyst ymhlith y tystion: Ivor Oswy Davies (1906-64)' yn D. Densil Morgan, *Cedyrn Canrif: Crefydd a Chymdeithas yng Nghymru'r Ugeinfed Ganrif* (Caerdydd: Gwasg Prifysgol Cymru, 2001), tt. 132-57 am y cefndir.

40 'Epistol o Lundain', *Seren Cymru*, 2 Ebrill 1937, 6.

41 'Epistol o Lundain', *Seren Cymru*, 2 Ebrill 1937, 6.

42 'Karl Barth answers a question: how can churches abroad help the German Evangelical Church?', *The British Weekly*, 22 Ebrill 1937, 71.

43 'Karl Barth answers a question', 71.

44 Dietrich Bonhoeffer, 'Protestantism without Reformation'(1939), yn Edwin H. Robertson (gol.), *No Rusty Swords* (Glasgow: Collins, 1970), tt. 88-113 [105].

45 Dyfynwyd gan Martin E. Marty, *Modern American Religion*, cyf. 3, *Under God, Indivisible, 1941-60* (Chicago: University of Chicago Press, 1996), t. 387.

46 John Emyr (gol.), *Lewis Valentine yn*

Cofio (Dinbych: Gwasg Gee, 1983), t. 52.

Pennod 6

1   Cyhoeddwyd gyntaf yn *Cristion* 107, Gorffennaf-Awst 2001.

2   Cyhoeddwyd gyntaf yn *Cristion* 108, Medi-Hydref 2001.

3   Cyhoeddwyd gyntaf yn *Seren Cymru* a'r *Tyst*, 17 Ionawr 2008.

Pennod 7

1   J. Alwyn Charles, *Y Duw Byw* (Abertawe: Gwasg John Penry, 1971).

2   Desmond Davies (gol.) yn ei ragymadrodd i'r gyfrol *Gardd Duw: Cyfrol o Bregethau ac Anerchiadau George John* (Bangor: Y Coleg Gwyn/ Cyhoeddiadau'r Gair, 1999).

3   Cefais yr anrhydedd brudd, ysywaeth, o draddodi pregeth goffa iddo yn ei angladd yn Methel, Sgeti, ym mis Hydref 2012.

4   John Macquarrie, 'Pilgrimage in Theology', *Theology, Church and Ministry* (London: SCM Press, 1986), tt.6-7.

5   Stephen Neill a Ruth Rouse, *A History of the Ecumenical Movement, 1517-1948*, 3ydd argraffiad (Geneva: WCC, 1993).

6   Yr arweiniad gorau ar y pwnc yw Robin Boyd, *The Witness of the Student Christian Movement: Church Ahead of the Church* (London: SPCK, 2007); mae'n adrodd am 'gwymp' drasig y mudiad ym mhennod 7. Gweler hefyd *Erastus Jones, Croesi Ffiniau: Gyda'r Eglwys yn y Byd* (Abertawe: Gwasg John Penri, 2000).

7   Roedd gwreiddiau Coleg Regent's Park yn Academi Stepney, Llundain, a sefydlwyd yn 1810, cyn adleoli i Regent's Park yn y ddinas yn 1855. Symudodd y coleg i Rydychen yn 1928 a dod yn rhan o'r Brifysgol fel 'permanent private hall'. Wheeler Robinson (1872-1945) oedd ei brifathro cyntaf wedi'r symudiad o Lundain.

8   Adargraffwyd yn Nathaniel Micklem, *The Place of Understanding* (London: Geoffrey Bless, 1963), tt. 26-39.

9   Annibynnwr o Ddowlais oedd Dan Jenkins (1914-2002). Mae'i fab, Simon Jenkins, yn gadeirydd y National Trust ac yn gyn-olygydd *The Times*.

10   D. Ellis Evans ac R. Brinley Jones (goln), *Cofio'r Dafydd: Cymdeithas Dafydd ap Gwilym, Rhydychen, 1886-1986* (Abertawe: Gwasg John Penry, 1987).

11   Lesslie Newbigin, *Unfinished Agenda : An Autobiography* (London: SPCK, 1985), t. 249.

12   R. Tudur Jones, *Yr Undeb: Hanes Undeb yr Annibynwyr Cymraeg, 1872-1972* (Abertawe: Gwasg John Penry, 1975), t. 374.

13   'Araith Llywydd yr Undeb, 16 Ebrill 1962', yn John Emyr (gol.), Lewis Valentine, *Dyddiadur Milwr a Gweithiau* Eraill (Llandysul: Gwasg Gomer, 1988), tt. 191-209 [191].

14   Joseph L. Hromadka, *Thoughts of a Czech Pastor* (London: SCM, 1970), t. 115.